Jet

Biblioteca de

Francis Roe

PLAZA & JANES

Jet

Francis Roe

Médicos bajo sospecha

Traducción de
Francisco Martín

PLAZA & JANES EDITORES, S. A.

Título original: *Dangerous Practices*
Diseño de la portada: Artimaña
Ilustración de la portada: A.G.E. Foto Stock e Image Bank

Quinta edición: marzo, 1999

Printed in Spain – Impreso en España

ISBN: 84-01-46296-7 (col. Jet)
ISBN: 84-01-47521-X (vol. 296/1)
Depósito legal: B. 11.579 - 1999

Fotocomposición: Víctor Igual, S. L.

Impreso en Romanyà Valls, S. A.
Verdaguer, 1. Capellades (Barcelona)

L 47521X

PRIMERA PARTE

1

Poco antes de las siete de la mañana el doctor Anselm Harris, al volante de su viejo Triumph deportivo azul, entró en el aparcamiento reservado a los médicos en la parte de atrás del hospital de Glenport y se detuvo unos veinte metros más allá de la entrada de urgencias. Sacando primero sus largas piernas, se apeó y cerró de golpe la portezuela. Miró los árboles ya retoñados y las viejas casas de madera en colores pastel situadas al otro lado de la avenida Manitauk. El perfil de los árboles y las casas era blando y difuso por efecto de la niebla que, como siempre a finales de abril, subía desde el Sound.

Anselm llegó hasta la entrada; alto y bien formado, caminaba con el paso ágil y la naturalidad de un atleta. Llevaba un jersey azul oscuro encima de una camisa de cuadros con el cuello desabrochado, y el viento y la humedad habían revuelto su espeso pelo castaño, más largo de lo que el viejo portero del hospital consideraba correcto en un profesional, haciéndole parecer más joven de sus treinta y nueve años, algo más parecido a un profesor universitario que a un cirujano. En las mujeres, lo que primero llamaba la atención eran sus ojos verdigrises y profundos, chispeantes de entusiasmo o de apacible ironía, y como su voz casi siempre era discreta y contenida, solían ser los únicos indicios detectables de su estado de ánimo.

A sus espaldas, un Lamborghini rojo rebasó veloz la entrada, pasando ante la puerta principal para detenerse suavemente en otra plaza del aparcamiento unos metros más allá.

Anselm llegó a él en el preciso momento en que se apeaba su amigo Peter Delafield. Médico casi de su misma edad, Peter vestía chaqueta y pantalón de deporte, corbata de seda y zapatos Church marrones. Por sus facciones regulares, pelo rubio ondulado y ojos azules, Peter parecía un actor de cine y era bastante consciente de ello. En la universidad, siempre más llamativo que Anselm, le habían puesto el apodo de Fogonazo, pero allí, en la conservadora ciudad portuaria de Glenport del estado de Connecticut, las enfermeras le llamaban Mr. Hielo.

—Me alegro de que nos hayamos encontrado —dijo Peter, cerrando la portezuela del coche con suavidad—. Tengo una paciente en la B3 a la que me gustaría que vieses si tienes un momento.

—Pensaba que el jueves era tu día libre. ¿O es que Susan te ha vendido el barco? —replicó Anselm.

—No creas que no le gustaría —respondió Peter, mirando detenidamente a dos enfermeras que salían del hospital—. No, lo que pasa es que tengo que dictar un montón de altas.

Lo había dicho en tono tenso, poco corriente en él, casi nervioso, y Anselm pensó si tendría problemas con Susan. No sería la primera vez.

Se dirigían hacia la puerta de urgencias, la manera más cómoda de entrar en el hospital, cuando oyeron un tableteo que no tardó en retumbar en las ventanas, y por encima de los árboles surgió un helicóptero militar que cruzó casi por su vertical y lo bastante cerca para disipar la niebla y hacer volar las hojas muertas del invierno. Iba en dirección al mar, hacia la isla Carver, situada a unas doce millas de la costa y lugar de residencia de poderosos y ricos solitarios. El sonido de los rotores le recordó por un instante a Anselm su niñez y las diversas bases de aviación en que se había criado.

—Debe de ser Denton Bracknell que vuelve a casa a pasar el puente —dijo Peter una vez el ruido hubo disminuido—. No me disgustaría esa clase de vida —añadió sonriente, asintiendo con la cabeza—. Unos días de trabajo en Washington y vuelta a casa en la isla de Carver con una esposa magnífica.

—No me explico cómo vuelan con esta niebla —dijo Anselm—. En la isla debe de ser todavía más cerrada.

—Sí —dijo Peter, mirando hacia el helicóptero que desaparecía—, se está haciendo muy espesa. De aquí a una hora hasta las gaviotas estarán en tierra.

Cruzaron la puerta de urgencias, rebasando el mostrador de ingresos en el que el jefe de cirugía, doctor Bob North, charlaba animadamente con Erica Barnes, coordinadora de relaciones públicas del hospital a tiempo parcial, mientras la supervisora de enfermeras Pat Mooney miraba con un ojo a la pareja y con el otro un estadillo clínico.

Erica alzó la vista, excusándose con North, y apretó el paso tras Peter y Anselm, mientras Bob North la seguía con la vista.

—Doctor Harris.

Los dos médicos se volvieron. Merecía la pena detenerse por Erica, una mujer esbelta, elegante, de pelo negro cuidadosamente peinado y ojos muy oscuros que destacaban en un rostro ovalado y terso, de un refinado atractivo que hacía pensar que haría una persona como ella en aquel modesto hospital público.

—Ha venido Neil Gowan y ha dicho que no deje usted de examinar a su madre —dijo Erica—. Está en la B3.

—Es la paciente que quiero que veas —añadió Peter con los ojos en Erica.

—Gracias. Lo haré con mucho gusto —contestó Anselm con ese tono que hace prestar atención a la gente, y con un leve deje del Medio Oeste.

—¿Llamará después al señor Gowan, doctor Harris? —añadió Erica, eludiendo la mirada de Peter—. Dijo que estaría toda la mañana en la farmacia.

—Por supuesto. Pasaré por ella de vuelta a casa.

Anselm y Peter continuaron por el pasillo y subieron por la escalera hacia el tercer piso del antiguo pabellón donde éste tenía casi todos sus pacientes.

Dos médicos mayores que bajaban por la escalera charlando saludaron con la cabeza a Peter sin dirigir el menor gesto a Anselm.

Anselm Harris siguió subiendo sin hacer comentarios, pero era evidente que a Peter le había molestado la palmaria hostilidad de sus colegas hacia Anselm.

—Lo lamento —dijo mientras salvaban los últimos escalones de cemento—. Algunos de estos carrozas me fastidian de veras.

—A mí me resbala —replicó Anselm sonriente—. Estoy acostumbrado.

Lo cierto era que ciertos elementos muy conservadores de la plantilla médica no tragaban algunas de las cosas que él había hecho desde su llegada a Glenport un año atrás.

—Ya; tú siempre te creces —dijo Peter, mirando a su amigo.

Llegaron a la sala de enfermeras y Peter cogió un historial de la estantería.

—De verdad que no sé qué pasa con Florence —dijo dando unos golpecitos al papel—. De hecho, Bob North la reconoció ayer y me dijo que no creía que tuviera nada de particular.

Anselm guardó silencio. Le constaba que Peter no sentía demasiada admiración por la valía profesional de North, pero había razones políticas que a veces le obligaban a solicitarle consulta en el caso de sus propios pacientes.

—Ya sabes que Florence es la madre de Neil Gowan. Y por eso... pasa lo que pasa —añadió sonriente Peter, que, como la mayoría de los médicos, no mostraba mucha simpatía por el farmacéutico Neil Gowan—. Por cierto, parece que Gowan te tiene en gran estima, y no sé por qué.

—¿Quieres saberlo? —replicó Anselm, dándole un suave puñetazo en el hombro—. En primer lugar...

—No me lo digas. Voy a explicarte lo de Florence. Mujer casada de cincuenta y dos años y madre de dos hijos mayores —recitó según la fórmula protocolaria del hospital—. Desarrolló nefritis aguda hace un año, con aparente mejora según el curso habitual. Luego, hará unos seis meses, vino a mi consulta con los tobillos hinchados y el semblante pálido; casi en un tris de una insuficiencia cardíaca congestiva —apostilló con el pulgar y el índice en el aire, casi juntos—. Su médico de cabecera había estado recetándole aminofilina para la disnea... No sé qué demonios aprenden algunos en la facultad —espetó, meneando la cabeza.

Peter hojeó brevemente el historial antes de tendérselo a Anselm.

—Has de saber que Florence es un poco pesada —agregó con tono confidencial—. Siempre está quejándose de algo; así que, por una vez, puede que North tenga razón.

Se detuvieron ante la habitación de la señora Gowan.

—Ayer vomitó un par de veces, cosa que nunca había sucedido —prosiguió Peter en voz baja para que no se le oyera al otro lado de la puerta—. Está medicada con prednisona y gracias a eso suele sentirse mejor, pero ahora se encuentra letárgica y ha perdido el apetito... —añadió asiendo el pomo—. En fin, ya lo verás.

Anselm advirtió inmediatamente que lo de la señora Gowan era grave. Respiraba con dificultad, tenía el rostro ceniciento y, al entrar ellos, apenas intentó mirarlos.

—Florence, le presento al doctor Anselm Harris —dijo Peter, tomándole la mano—. Ha venido a verla.

—Neil me ha hablado de usted —dijo ella, iluminándosele los ojos con súbito interés—. Me ha dicho que es el mejor cirujano del hospital.

Anselm le dirigió una sonrisa de circunstancias, se sentó a la cabecera y apartó la sábana. Ahora todo su interés era estrictamente profesional por el estado de la paciente y el resto no contaba. La señora Gowan tenía el vientre tenso e hinchado; Anselm hizo una palpación tan suave que causó impresión en Peter, y a continuación la auscultó con el estetoscopio. No detectó nada. Siguió auscultando en diversos puntos, atento a cualquier irregularidad, pero no oyó nada.

Peter lo observaba; la habilidad de Anselm era proverbial y le gustaba verle actuar. Era un cirujano nato, y, aunque unas dramáticas circunstancias le habían obligado a abandonar Nueva York, su incorporación al hospital había sido una suerte para Peter y la comunidad de Glenport.

De pronto, la señora Gowan cogió de la mesilla una bacina de plástico azul en forma de riñón y vomitó de una manera tan continua y sin arcadas, que el recipiente se desbordó manchando las sábanas. Peter le retiró la bacina y Anselm llamó a una enfermera por el intercomunicador, luego buscó una toalla y la ayudó a limpiarse. La mujer se tendió exhausta con los ojos cerrados.

Nada más llegar la enfermera, Anselm le dio instrucciones, haciendo salir a Peter.

—Es una peritonitis —dijo una vez fuera, una vez cerrada la puerta—. Tiene perforación intestinal; probablemente del intestino grueso.

Peter se quedó estupefacto. No se le había ocurrido la posibilidad de una peritonitis.

—Sabía que era algo grave... ¡Maldito Bob North! Es la última vez que le llamo para consulta de un paciente mío.

—Es posible que se haya producido después de reconocerla Bob —dijo Anselm impasible—. Además, la prednisona enmascara los síntomas.

Ahora que Anselm había dictaminado la causa de la enfermedad, Peter estaba convencido de que la perforación se había producido veinticuatro horas antes y que North había errado en su diagnóstico.

—Bueno, ¿y qué hago?

—Hay que operar. Pediré que preparen ahora mismo el quirófano. Entretanto, comprobación de electrólitos, administración de antibióticos y la preparación habitual. Y necesitamos que firme la autorización para la intervención. Si quieres entro yo y se lo pido.

—Te acompaño —dijo Peter ya con tono de franca perplejidad—. Y supongo que tendré que llamar a Neil.

—Ya le llamo yo —dijo Anselm abriendo la puerta.

—Gracias, Anselm. Te lo agradezco. Voy a ocuparme de la medicación.

El busca de Anselm sonó. El doctor Abruzzo, jefe médico y responsable —entre otras cosas— del orden y la disciplina en los facultativos, quería verle en su despacho lo antes posible.

2

Anselm no se apresuró. Después de explicar a Florence Gowan la intervención quirúrgica que iba a hacerle, añadió una minuciosa nota al historial y enfiló el pasillo. Sabía por qué quería verle Frank Abruzzo.

Sentado al escritorio de su pequeño despacho, el

doctor Abruzzo, con cuarenta años de ejercicio como cirujano en el hospital de Glenport, parecía más avejentado y se le notaba incómodo, pero fue al grano.

—Mire, Anselm —dijo—, está causando ciertos problemas, y me preocupan sus relaciones con algunos miembros del equipo médico. Recientemente ha habido bastantes... comentarios —añadió, asintiendo con la cabeza— a propósito de usted. Y he decidido decírselo antes de que las cosas vayan a más.

—Gracias, doctor Abruzzo —dijo Anselm—. Yo también tendría comentarios que hacer —añadió, pensando en Bob North—, pero me los reservo, de momento.

La papada del doctor Abruzzo se estremeció antes de volver a tomar la palabra.

—Anselm, se habrá dado cuenta de que Glenport es muy distinto del hospital de Nueva York donde usted trabajaba y que aquí no todos tienen su magnífica experiencia. Hay quien es muy picajoso al respecto; e incluso, por así decirlo, se le envidia. —Hizo una pausa, tamborileando con los dedos en la mesa—. En el año que lleva aquí se ha ganado enemistades... —puntualizó alzando las manos—. Ya sé que también tiene buenos amigos, pero en el hospital hay que trabajar en equipo, colaborando unos con otros. —Le miró fijamente un instante antes de continuar—. Sí, colaborar... en cosas concretas... Me informan que no presta la debida atención a las opiniones de sus colegas —añadió, sosteniendo con el brazo estirado una hoja que leyó y volvió a dejar en la mesa—. Parece que ha llevado la contraria a alguno de sus colegas delante de los enfermos. —Le miró por encima de las gafas.

—¿Quiere decir que siempre debo coincidir con la opinión de mis colegas? —inquirió Anselm, estirando cómodamente las piernas.

—Bueno, no; claro que no. Estamos hablando de profesionalidad en cuanto no ofender a nadie.

—¿Profesionalidad... dando la razón a quien está equivocado?

El doctor Abruzzo suspiró.

—Mire, Anselm, sólo trato de ayudarle. Si quiere seguir en esta ciudad tiene que aprender a convivir. Si a muchos colegas no les cae usted bien, por la razón que sea, remitirán sus pacientes a otro cirujano y le harán el vacío.

—Gracias, doctor Abruzzo. ¿Eso es todo? —dijo Anselm.

—¿Piensa seguir ejerciendo en Glenport? —insistió Abruzzo.

—Sí —contestó Anselm con firmeza—. Pienso quedarme, pero eso no significa que tenga que estar de acuerdo con ninguna actitud médica retrógrada ni con opiniones de ineptos.

—Al margen de esto —se apresuró a añadir Abruzzo, cogiendo otra vez el papel y meneando la cabeza— ha habido quejas respecto a esa clínica gratuita que tiene en Bank Street. Bob North sostiene que lo que usted quiere es hacerse publicidad; aunque yo sencillamente diría que es una imprudencia hacer cosas que la mayoría de médicos del hospital no aprueba.

Se le notaba cansado y la mandíbula le temblaba ligeramente, pero estaba decidido a concluir.

—No digo que no sea encomiable por su parte querer ayudar a esa gente —dijo—, pero esos vagabundos son quienes más delitos cometen en la ciudad, y si les acogemos se convertirán en residentes fijos y atraerán a más.

—Frank —dijo Anselm con serenidad, levantándose—, se supone que es tradición en la profesión médica ayudar a los necesitados y a los enfermos lo mejor que podamos. Si usted y los otros médicos no quieren intervenir, allá con su conciencia, pero no entorpezcan mi modesta actividad. ¿De acuerdo?

—Anselm —dijo Abruzzo con un nuevo suspiro—, procure ser más considerado con sus colegas. Esfuércese por escucharlos. Procure llevarse bien con ellos... aunque sólo sea de vez en cuando —añadió en un intento final por solventar el contencioso con su joven colega.

Anselm desanduvo el pasillo sintiéndose un poco violentado, a pesar de que Abruzzo no le había dicho nada que no supiera. Sabía que su actitud era polémica, pero era la primera vez que salían a la superficie las reticencias del reducido grupo de médicos que lo consideraban un rival.

Se encaminó al quirófano.

—Lucille, hay que preparar una intervención —dijo a la encargada, una mujer pálida de severos ojos grises y nariz grande; sentada muy tiesa tras el escritorio, su carencia de maquillaje y de alhajas era casi un desafío.

Lucille Heinz alzó la vista.

—Estamos a jueves, doctor Harris. Y los jueves siempre tengo menos personal. —Ella siempre recalcaba lo obvio, impasible—. ¿No puede intervenir mañana, cuando estén todos? —añadió casi sin mover sus finos labios y con mirada glacial y retadora.

Anselm, que había tenido enfrentamientos con ella casi desde el día de su llegada a Glenport, se quedó mirándola, inmune a su actitud tenaz e intransigente. Entre el personal de quirófano los más discretos la llamaban «la monja», y era un apodo que le iba al dedillo. Debería estar en un convento, pensó Harris, o al menos en algún sitio en el que no hubiera trato diario con gente.

—Es un caso urgente, Lucille —respondió con énfasis medido—. No puedo esperar a mañana. Se trata de una paciente con peritonitis. —Anselm refrenaba su tono, diciéndose que estaba en el hospital municipal de Glenport, Connecticut, y no en el hospital de Nueva York, donde rapidez y eficacia se sobrentendían.

—Estamos desbordados, doctor Harris —replicó Lucille—. Creo que no es justo cargar al personal con otra operación.

—¿Quiere que les hable yo? —añadió Anselm a punto de perder la paciencia—. ¿O llamo al señor Olson? —Sabía que Stefan Olson, el director del hospital, y Lucille no mantenían muy buena relación, y estiró el brazo a través de la ventanilla para alcanzar el teléfono de la mesa.

—No es necesario, doctor Harris —dijo ella, protegiendo el aparato con la mano—. Habrá un quirófano listo dentro de una hora. El anestesista de guardia es el doctor Burton, y está en la sala de médicos. —Apretó los labios y le miró con descarada hostilidad. Sabía que Philip Burton era amigo de Bob North y no precisamente partidario de Anselm.

—Subirán a la paciente dentro de media hora —dijo Anselm.

En el anterior hospital en que había trabajado, una encargada como Lucille no habría durado en su puesto ni veinte minutos, pensó mientras se dirigía a informar de la operación al doctor Burton.

Durante una pausa en el trabajo del departamento de urgencias, la supervisora de enfermeras Pat Mooney tomaba café con su interina, una joven estudiante rubia de ojos azules acuosos llamada Emily Prosser. Pat tenía en el regazo el libro de ingresos y comprobaba si en urgencias habían anotado todos los diagnósticos de la semana anterior.

—Ibas a decirme algo del doctor Harris —dijo Emily animosa.

Pat detuvo el lápiz en el aire al oír el nombre y alzó sonriente la vista.

—¿Aparte del hecho de que es guapo y atractivo?

Emily la miró. Viniendo de Pat eran palabras mayores.

—Es muy amigo del doctor Delafield —prosiguió Pat—. Estudiaron juntos en la facultad y fue Peter quien le animó a venir aquí. —Bebió un sorbo de café y miró pensativa a Emily—. El doctor Harris ejercía en Nueva York y le iba muy bien hasta que lo demandaron por negligencia profesional.

—Eso es algo de lo que no se libra casi ningún médico en un momento u otro —comentó Emily.

—Pero su caso fue algo inusual —replicó Pat—. El paciente era un político importante y al doctor Harris le hicieron pagar el pato. Después de eso, Delafield hizo cuanto pudo para que le contrataran aquí, aunque, por supuesto, encontró mucha oposición entre los médicos. Sin embargo, Peter Delafield tiene influencia y logró que le admitieran.

—¿Qué fue lo que hizo? Me refiero al doctor Harris —dijo Emily con ojos muy abiertos—. No sería nada bueno.

Pat dejó su taza en el mostrador y se puso en pie.

—Sé que el paciente murió; pero ignoro los pormenores.

—Vaya... —exclamó Emily casi boquiabierta—. Es tan agradable trabajar con él —añadió asiendo su taza sin apartar la vista de Pat—. No obstante, esa actitud de amabilidad puede ser una máscara.

—Después del juicio su esposa le abandonó —añadió Pat—. Peter me ha contado que era una mujer muy lista y guapa, aunque frívola y algo alocada; no era la persona apropiada para Harris.

—Peter te cuenta muchas cosas, ¿verdad? ¿Has salido con él?

—Claro —contestó Pat riendo—. Como todas.

—A Erica Barnes le gusta mucho el doctor Harris, ¿no es así? —añadió Emily con ojos chispeantes.

—A muchas del hospital les gusta, y mucho —contestó Pat encogiéndose de hombros—. De todos modos —añadió con aspereza—, creo que sí hay algo entre Erica y Peter. En lo que a hombres respecta, esa chica coge lo que puede y no se recata para nada. Y el doctor Harris, que no es ningún imbécil, debe notarlo.

—Vaya con esa Erica —musitó Emily—. Es la clase de persona que siempre consigue lo que se propone.

—Pues esta vez me parece que no —dijo Pat sonriente.

Emily bebió un sorbo de café.

—¿Te diste cuenta de cómo miraba al doctor North? No le soporta, ¿verdad?

Pat vaciló un instante.

—Es que él se portó muy mal con una joven amiga de ella —contestó, y se puso en pie—. Bueno, por hoy basta de cotilleo, que tenemos que hacer recuento de ropa blanca.

—Cuéntamelo, por favor —suplicó Emily—. Aún quedan cinco minutos.

Pat consultó el reloj. Eran las diez menos cinco.

—De acuerdo. Te lo explico sucintamente. La amiga de Erica, Hermita López, era una enfermera que vino de México a trabajar aquí. Una chica guapísima y buena enfermera, pero no muy lista. Bob North la acaparó desde el primer día, y a los dos meses estaba embarazada. Entretanto, la chica se había hecho amiga de Erica. Hermita era católica recalcitrante, por lo que quedaba totalmente descartado el aborto, y Bob, en cuanto supo lo del embarazo, si te he visto no me acuerdo. Erica poca cosa podía hacer, y Hermita intentó suicidarse cortándose las venas; la internaron en la unidad de psiquiatría de New Coventry y allí dio a luz. Erica sigue yendo a verla, pero su depresión es tan grave que ni siquiera es capaz de ocuparse del niño. Ésa es la razón por la que Erica no puede ver a Bob North. Y ahora —añadió—, vámonos. Tengo la lista de inventario y tú y yo vamos a repasarla.

Salieron de la sala de descanso en el momento en que Anselm pasaba, y la sorpresa hizo que Emily no pudiera reprimir una risita. Él le sonrió y las dos se quedaron mirándolo, viéndole desaparecer tras la puerta doble.

—Si yo fuera una enferma —dijo Emily en un arrebato—, pediría que me atendiese el doctor Harris.

—Tomo nota para decírselo —apostilló Pat—. Bien, empezaremos por las traveseras.

Anselm regresaba de hablar del caso de la señora Gowan con el anestesista cuando vio a Peter Delafield que venía a toda prisa por el pasillo a su encuentro.

—Acaban de llamarme de la isla Carver —dijo—. ¿Te acuerdas que vimos pasar el helicóptero de Denton Bracknell? Pues parece que ha sufrido un ataque y ahora mismo le traen en una lancha porque la niebla impide volar. Tardarán dos o tres horas en llegar —añadió meneando la calderilla del bolsillo del pantalón—. Anselm, ¿te importaría quedarte hasta que llegue?

—Claro que no —contestó Harris algo sorprendido. Si era infarto se trataba de un problema médico más propio del área específica de Peter, pero le veía angustiado y pensó que estaba deprimido por no haber sabido diagnosticar la afección de Florence Gowan. Necesitaba apoyo moral.

—Oye, explícame algo de él. ¿Cómo conociste a Denton Bracknell? —inquirió con curiosidad.

—Sandy lo trajo a la consulta. Sandy es de por aquí y yo la conocí unos dos años antes de que se casaran, cuando a él acababan de nombrarle asesor presidencial. A Bracknell no le gustaban los ambientes médicos de Washington, trabajaba en exceso y sufría de cefaleas, y un par de veces tuvo crisis de vértigo. Le tratamos aquí, pero para la edad que tiene está bastante bien.

Peter se había interesado en Bracknell, al menos en parte, por su importancia política y le complacía hacérselo saber a Anselm. Describió a un Denton grueso, fornido, canoso, de casi un metro ochenta, no bien parecido por la lesión que le había quedado en la nariz como recuerdo de un torneo de boxeo en la universidad, pero era un hombre muy inteligente y con un agudo sentido del humor; había sido profesor de relaciones internacionales en Georgetown y era un peso pesado intelectual, con fama de saber más sobre política económica europea que muchos jefes de Gobierno y ministros del viejo continente. En la actualidad era una cara bien conocida en la televisión por las muchas entrevistas que le hacían, y se decía que tenía en el gobierno tanta influencia como Henry Kissinger en su mejor época.

Se había casado con Sandy, veinticinco años más joven que él, tras un noviazgo brevísimo después de conocerse en el transbordador de la isla Carver: estaba detrás de ella en la cola, cuando Sandy se percató de que había dejado el bolso en casa y no llevaba dinero para el pasaje.

Mientras Peter hablaba de Bracknell llegaron a los ascensores.

—¿Has hablado con Stefan Olson? —preguntó Anselm—. Le interesará saber que va a ingresar un famoso como Bracknell.

—Es verdad, claro. Le llamaré —contestó Peter con cara de preocupación—. Cuando llegue Bracknell habrás acabado de operar a Florence Gowan. Te haré llamar por los altavoces en cuanto le ingresen.

Peter apretó el paso hacia la escalera y Anselm continuó en dirección al quirófano, pensando en que Peter parecía nervioso y asustado; era comprensible. Denton Bracknell era el paciente más importante que ingresaba en el Memorial Hospital de Glenport.

3

El quirófano no estaba preparado, por lo que Anselm se dirigió a la biblioteca. Al entrar, dos enfermeras que hablaban en voz baja le miraron pero bajaron enseguida la vista a sus respectivos libros. Era una biblioteca pequeña con sólo modestas colecciones de libros y revistas y casi la mitad de su fondo correspondía a temas de enfermería.

Se dirigió al expositor de las últimas revistas, hojeó el *JAMA* y miró en *American Journal of Surgery*, pero allí no lo encontró.

Sonó el teléfono que había junto a la puerta y una de las enfermeras se levantó para contestar.

—Es para usted, doctor Harris —dijo—. El doctor North.

Bob estaba furioso; poseía por naturaleza una voz recia que se hacía esténtorea cuando se enfadaba.

Anselm le cortó.

—Si quiere hablar del estado de Florence Gowan —dijo—, estoy en la biblioteca. —Notaba que el corazón le latía apresuradamente; no le gustaban los enfrentamientos, pero si había que llegar a ellos tampoco los rehuía.

—¿En la cuarta planta? —preguntó Bob.

—Tercera —replicó Anselm—. A la derecha al salir del ascensor y al final del pasillo. No tiene pérdida —añadió lo menos sarcásticamente que pudo. Era increíble que Bob North no supiese cómo llegar a la biblioteca del hospital.

En cualquier caso, North no tardó en encontrarla; entró sin ceder el paso a las enfermeras que salían y cerró de un portazo tras ellas. Bob era más bien bajo, de rostro rosado, gordo y de escaso pelo negro cuidadosamente peinado sobre el cráneo. A medida que se aproximaba ceñudo a Anselm parecía un pavo resoplando enfurecido.

—Florence Gowan es paciente mía desde hace mucho —dijo con tono beligerante—, y a su marido le operé hace un par de años. Acabo de estar en el quirófano y según Lucille usted ha dicho que la preparen para una intervención urgente.

—Exacto —respondió Anselm—. Tiene peritonitis; probablemente a consecuencia de una perforación intestinal.

—No había indicios de ello cuando la reconocí ayer —replicó Bob, clavando la vista agresivamente en Anselm—; sólo un simple estreñimiento.

—Desde luego que está estreñida —dijo Anselm, alzándose en todo su metro ochenta y mirando a North desde arriba—, pero es debido a la inmovilización intestinal provocada por la peritonitis.

La voz de Anselm sonó escrupulosamente educada, pero Bob enrojeció ante aquel tono.

—Bien, pues voy a reconocerla de nuevo —dijo—. Ya le he dicho que es paciente mía y seré yo quien decida lo que se hace.

—No es paciente suya, y usted no hará nada —replicó Anselm—. La ingresaron al cuidado de Peter Delafield y fue él quien me pidió que la reconociera. Si no le preocupa haber fallado una diagnosis tan evidente, le sugiero que lo discuta con Peter.

Y abrió la puerta para salir, pero se detuvo con la mano en el pomo, volviéndose hacia North, que farfullaba furioso.

—Por cierto, he dejado espacio en blanco en el historial para que anote su consulta —dijo—. Voy a operar a la señora Gowan dentro de veinte minutos. —Hizo una pausa—. Si quiere ser mi ayudante en la intervención, adelante.

Un par de horas más tarde Anselm había terminado de operar a Florence Gowan, y en el quirófano la tensión iba en aumento. Ya habían anunciado la llegada de Denton Bracknell y el teléfono no paraba de sonar por las llamadas de la radio, la televisión y la prensa. Stefan Olson, director del hospital, había intentado que instalasen una línea especial, pero la compañía telefónica alegaba que tardarían tres días como mínimo. Después de acompañar a Florence a la sala de postoperatorio, Anselm bajó a recepción.

Había tres hombres esperando; un agente del FBI y dos del servicio secreto, con órdenes de Washington de dejar lo que estuvieran haciendo y dirigirse a Glenport, adonde habían llegado en coche desde la delegación regional de New Coventry. Harris vio que Pat Mooney conprobaba sus tarjetas de identidad.

—¿Por qué no los envía al señor Olson para que sepa que están aquí? —musitó Harris.

Y así lo hizo Pat, contenta por quitarse de encima la responsabilidad. El agente del FBI regresó al poco rato y se situó fuera para esperar la ambulancia, mientras los del servicio secreto reunían al personal de seguridad del hospital para dar instrucciones.

Anselm volvió a subir por la escalera para ver cómo estaba Florence Gowan, y minutos después, desde urgencias, se oía a lo lejos la sirena de la ambulancia. Todos estaban serenos y a la expectativa y habían abandonado el trabajo rutinario. Dos pacientes tendidos en sus cubículos se preguntaban a qué venía todo aquel alboroto.

Se abrieron las puertas y entró Peter, que había ido al muelle a esperar la lancha para atender a Brackwell y había vuelto al hospital en su coche. Segundos más tarde llegaba la ambulancia haciendo ulular la sirena y azotando con sus ráfagas de luz roja y blanca los cristales esmerilados de las ventanas de la planta baja.

—Sala de traumatismos —dijo Pat.

Los camilleros de la ambulancia sabían adónde dirigirse; la sala estaba cerca de la entrada y era el doble de grande que los demás habitáculos. Sandy Bracknell entró con ellos, sin soltar la mano de Denton, al paso de los camilleros que le trasladaban apresuradamente por el pasillo. Dos reporteros de una emisora de televisión de Coventry irrumpieron detrás del grupo, uno de ellos enfocando la camilla con la cámara y seguido por el otro que sujetaba la antorcha halógena que iluminaba la escena.

—Llame al doctor Harris y dígale que baje inmediatamente —dijo Peter a la telefonista.

—Enseguida, doctor Delafield —contestó ella, pensando que decididamente aquel día Peter no era Mr. Hielo.

Peter apretó el paso por el pasillo en dirección a la sala de traumatismos y, al ver la gente que se apiñaba junto a la puerta del habitáculo 5, exclamó con tono exasperado antes de cruzarla:

—¡Los que no tengan nada que ver con el caso, márchense! ¡Fuera de aquí! ¡Largo!

Pat, que venía detrás de él, se encargó de dispersar a los curiosos.

En la sala de traumatismos una enfermera aplicaba a Bracknell en brazos y piernas los electrodos para hacerle el electrocardiograma, al tiempo que un especialista le ligaba un trozo de goma en el brazo para extraer sangre y ponerle una inyección intravenosa.

Denton Bracknell, que había hecho la mayor parte del viaje inconsciente, observaba todo lo que hacían pero sin aquella expresión de pánico que Peter había advertido en el muelle; parecía haber mejorado notablemente en el breve trayecto de la lancha al hospital.

—¿Cómo te encuentras, Denton? —preguntó Peter—. Estás en urgencias del hospital de Glenport.

—Lo sé —contestó Bracknell con voz débil—. ¿Es necesario todo esto? —añadió, alzando el brazo izquierdo, lo que hizo que el técnico que estaba a punto de introducirle una aguja exclamase:

—¡Por favor, no se mueva!

Sandy, que seguía sin soltarle la mano, miró con dureza a Peter conminándole a que hiciera algo por mejorar el estado de su esposo.

Peter cogió la mano libre de Bracknell y notó que seguía fría. El pulso era rápido y filiforme, igual que en el momento de desembarcarle. Era evidente que persistía la gravedad, pese a que aparentaba haber recuperado algunas funciones vitales.

La puerta se abrió y Anselm entró discretamente, yendo a situarse al lado de su amigo.

—Te presento a Anselm Harris —dijo Peter a Bracknell—, un cirujano del hospital; el mejor que tenemos. Le he llamado para consulta. Parece que el señor Bracknell —prosiguió, bajando la voz— tiene una oclusión parcial de la tercera arteria carótida, probablemente por efecto de un coágulo. Imagino que se desprendería algún trozo a primera hora de hoy y habrá ascendido hasta el cerebro. Anselm —añadió con voz normal—, te presento a Sandy y Denton Bracknell.

Anselm saludó con una inclinación de la cabeza. A pesar de su evidente angustia, Sandy era una hermosísima mujer de figura espléndida y largo cabello rubio, que llevaba recogido atrás, y ojos oscuros ligeramente rasgados, como si tuviera algún antepasado oriental. Anselm le preguntó cómo se había producido exactamente el ataque.

—Den acababa de llegar de Washington en helicóptero —contestó ella—. Como había una niebla tan espesa, yo pensé que no intentarían aterrizar. Bien, Den parecía muy cansado y a los pocos minutos de llegar dijo que se encontraba mareado y tenía dolor de cabeza; no es la primera vez. Le di un par de píldoras y él subió arriba a echarse un rato.

La joven respiró hondo, apretó con más fuerza la mano de Denton y prosiguió con voz ligeramente entrecortada.

—Al cabo de una hora subí a ver si quería almorzar pero no le pude despertar. Tenía los ojos... como en blanco y... bueno, llamé a Rose, nuestra ama de llaves, para que pidiera la ambulancia de la isla porque con esa niebla no había manera de traerlo en el helicóptero. Mientras, metí unas cuantas cosas en una bolsa, llamé a su despacho en Washington y vinimos en la lancha de Alec Ponting.

En ese momento les interrumpió una voz discreta a espaldas de Anselm.

—Señores, ¿puedo hablar un momento con ustedes?

Anselm se volvió y vio a un joven fornido de ojos azules muy claros, que le miraba afablemente y le tendía una tarjeta de identidad plastificada.

—Agente especial Marlin Foster, de la oficina del FBI en New Coventry.

Peter intentó decir algo, pero el agente añadió:

—Hablaremos fuera, caballeros, si no tienen inconveniente, cuando hayan acabado.

—Cinco minutos —dijo Anselm, volviéndose hacia Sandy.

Escuchó atentamente el resto de sus explicaciones, sin que le pasaran inadvertidos su rostro ojeroso y su angustiosa tensión, pero en particular observaba a Bracknell. Estaba consciente, muy consciente, con ojos levemente agrandados por el recelo. Al concluir Sandy su relato, Anselm sacó el estetoscopio y auscultó el lado derecho del cuello de Denton.

—Perdone, señor Bracknell —susurró, desplazando ligeramente el instrumento hacia la bifurcación de la arteria carótida en sus dos ramas principales, sabiendo que si se había formado un trombo, como pensaba Peter, probablemente se localizaría en ese punto. El sonido del estetoscopio era anormal en vez del golpeteo flojo, tenue y uniforme del discurrir de la sangre por el vaso, se oía una sibilancia por efecto del curso rápido y turbulento de la misma por la zona estenosada. Anselm escuchó unos instantes, tratando de excluir de la auscultación el resto de sonidos que llenaban la sala. Y a continuación repitió la comprobación en el otro lado del cuello.

Finalmente se irguió.

—Caben pocas dudas —musitó a Peter—. Se detecta una grave estenosis en el lado derecho, pero creo que la arteria no está ocluida.

—Sufre esa estenosis desde hace casi un año —replicó Peter—, pero hasta ahora no le había causado problemas.

—¿Qué es una estenosis? —inquirió Sandy.

—Un estrechamiento de la arteria, señora Bracknell —contestó Anselm con tono amable, guardándose el estetoscopio en el bolsillo. A Sandy le había sorprendido su actitud compasiva al presentárselo Peter, porque a primera vista le había tomado por un médico frío y distante, interesado únicamente por el diagnóstico y los honorarios.

—¿Hay exploración ultrasónica? —inquirió Anselm, volviéndose hacia Peter.

—Sí, se le hizo hace un año. Está en el sobre de la radiografía. Se aprecia una ligera estenosis; pero esto —añadió, señalando el cuello de Bracknell—, esto es nuevo.

Tanto Bracknell como su esposa miraban a los dos médicos, aguardando su decisión.

Peter se volvió hacia ellos.

—Creemos que es un coágulo en el lado derecho, en la arteria principal que riega el cerebro —dijo—. Debió de desprenderse un pequeño fragmento que ha alcanzado el cerebro y le ha producido el ataque, haciéndole perder el conocimiento. Lo más probable es que el coágulo siga adherido. Si el doctor Harris está de acuerdo con el diagnóstico, podría operar para eliminar el resto del coágulo, ya que de lo contrario podría desprenderse otro fragmento mayor... —Peter desvió un instante la vista—. Y eso traería graves consecuencias.

Anselm, convencido de que tal perspectiva era un tanto prematura, intervino.

—Desde luego, lo que señala el doctor Delafield es una posibilidad —dijo—, pero sería precipitado llegar a un diagnóstico definitivo. Tendremos que hacer otras pruebas. —Advirtió que su amigo le clavaba la mirada y se volvió hacia él—. Peter, el señor Bracknell se encuentra estable en este momento. ¿Por qué no hablamos fuera?

«Colaborar —pensó, recordando la advertencia de Frank Abruzzo—. Sabes que Peter es un buen médico; debes confiar en él.»

Sandy se volvió hacia Peter.

—Cuando lo hayáis decidido, ¿nos dirás qué pensáis hacer?

—Naturalmente, Sandy —respondió Peter, e intentó poner la mano en su brazo para tranquilizarla, pero ella se apartó.

—Pat, llama al laboratorio de ultrasonidos —dijo Anselm a la enfermera jefe—. Que bajen un contador carótido portátil. Será mejor no trasladarle a rayos X.

Anselm miró el monitor sobre la cabeza de Bracknell y vio que mostraba el ritmo cardíaco acelerado de una taquicardia, pero era un ritmo uniforme. Bracknell no cesaba de sudar y, pese a que en la sala hacía calor, sus manos seguían heladas. Miraba angustiado a todas partes, y Anselm tuvo la impresión de que intentaba rememorar los últimos acontecimientos.

—Vamos —dijo a Peter y se dirigió hacia la puerta.

El agente Foster les aguardaba fuera.

—Señores, únicamente quiero informarles de mi presencia —dijo—. Hemos asignado dos agentes secretos al señor Bracknell. Uno de ellos vigilará constantemente por el hospital y el otro permanecerá en la habitación para impedir la entrada a quien no lleve tarjeta de identificación del centro. Ya he puesto al corriente al señor Olson de nuestro cometido.

Peter siguió a Anselm al pequeño cuarto de visionado de placas al final del pasillo.

—¿No crees que en Washington —preguntó Anselm a Peter— querrán que se le traslade al hospital de la Marina de Bethesda o quizá a New Coventry? —Abrió el gran sobre amarillo que contenía las placas de ultrasonidos—. No sé si éste es el mejor centro para cuidar a un personaje importante con esa clase de dolencia.

Peter meneó la cabeza, como si ya hubiese considerado tal posibilidad.

—Ni hablar; claro que no. Su estado es muy delicado y un viaje en helicóptero o en ambulancia podría fragmentar el coágulo y causarle la muerte. Me opongo a ello.

Aunque Anselm admitía la lógica de Peter, advirtió claramente que mostraba un extraño interés por que Denton Bracknell permaneciese en el hospital de Glenport. Sabía por experiencia lo ambicioso e incluso egoísta que era su amigo, y ahora se evidenciaba una vez más. Por su condición de médico del asesor presidencial más importante de la década, la fama de Peter en Glenport iba a subir como la espuma. Sintió cierto disgusto y se dijo que ojalá aquella ambición no le llevara a tomar decisiones imprudentes.

Se puso a examinar en la visionadora las anteriores placas de exploración ultrasónica de las arterias carótidas de Bracknell.

—No son muy buenas que digamos —comentó.

—Pues no —dijo Peter—, pero es lo mejor que podemos conseguir aquí. De todos modos, la estenosis se ve perfectamente... ahí está —añadió, señalando un punto de la placa.

—Imagino que no le habrás hecho un arteriograma —dijo Anselm.

Peter meneó la cabeza.

—Es una exploración de alto riesgo; al menos en este hospital —contestó—. De todos modos, no presentaba síntomas y por eso no se le hizo.

Peter miró hacia la puerta. Crecía el ruido en el pasillo y se oían fuertes voces.

Llamaron a la puerta y entró Pat Mooney.

—El señor Olson les llama a su despacho —dijo—. Espera una llamada importante de un momento a otro y quiere que estén con él.

4

Aquella misma mañana la abogada Valerie Morse se hallaba en el palacio de justicia de New Coventry, a unos ochenta kilómetros al sur de Glenport en la costa. Sentada a la mesa de letrados, observaba al doctor Terence Kasper dirigirse al estrado de testigos. El doctor Kasper era un hombre de mediana edad bajo, robusto y bien vestido, de pelo castaño poco abundante, andar patoso y vacilante, con la curiosa característica de que parecía echarse hacia atrás conforme avanzaba. Valerie repasó mentalmente las preguntas que iba a hacerle. Habitualmente no leía ningún papel, pero aquel día sujetaba un buen montón en la mano y se la notaba incómoda y poco segura.

Después de prestar juramento, el doctor Kasper miró a la sala como si fuera de su pertenencia y saludó afablemente con la cabeza al juez. No era la primera vez que comparecía ante un tribunal y conocía el procedimiento muy bien.

Llegado el momento del interrogatorio, Valerie se puso en pie. Era esbelta, de estatura mediana, de cara más bien pálida y llevaba los labios y los ojos ligeramente pintados. No necesitaba mucho maquillaje; tenía un cutis perfecto, ojos oscuros y un pelo casi negro exuberante que llevaba recogido atrás con un broche. Para la vista se había puesto un traje sastre oscuro que se ajustaba a sus formas, y una blusa de seda blanca con chorrera.

Aquella mañana reinaba un ambiente distinto en la sala y los bedeles, secretarios y abogados lo notaban; ya se había producido en otras vistas en las que había intervenido Valerie.

La sala estaba casi vacía y el escaso público sólo se veía aumentado por algunos abogados que habían entrado a presenciar la intervención de Valerie al leer su nombre en el tablero anunciador, a pesar de que se trataba de una simple vista por demanda de una aseguradora.

—Doctor Kasper —dijo Valerie, revolviendo entre sus papeles—, ¿quiere decir al tribunal cuánto tiempo lleva ejerciendo la medicina?

—Veinticinco años —contestó Kasper, recorriendo con mirada complacida el cuerpo de Valerie—. Comencé en el sesenta y ocho.

—¿Atiende usted muchos casos de lesiones de espalda, doctor Kasper? —Su voz sonaba forzada, como si fuera consciente de estar ganando tiempo con preguntas triviales.

—Algunos —contestó Kasper, al tiempo que entre el público se oían unas risitas. Era sabido que Kasper atendía casi exclusivamente casos de pacientes con lesiones de espalda y que tuvieran un seguro apetitoso.

Valerie hojeó los papeles y por un instante reinó el silencio en la sala.

—¿Recuerda usted al señor Ray Jones?

—Claro que le recuerdo —contestó Kasper, juntando las manos; Valerie advirtió que eran menudas y que llevaba un grueso anillo universitario de oro con un rubí. Kasper sonreía divertido a la joven y sin duda poco experta abogada—. Recuerdo a todos mis pacientes —añadió, mirando al juez—. El juez Haynes puede confirmárselo.

—Entonces, ¿recuerda de qué se quejaba el señor Jones? —preguntó Valerie—. Puede consultar sus anotaciones si lo desea.

—No necesito anotaciones —replicó Kasper—. Me acuerdo con todo detalle. Ray es un concienzudo trabajador de la construcción que resbaló en un charco de la obra, se torció la espalda al caer y sufrió una distensión muscular en...

—Únicamente de qué se quejaba, doctor, por favor; no el diagnóstico —dijo Valerie con tono cortés.

—Perdone. Cuando le reconocí horas después del accidente, Ray se quejaba de un dolor agudo y severo en la parte inferior de la espalda, que irradiaba de vez en cuando a las piernas y se acentuaba al caminar y moverse. Y también se quejaba de debilidad en ambas piernas.

—¿Y usted qué hizo?

—Pues se le hicieron una serie de radiografías para ver si había fractura.

—¿La había?

—Mínimamente —contestó Kasper casi con aire despectivo—. Por fortuna, nada serio, pero nunca se sabe, ¿verdad? —Miró al juez Haynes como si los dos mantuvieran conversaciones a menudo sobre aquel tipo de lesión.

—Así pues, doctor, después de la comprobación hizo su diagnóstico, ¿no es así? —De nuevo la voz de Valerie delataba inseguridad y el doctor Kasper sonrió para animarla.

—Esguince lumbar severo, posible desgarre de ligamentos espinales, espasmo del ligamento sacrospinoso con presión resultante sobre los discos intervertebrales —dijo Kasper, juntando las palmas con los dedos estirados.

—Bien... —Valerie cambiaba incómoda el peso de un pie a otro—. Entiendo. ¿Y qué tratamiento prescribió usted, doctor Kasper?

El médico cruzó las piernas y miró hacia la sala. Había pasado por aquello tantas veces que las respuestas le salían casi por puro reflejo.

—El tratamiento que prescribí a Ray fue masaje periódico, vibromasaje, baños calientes, descanso en cama, tracción, fisioterapia, analgésicos y somníferos.

—¿Y cuánto duró el tratamiento, doctor?

—Aún no lo ha dejado, porque su recuperación es lenta y aún sufre bastantes espasmos musculares, pese a que hacemos cuanto podemos.

—¿Cuánto tiempo llevaba bajo tratamiento? —insistió Valerie. Del montón de papeles se le voló una hoja que fue a caer al suelo; ella, visiblemente contrariada, se agachó a recogerla.

—Tres meses —contestó Kasper con una sonrisa—. Más le valdría sujetarlos con unos clips —comentó, mirándola reordenar los papeles, y un leve murmullo de risas recorrió la sala.

—¿Es el diagnóstico y el consiguiente tratamiento que prescribe a ese tipo de pacientes? —preguntó ella, sujetando con fuerza los papeles, como si tratara de no perder el dominio de la situación.

—Más o menos —contestó Kasper—. Varía algo con arreglo a los casos, pero en general está comprobado que es el régimen más apropiado para ese tipo de lesión.

—Básicamente es lo que prescribiría a cualquiera que se quejase de lo mismo que Ray Jones, ¿correcto?

—Así es, letrada —respondió Kasper con, de nuevo, una amplia sonrisa admirativa por el físico de Valerie.

—Gracias, doctor —mintió ella—. Solicito reserva

del derecho a volver a interrogar al testigo —añadió, dirigiéndose al juez.

El juez se lo concedió, para contrariedad del doctor Kasper ante la perspectiva de la obligada espera. Tras un interrogatorio anodino del paciente, Ray Jones, que compareció con muletas y no causó buena impresión a nadie, Valerie hizo comparecer a un testigo llamado Ulf Anders, quien prestó juramento.

—Señor Anders —comenzó Valerie, que ya había dejado el montón de papeles para adoptar otra actitud—. Señor Anders, ¿quiere decir si ve al doctor Kasper entre las personas de la sala?

Anders, un joven bien conformado, de bigote rubio y ojos azules, señaló al médico que estaba sentado en la primera fila de asientos y que le miraba extrañado.

—¿Cuándo fue la última vez que vio al doctor Kasper? —preguntó Valerie elevando la voz. El público pareció despertarse y los jurados prestaron atención; hasta el abogado defensor alzó la vista de los papeles.

—Hace tres semanas —respondió Anders.

—¿En qué circunstancias?

—A la primera que vi fue a su recepcionista —contestó Anders—. Le dije que había resbalado caminando por el parque y me había torcido la espalda al caer.

—¿Y ella que le dijo?

El abogado defensor, Dick Stromberg, que comenzaba a tomarse interés por la vista, se puso en pie como impulsado por un resorte.

—¡Prueba indirecta! —exclamó—. Protesto por la última pregunta de la letrada.

—Se acepta —dijo el juez.

—¿Cuándo vio concretamente al doctor Kasper? —preguntó Valerie a Anders.

—A continuación. Le expliqué lo que me sucedía, que sentía un fuerte dolor en la espalda que se extendía a las piernas, que no podía andar bien...

—Señoría —dijo Stromberg, levantándose y apoyando las manos en la mesa—, la vista es para juzgar el caso de Ray Jones. Los problemas que pueda tener este testigo son totalmente irrelevantes.

—Por favor, abogada Morse —dijo el juez, un hombrecillo de cara oronda y lentes redondos, mirando inquisitivo a Valerie—, ¿es necesario formular esa pregunta?

—Quiero demostrar que el doctor Kasper no prescribe siempre el mismo tratamiento a los pacientes en cuestión, contrariamente a su testimonio bajo juramento —replicó Valerie—. Y como se trata de una lesión prolongada y muy costosa, con pérdida de muchas semanas de trabajo y un largo tratamiento, sí considero de relevancia a mi testigo.

—Continúe —dijo el juez, reclinándose y casi desapareciendo en el sillón.

—Señor Anders —dijo Valerie, volviéndose de nuevo hacia el estrado de testigos—, nos explicaba usted sus dolencias.

—Le dije exactamente lo que usted me dijo que le dijera —respondió el joven, al tiempo que Stromberg volvía a levantarse indignado.

—¿Quiere esto decir que la letrada Morse dio instrucciones al testigo a propósito de lo que debía plantear al médico? —dijo con tono airado—. ¿Que le instigó a que acudiera a la consulta del doctor Kasper con falsedades? —Stromberg había enrojecido de ira.

El juez lanzó un suspiro, pero tras sus gafas redondas se advertía un brillo burlón al dirigirse a Valerie.

—¿Le importaría explicar el propósito de hacer comparecer a este testigo?

—Claro que no —respondió ella con total aplomo—. Mi bufete contrató hace unas semanas al señor Anders, que es actor, y muy bueno. Sospechábamos que el doctor Kasper cometía fraude contra la compañía aseguradora, y enviamos al señor Anders con una lista de todas las dolencias de que se quejaba el paciente Ray Jones...

—¡Eso es una argucia! —exclamó Stromberg—. Pido la anulación de la vista.

—Petición denegada, señor Stromberg. Continúe, por favor, letrada —dijo el juez cortésmente a Valerie.

—Explique lo que sucedió en la consulta del doctor Kasper —pidió ella a Anders.

—Le describí los síntomas y él me preguntó si estaba asegurado. Al decirle que no, preguntó si me habría lesionado en el trabajo, y cuando le contesté que no ya no mostró interés por atenderme.

—Protesto —dijo Stromberg, volviendo a ponerse en pie—. El testigo está explicando sus impresiones y no hechos fehacientes.

—Por favor, cíñase a los hechos, señor Anders —dijo el juez.

—Diga qué sucedió a continuación —preguntó Valerie al testigo.

—Me dijo que tomase aspirina, se levantó de su asiento y dijo que tenía más pacientes esperando.

—¿Le hizo un historial completo?

El testigo negó con la cabeza.

—Señor Anders, por favor, diga sí o no —terció el juez—. El taquígrafo tiene que anotar todas las respuestas.

—Perdone. La respuesta es no, señoría.

—¿Le hizo un reconocimiento físico? —añadió Valerie con tono implacable.

—No, señora.

—¿Le dio cita para una nueva visita?

—No, señora, no lo hizo.

—¿Le mencionó algo sobre fisioterapia?

—No. Yo quise preguntárselo antes de que me despidiera, pero él estaba muy ocupado.

—¿Le prescribió masajes?

—No.

—¿Le sugirió el doctor Kasper tracción, descanso en cama, calor artificial, sauna u otra clase de tratamiento?

—No, en absoluto. Ah, perdón... —añadió Anders con un ligero tartamudeo—. Sí que me recomendó algo.

—Por favor, diga al tribunal qué fue —pidió Valerie.

—Cuando estaba pagando el importe de la consulta en el mostrador, se acercó y me dijo que si otra vez volvía a tropezar y caerme debía procurar hacerlo en un lugar cubierto por el seguro.

El público se echó a reír y a partir de ese momento se pudo considerar sentenciada la vista. Valerie había hecho comparecer a un testigo especialista en ortopedia que había examinado a Ray Jones sin apreciar anormalidad alguna; poco después se levantaba la sesión, con veredicto a favor de la compañía aseguradora, primera ocasión en que la empresa ganaba tras una larga serie de pleitos contra el doctor Kasper.

Valerie coincidió en el pasillo con el juez Haynes, quien se detuvo y le sonrió tras sus gafas redondas.

—Voy a echar de menos al doctor Kasper. Era una verdadera institución en este tribunal —le dijo.

5

De regreso al despacho, Valerie oyó por la radio del coche que Denton Bracknell, el principal asesor presidencial, había ingresado en el hospital de Glenport en estado grave. Aquello le preocupó, porque sabía que Bracknell era uno de los personajes más capaces y respetados del gobierno, pero en su despacho le esperaba mucho trabajo y no tardó en olvidar la noticia.

Aquella tarde a última hora, una vez disipada la niebla, Valerie fue en coche a Milford a ver a su hermano Patrick, que vivía en un bonito y modesto apartamento de un dormitorio en la planta baja de una vieja fábrica rehabilitada. El edificio se hallaba situado en un montículo desde el que se divisaba parte del puerto y un muelle.

Valerie dejó el coche en el aparcamiento y cruzó el arco de ladrillo. Dos jóvenes que salían se volvieron a mirarla. Bien vestida y de un atractivo inusual, Valerie irradiaba aplomo y tenía unos andares que hacían volver la cabeza a los hombres.

Dado que su hermano no podía acudir a abrirle la puerta, fue ella quien abrió con la llave que tenía.

Patrick estaba en cama, sentado y sonriente; alegría que, por algún motivo, a ella le irritó.

—¿Mucho trabajo? —preguntó él.

—Pues sí —contestó Valerie mirando en derredor. Se veía todo muy desordenado, como de costumbre, pero aquel día daba dentera—. Deberías procurar que tus amigas limpiasen de vez en cuando.

—Las entretengo con otras cosas y luego no les quedan fuerzas para tareas domésticas —replicó Patrick.

Valerie comenzó a recoger periódicos, envases de dulces y alguna que otra bisutería femenina.

—¿Alguna cosa en el mercado de trabajo, Patrick? —preguntó, señalando la sección de anuncios de un periódico en la que se veían algunas ofertas marcadas con un círculo.

—Nada mejor de lo que hago ahora —contestó Patrick.

Valerie se sentó en el borde de la cama.

—Mira Patrick —empezó con la voz más firme que pudo—, me vendría muy bien que encontrases algo. Tu trabajo de informática puedes hacerlo igual de bien aquí que en una oficina. Te procuraríamos lo que necesitases; fax, impresora, lo que sea. Tienes que intentarlo.

Él meneó la cabeza.

—Hoy he hablado con un colega tuyo y me ha dicho que ha oído hablar de ti —dijo.

—Patrick, hablo en serio. Yo sola no puedo hacerme cargo de todas esas facturas médicas. Tienes que volver a trabajar. No te falta experiencia y estoy segura de que conoces mucha gente que podría ayudarte a encontrar algo.

Patrick se encogió de hombros y Valerie comprendió que estaba perdiendo el tiempo y optó por cambiar de tema.

—¿Quién era? ¿Un abogado? ¿De qué hablasteis?

—Era Joe Mellor. Fue compañero mío de colegio y ejerce en Norwich. Estoy pensando en poner una demanda por negligencia médica.

—¿Estás loco? ¿Contra quién? ¿Contra los facultativos del Centro Médico de New Coventry?

—¿Contra quién, si no? —replicó él—. Fueron los que me jodieron y son sus facturas las que te hacen pasar apuros. —Le sonrió con aquel gesto que había hecho zozobrar a tantas mujeres, aunque, naturalmente, Valerie era inmune.

Ella lanzó un profundo suspiro.

—Bien, ¿y qué te preguntó ese abogado?

—¿Te refieres al accidente? Pues que quién conducía cuando se produjo, cómo sucedió y si había bebido aquel día. Cosas así.

Los padres de Patrick y Valerie habían perecido el año anterior en un accidente aéreo cerca de Sabattus, Maine, y ellos habían acudido en coche al entierro. Al regreso, cuando estaban casi ya en New Coventry, sufrieron un accidente en la interestatal 95, en el que Patrick resultó con fractura de vértebras cervicales, pero no habría quedado paralítico de no haber sido por un ayudante de urgencias que, tratando de asistirle al empezar a vomitar, le volvió la cabeza hacia un lado. Lamentablemente, nadie fue testigo del hecho y el ayudante lo negó rotundamente. Patrick estuvo internado varias semanas en la unidad de traumatología cervical del Centro Médico de New Coventry y cuando le dieron de alta, tras innumerables y dolorosos tratamientos, la mejoría era imperceptible: no podía andar y necesitaba silla de ruedas para moverse por el apartamento. Para pagar las facturas médicas, Valerie había tenido que dejar su empleo mal pagado de asesoría legal en New Coventry y aceptar un trabajo en el prestigioso bufete de Collier, McDowell y Stern.

A Valerie le molestaba que Patrick consultase a un abogado sin habérselo dicho, pero de él cabía esperarlo todo.

—No es que tenga experiencia en negligencia médica —dijo—, pero me temo que no tienes la menor posibilidad de ganar un pleito. Además, la lesión se produjo antes de que ingresaras en traumatología vertebral.

—Sí —replicó Patrick—, es lo que me ha dicho Joe Mellor. No quiere patrocinarme —añadió con un suspiro afectado—. Qué lástima; me había hecho ilusiones sobre una indemnización de millones; cruceros alrededor del mundo y montones de chicas pegándose por mi...

Aunque Patrick hablaba con su habitual desenfado, observaba a su hermana y notaba que algún problema grave la agobiaba.

—¿Qué pasa? ¿Has perdido el caso de esta mañana?

—No —contestó ella—. Lo he ganado. Pero por la tarde no me ha ido tan bien.

Patrick aguardó sin decir nada.

—Patrick, tengo un grave problema en el despacho —dijo—. Estuve investigando un asunto de inmobiliarias iniciado por Ralph Stern, uno de los socios de la firma, y resulta que a él le repercute en una ganancia de millones por un negocio vinculado al mismo... Es muy complicado, pero existe un grave conflicto de intereses. En fin, le llamé esta tarde y se enfadó tanto conmigo que creí que iba a darle un infarto. Estoy segura de que intentará despedirme. En realidad, así me lo dijo.

—¿Ralph Stern? —repitió Patrick pensativo—. Me suena ese nombre. ¿Y qué piensas hacer?

—No voy a dejar que me despidan así como así. Hasta ahora he hecho muy bien mi trabajo y las evaluaciones son excelentes.

—Más vale que empieces a poner al día tu currículum —dijo Patrick con una sonrisita—. Uno de los dos tiene que encontrar empleo.

Valerie se levantó y fue a la cocina.

—¿Dónde tienes el café?

—Creo que no queda. Tendrás que arreglártelas con Nescafé. Está ahí encima, en el mostrador.

—¿Tú quieres?

—Claro. Fuerte y negro. Por cierto, ya verás cuando conozcas a Dixie.

Una vez preparado el café, Valerie volvió con una taza en cada mano. Estaba decidida a no dejar que los problemas la abrumasen.

—Bueno, ¿y tú qué cuentas, Patrick? ¿Va a venir alguien a hacerte la cena?

—Hoy le toca a Dixie. No tardará. También vino a la hora de almorzar.

Valerie estiró la sábana encimera y mulló las almohadas.

—¿Te viene dos veces al día?

Valerie no estaba lo bastante centrada para percatarse de que no habría debido hacerle aquella pregunta.

—¡Qué dices! Esta chica *se viene*[1] dos veces en cosa

1. Juego de palabras con un segundo sentido de *venir* que significa alcanzar un orgasmo. *(N. del T.)*

de minutos. Las fisioterapeutas suelen estar en forma y ésta... Ah, ya recuerdo de qué me suena el nombre de Ralph Stern. ¿Te acuerdas de Elliott Naughton, que estuvo aquí unos días hará un año?

Valerie se acordaba bien de Elliott, un joven guapo, listo y atlético, que ahora trabajaba en el Departamento de Estado, uno de los incontables amigos de Patrick. Había salido con él un par de veces, se habían escrito, para después perder contacto al ser trasladado él a Viena.

—Elliott me dijo hace tiempo algo extraño sobre Ralph Stern —dijo Patrick, frunciendo el entrecejo por el esfuerzo de recordar—. Era algo que había salido en el periódico a propósito de un cargo público al que aspiraba Stern... pero no me acuerdo el qué.

Valerie intentó refrescarle la memoria pero lo único que sacó en limpio fue que Elliott Naughton estaba ahora en Nueva York con un empleo temporal en la ONU. Era evidente que Patrick tenía sus pensamientos en otra cosa, pues no dejaba de mirar hacia la puerta.

Se oyó un leve ruido fuera y luego la llave girando en la cerradura.

Dixie era una chica despampanante; la propia Valerie hubo de admitirlo. Alta, ágil, de piel impecable, lucía un somero vestido de algodón blanco estampado con flores rojas y verdes. El ajustado vestido se ceñía a su cuerpo como un guante. Era evidente que no llevaba sostén, y Valerie pensó, con una extraña punzada de envidia, si aquel escueto vestido sería la única prenda que la cubría.

Entró balanceando las caderas, mirándola a ella de pasada con sus enormes ojos castaños, y se acercó a la cama de Patrick.

—Hola, tesoro —dijo, inclinándose para darle un sonoro beso en la boca.

Y al inclinarse, Valerie pudo comprobar que no había ninguna prenda interior bajo el breve vestido; no se veía más que un trasero terso, redondo y tentador.

—Te presento a mi hermana —dijo Patrick con voz apagada.

Dixie se incorporó y dirigió a Valerie una amplia sonrisa amistosa.

—Hola —dijo, dirigiéndose hacia ella con la mano tendida—. Me llamo Dixie. Soy la terapeuta de Patrick. Su fisioterapeuta.

—Suerte que tiene —replicó Valerie sonriente.

—Pues sí. De no haber sido por el accidente de coche no me habría conocido —replicó ella sonriéndoles a los dos.

Y Valerie de pronto se sintió pálida, enferma y totalmente carente de desparpajo y alegría de vivir, comparada con aquella joven tan simpática y esplendorosa. Mientras hablaba con Valerie, Dixie mantenía su mano izquierda a la espalda y acariciaba distraídamente el muslo de Patrick por encima de la sábana, que, a juzgar por la protuberancia que acusaba por debajo de la cintura del joven, venía a demostrar que no toda la parte inferior de su cuerpo era inoperante.

—Bueno, me marcho —dijo Valerie—. Patrick, ¿necesitas algo?

—No me falta de nada —replicó él casi jadeando.

Cuando Valerie cerró la puerta a su espalda, Dixie había apartado ya la sábana y se aplicaba en una felación; la mano de Patrick se perdía bajo la falda de ella, palpando con fruición aquel trasero desnudo y redondo.

6

Stefan Olson, director del hospital de Glenport, era un hombre alto y rubio de rostro grande, como contorneado en rojo a modo de un retrato de Van Gogh. Sus cejas casi blancas y su gruesa nariz le conferían un aire nórdico sano y honrado, y sus manos gruesas y activas acentuaban su imagen de hombre sólido y conservador.

Antes de llegar a Glenport, Olson había trabajado como ayudante del administrador de un gran hospital de Chicago, y como era soltero, el cambio había resultado logísticamente sencillo. En aquel hospital de Glenport no tardó en tropezarse con problemas, pues el consejo de administración, del que dependía la aprobación del presupuesto, estaba acomodado a la situación y mostraba la tradicional resistencia de Nueva Inglaterra a gastar dinero, pese a que no salía de sus bolsillos. Como consecuencia, en los últimos años el hospital no estaba tecnológicamente al día, había problemas por falta de personal, sueldos bajos, frecuentes cambios en los puestos de trabajo y equipamiento inadecuado a tal extremo que había llamado la atención del JCAH, el comité nacional de supervisión de hospitales, con el aviso de que si en el plazo de un año no se efectuaban reformas y renovaciones, retirarían la acreditación del hospital. Olson sabía perfectamente que aquello sería el beso de la muerte para el centro de Glenport, extremo que no escatimó esfuerzos en poner en conocimiento del consejo de administración.

De hecho, cada vez mayor número de médicos enviaban a sus pacientes al Centro Médico de New Coventry, a una hora de camino por la interestatal 95, cuando necesitaban análisis y procedimientos de moderna tecnología.

Las Farman Industries, la empresa local con mayor número de puestos de trabajo, tampoco estaba contenta con la calidad del servicio médico del hospital de Glenport y proyectaba montar una clínica propia perfectamente equipada para atender a sus trabajadores y sus respectivas familias. De llevarse a cabo tal proyecto, el hospital de Glenport quedaría prácticamente inactivo.

Al acceder Olson al cargo, Farman había intentado llegar con él a un acuerdo consistente en firmar un contrato para que el hospital actuase como beneficiario del capítulo de la seguridad social de la empresa, proporcionando plena atención médica a sus trabajadores. Propuesta que, de entrada, era interesante para el centro, pero los contables aducían que el hospital podía ir a la ruina pues aquel acuerdo incluía servicios de atención terciaria, tales como cirugía de *bypass* o desviación coronaria, intervención que en Glenport no podían afrontar. El consejo de administración, indignado, se había negado a negociar, circunstancia que había motivado que Farman iniciase el proyecto de su propio centro médico.

Tenían el terreno elegido y la dirección de la empresa, consciente de que su decisión iba a causar revuelo y resentimiento en la localidad, no esperaba más que la excusa oportuna para dar luz verde a las obras.

Y ahora Stefan rogaba al cielo que nada saliese mal mientras Bracknell estuviera ingresado allí. Si algo sucedía, el hospital quedaría en evidencia y en ridículo y la Farman Industries encontraría la excusa perfecta para llevar adelante su proyecto.

Cuando Peter y Anselm entraron en su despacho, Olson estaba tras su escritorio hablando con el agente Foster, que, sentado ante él en el borde de una silla, manipulaba un extraño teléfono móvil bastante voluminoso que había colocado en la amplia superficie del escritorio, con su corta antena orientada verticalmente.

—Pasen —dijo Olson con voz baja y grave—. Estamos esperando una llamada. Me alegro de que vengan los dos. —Y, efectivamente, su presencia parecía quitarle un gran peso de encima.

—Como funciona con una frecuencia especial —dijo Foster señalando el aparato—, no puedo elevar mucho el volumen. Así que acérquense si quieren oír.

Peter y Anselm se situaron a ambos lados del agente, que miró el reloj. Transcurridos unos minutos, Anselm preguntó de quién era la llamada que esperaban. Se hizo un instante de silencio antes de que Foster contestase:

—No lo sabemos exactamente, señor.

Del aparato surgió una especie de silbido y se oyó una voz:

—Comprobación de la línea, prioridad uno. Confirme, por favor.

El agente Foster pulsó un código de cinco cifras sin decir palabra.

—No cuelgue, por favor, le paso al señor Stennard —se oyó decir, para, a continuación, reanudarse el silbido.

—Es el jefe de asesores del presidente —murmuró Foster sin apartar la vista del aparato.

El silbido cesó y se oyó una voz nítida y sin ruidos parasitarios:

—¿Agente Foster?

—Al habla, señor.

—Estupendo. Foster, tengo aquí a dos personas: el almirante Graham Ellis, comandante médico del hospital de la Marina en Bethesda, y al mariscal Forde del FBI, a quien seguramente conocerá.

—Sí, señor. Bien, estoy en el despacho del director del hospital de Glenport en compañía de Stefan Olson, el director, y... —Foster leyó la nota que tenía en la mano— el doctor Peter Delafield, el internista que atiende al señor Bracknell, y el doctor Anselm Harris, cirujano llamado a consulta para este caso.

—Bien —respondió Stennard con la voz enérgica de quien está habituado a dar órdenes—. Doctor Delafield, ¿puede ponernos al corriente sobre el estado del señor Bracknell? El presidente está muy preocupado y me pide que le informe en detalle cuanto antes.

Peter describió la situación a grandes rasgos, y nada más terminar su exposición se oyó la voz del almirante Ellis:

—Bien, caballeros, hablo exclusivamente en mi condición de pediatra, pero creo que su actuación es irreprochable —dijo con genuino acento del Sur—. Por nuestra parte, contamos con los medios para tomar el relevo inmediatamente. Podemos enviar un helicóptero en un santiamén...

—Su estado no permite el traslado —replicó Peter—. De todos modos, con la niebla que hay no podría llegar ningún helicóptero.

Se hizo un breve silencio y a continuación habló Stennard:

—El presidente insiste en que al señor Bracknell se le dé tratamiento en un centro con el máximo nivel de servicio —dijo con voz pausada—. No es que diga que no se lo puedan dar en el hospital de Glenport, pero...

Peter le interrumpió de nuevo:

—Aquí podemos atenderle, señor Stennard. Considero que la vida del señor Bracknell correría grave riesgo si en su actual estado hace un vuelo en helicóptero. Estoy seguro de que el almirante comprende la lógica médica de tal decisión —añadió con un leve énfasis en decisión.

Se hizo de nuevo el silencio, roto únicamente por el débil silbido del aparato.

Fue el almirante Ellis quien reanudó el diálogo.

—Bien —dijo—, esa decisión debe adoptarla el que atiende al enfermo, y supongo que ése es usted, doctor Delafield. No obstante... —Se oyó hablar en voz baja al otro extremo de la línea y de nuevo la voz del almirante—: Mañana volaré a Glenport, si el tiempo lo permite, acompañado por los facultativos para consulta especial designados por el presidente, para evaluar el estado del señor Bracknell y llevárnoslo si se considera médicamente adecuado.

—¿Le parece bien, doctor Delafield? —añadió Stennard con voz cortante.

—Será un honor recibirle, señor —contestó Peter.

—No tendrán previsto efectuar ninguna intervención quirúrgica, ¿verdad? —inquirió el almirante, y sin dejar tiempo a que le respondieran continuó con un tono autoritario muy distinto del anterior hablar pausado y bonachón—: Les aconsejamos en particular que no hagan nada al margen de las habituales verificaciones diagnósticas.

—No pensamos efectuar ninguna intervención quirúrgica —replicó Peter, inclinándose para hablar pegado al aparato—, pero si nos viésemos obligados por las circunstancias podemos hacerla —añadió, mirando a Anselm y sonriendo para animarle.

—Bien... —No se entendió lo que añadió el almirante debido a una bajada del tono.

Volvió a oírse la voz de Stennard con subidas y bajadas de volumen.

—El presidente me dice que comuniquen al señor Bracknell sus mejores deseos de una pronta recuperación.

—Muy bien, señor —dijo Peter.

Se oyó un clic, seguido de un silencio que rompió el agente Foster al desconectar el móvil y enganchárselo al cinturón.

—Permaneceré en contacto con ustedes. Gracias, señores —dijo antes de salir.

El ambiente del despacho de Olson cambió nada más marchar el agente, y el administrador volvió a sentirse dueño de la situación. Le preocupaba que Delafield se hubiese mostrado decidido a mantener a Denton Bracknell en el hospital de Glenport, y que Harris, el menos impulsivo de los dos, no hubiese dicho una sola palabra en contra.

Se abrió la puerta dando paso a Erica Barnes, que se

excusó por llegar tarde y fue a sentarse al lado de Anselm.

—¿Qué hay con los medios de comunicación? —preguntó Stefan.

Erica esbozó los planes que tenía para tratar con la prensa y la televisión, y cuando concluyó el administrador lanzó un fuerte suspiro y miró alternativamente a los dos médicos.

—Si Denton Bracknell muere no quiero que sea en el hospital —dijo.

Anselm, que no dejaba de mirarle, se dio cuenta de que el punto de vista del director sobre la medicina y los hospitales difería mucho del de los médicos. Olson era un ejecutivo que dirigía un negocio y que, además, se cuidaba bien de proteger sus intereses.

—En segundo lugar —prosiguió—, necesito un diagnóstico que me valga para adoptar una decisión. Esto es como un juego de naipes y, como representante del hospital, soy la banca —añadió, inclinándose y esperando no tener que entrar en detalles—. Así que, en cuanto banca, tengo que conocer los riesgos —añadió—. Es decir las posibilidades de supervivencia de Bracknell. —Miró a los dos y luego alzó una mano y juntó los dedos—. Necesito también saber qué posibilidad hay de que salga de aquí con una tara permanente, como incapacitado para caminar, hablar o cosas por el estilo. Y además tengo que saber la sincera opinión de ustedes sobre si en este hospital podemos darle la asistencia que requiere. Piénsenlo concienzudamente antes de contestar, por favor, porque me preocupa mucho tenerlo aquí.

Peter enrojeció y estuvo a punto de interrumpirle, pero Olson alzó la mano conteniéndole.

—Lo que quiero que comprendan es que si resulta que la banca se enfrenta a malas posibilidades, trasladaré a Bracknell a un centro mejor, lo quieran o no ustedes, caballeros.

No cabía duda de que hablaba muy en serio, aunque sabían que si trasladaba a un paciente en contra de la opinión de los médicos que lo atendían, sus relaciones con el personal sufrirían un daño irreparable. Ahora tenía apoyadas las palmas en la mesa y proyectaba su personalidad por encima del escritorio con absoluto dominio de su energía.

Miró a Peter a los ojos.

—Sabe que como director tengo autoridad para retirar las prerrogativas hospitalarias a cualquier miembro del personal en caso de urgencia, y quiero que sepa que si me veo obligado a ello no dudaré en recurrir a esa potestad.

La voz de Stefan no era amenazadora; se limitaba a aclarar sin equívocos lo que acababa de exponerles.

Peter, no tan ducho como Olson en situaciones conflictivas, habló casi sin contener su indignación.

—Mire, Stefan —dijo—, no me gusta que me amenacen, y me consta que a Anselm tampoco le agrada. Y menos sin haber necesidad —añadió con un profundo suspiro para calmar su nerviosismo—. Stefan, la situación, tal como la vemos es la siguiente: Bracknell está mal, de eso no cabe duda; pero ahora se está recuperando. —Miró a Anselm, que no había abierto la boca—. En estos momentos le están haciendo en traumatología una exploración ultrasónica para evaluar mejor su estado, y esperemos que siga mejorando. Pero en caso contrario, si comprobamos que hay un trombo en la carótida, Anselm se lo eliminará. Escuche lo que le digo —añadió con ojos brillantes—, y piense por un instante en Farman Industries. Si les hacemos ver que podemos atender debidamente a un tipo tan importante como Denton Bracknell no iniciarán las obras de su centro médico, mientras que si le trasladamos podrán alegar que somos incapaces de resolver un problema médico delicado. —Hizo una pausa y señaló con un dedo al administrador—. El ingreso de Bracknell es seguramente lo mejor que ha podido sucederle a este hospital. Denton es un hombre muy fuerte y de buena constitución, y, de un modo u otro, cuando le demos de alta, el hospital conseguirá un inmenso prestigio que repercutirá en favor de usted.

Peter enfatizó sus últimas palabras y Olson sonrió con ironía. Conocía pocos médicos que supieran ser sutiles, y Peter Delafield no era una excepción.

Se volvió hacia Anselm, satisfecho de no tener que basarse exclusivamente en la opinión de Peter, de la que cierto instinto le decía que estaba conformada por factores ajenos a los intereses del paciente y el hospital.

—Está muy callado, doctor Harris. ¿Puede darnos su opinión?

—¿No pedía usted diagnósticos? —replicó Anselm—. Pues si hay un coágulo en la arteria y no hacemos nada, existe un cincuenta por ciento de posibilidades de que muera o sufra un infarto agudo. Si se confirma el diagnóstico, la operación reduce ese riesgo en un diez por ciento aproximadamente.

—No está mal —comentó Stefan, tras asumir la respuesta—. Mi última pregunta se refería al nivel asistencial del hospital.

—Naturalmente que podemos atenderle —se apresuró a decir Peter—. Atendemos a diario a pacientes con esa clase de dolencia.

Olson miró a Anselm, quien asintió con la cabeza, y el director lanzó un profundo suspiro de alivio.

—Muy bien. Ahora supongamos que Bracknell se queda aquí —dijo, juntando las manos y con mirada benigna que, bajo sus pobladas cejas blancas y rudas facciones, le confería un aire de fortaleza e integridad—. Dado que están los dos presentes, y también Erica, quiero mencionar otra cosa. Este caso va a tener mucha publicidad y les quedaría muy agradecido que no dijeran nada, absolutamente nada, ni a la prensa ni a los otros medios de comunicación, salvo si se trata de una conferencia informativa oficial a la que yo asista. Estas mismas instrucciones se las he dado a las enfermeras y al resto del personal. ¿Entendido?

Anselm asintió con la cabeza sin reticencia, y Peter le imitó tras un instante de vacilación.

Anselm se puso en pie.

—Bien, voy a urgencias mientras se prepara el traslado de Bracknell a la planta —dijo—. Le tendremos al corriente.

Peter salió detrás de Anselm, dirigiendo a Olson una última mirada, casi de triunfo.

7

Anselm y Peter regresaron por el largo pasillo desde el despacho de dirección a urgencias. Por los ventanales veían el Sound y, aunque la niebla se había disipado algo, a un kilómetro de la costa persistía un vasto y espeso banco.

—¿Tienen hijos? —inquirió Anselm.

—¿Los Bracknell? No. Ni hay ninguno del anterior matrimonio de Denton. Me consta que ella quería hijos, pero el semen de él no es fértil. Lo hemos analizado dos veces. Fue un duro golpe, sobre todo para Sandy.

Una vez en urgencias, Anselm consultó el monitor de las constantes de Bracknell y vio que todas parecían estables.

El enfermo, todavía tenso, se pasaba la lengua por sus resecos labios.

—Doctor Harris, ¿ha tratado antes esta clase de dolencia? —preguntó con voz inexpresiva, como si estuviera encargando al fontanero una soldadura de cañerías.

—Claro que sí, señor —contestó Anselm.

—Es el cirujano más experto del hospital —se apresuró a añadir Peter—. Tenemos suerte de verdad.

—¿Tú qué crees, tesoro? —preguntó Bracknell sin desviar la mirada de Harris.

—Si a Peter le parece bien el doctor Harris, a nosotros también. Sin ningún reparo —contestó Sandy mirando a Anselm. Estaba de pie con su mano protectora sobre el hombro del marido.

Mientras hablaban, la encargada de ultrasonidos había instalado el aparato y comenzó a aplicar la crema para el contacto en el cuello del enfermo y a desplazar el sensor sobre la arteria.

—Hágalo con mucha suavidad, no vaya a desprenderse —le advirtió Anselm en voz baja.

En la pantalla apareció una imagen verde, que cambió y se desplazó.

—Ahí está —dijo Anselm señalando una zona—. Vaya subiendo por el cuello con cuidado.

—¿Dónde? —inquirió Peter, que no sabía gran cosa de ultrasonidos y miraba desde el otro lado.

—En la carótida común —contestó Anselm, señalando un espacio entre dos líneas verdes—. ¿Ves esa línea paralela anexa que se mueve levemente? Es la vena que discurre a su lado, la yugular interna. —Volvió la vista a la imagen—. Toda la carótida aparece más estenosada que en las radiografías anteriores. En ambos lados. Incluso las satélites se ven más estrechas, como si estuvieran contraídas.

—Ésta es una exploración muy distinta —dijo Peter con voz tenue—. Ahí lo tenemos; en la bifurcación —añadió, tratando de contener la emoción—. Debe ser el trombo. —Señaló en la pantalla una sombra verde algo más oscura.

Anselm no acababa de quedar convencido. Tal vez Peter estuviera en lo cierto, pero para su ojo más experimentado no era algo tan definitivo como él creía. Miró la pantalla.

—Haga algunas tomas en película —dijo a la encargada, quien pulsó el botón que detenía la imagen y procedió a fotografiarla varias veces y en toma bilateral.

—Gracias, Molly. Creo que es suficiente.

—Bueno, ahora sí podemos trasladarle a la planta —dijo Peter.

—Dejémosle en la UCI —replicó Anselm—, para tenerle más controlado.

—Sí, buena idea —dijo Peter.

El ritmo cardíaco de Bracknell era rápido y con algunos latidos irregulares; aún relucían en su frente unas gotitas de sudor y sus manos y pies continuaban fríos como el hielo. Anselm miró el monitor de la presión sanguínea, reflexionando sobre las posibles causas de la marcada diferencia entre la presión sistólica y diastólica del paciente.

—Sabemos que padece cierto grado de arteriosclerosis —dijo Peter al oído de Anselm—, suficiente para explicar esa alta presión.

—¿Qué posibilidades tengo, Peter? —interrumpió Bracknell con voz pausada, al tiempo que Sandy le apretaba la mano—. Quiero decir, posibilidades de morir o de sufrir un ataque grave.

—Hablemos más bien de tus posibilidades de recuperación y de salir de aquí restablecido —replicó Peter—. A mi entender hay buenas posibilidades.

Bracknell no parecía satisfecho con la respuesta, pero permaneció callado mirando el techo y sin preguntar nada más.

Poco después llegaron dos ayudantes para trasladarle a la unidad de cuidados intensivos.

Entretanto, Anselm y Peter se dirigieron al departamento de rayos X para examinar las tomas ultrasónicas y comprobar los resultados de los análisis.

Peter se puso a verificar los datos del laboratorio, mientras Anselm escrutaba en la pantalla las imágenes de la exploración ultrasónica.

Cinco minutos después sonaba el teléfono.

—Ya contesto yo —dijo Anselm—. Peter, echa un vistazo a estas imágenes.

Cogió el auricular y oyó una voz ahogada y presa de pánico.

—¡Doctor, Harris! Soy la enfermera Edstrom de la UCI. Su paciente, que acaba de ingresar, el señor Bracknell, creo que sufre un ataque espasmódico... Vamos a intentar estabilizarle.

Anselm echó a correr por el pasillo hacia la unidad de cuidados intensivos seguido de Peter.

En la UCI un grupo de personas se movía alrededor de la cama de Bracknell y una enfermera cruzaba la sala con un desfibrilador portátil. Tres estudiantes del Centro Médico de New Coventry formaban una piña junto a la puerta y miraban con ojos asustados y sin saber en qué ayudar. Jasmine Wu, la menuda enfermera jefe, sostenía una botella de suero intravenoso recién conectada y pedía a otra enfermera que trajera dos ampollas de cloro cálcico del botiquín de urgencias. Habían acudido dos enfermeros de la unidad de terapia respiratoria, y uno de ellos colocaba al paciente una mascarilla de oxígeno, mientras el otro manipulaba los mandos del enorme respirador verde claro situado a la izquierda de la cama.

—¿Cómo ha sido? —preguntó Anselm a Jasmine.

Bracknell tenía los ojos cerrados, el rostro con manchas rojas y su brazo y pierna izquierdos eran presa de espasmos.

—Dejó de respirar al poco de ingresar en la sala —respondió Jasmine—. Abrió los ojos y comenzó a sufrir esas convulsiones.

—¿Cambios en el monitor?

—No. Hicimos una derivación del electrocardiograma, pero yo creo que está bien.

—¿Dónde está ella? Me refiero a su esposa —terció Peter, mirando en derredor.

—En la sala de espera —contestó Jasmine—. Le dije que saliera. Le he extraído sangre para pruebas enzimáticas —añadió, señalando dos tubos llenos que había en la mesita.

—Bien. Que los lleven inmediatamente al laboratorio —dijo Peter.

Mientras tanto, Anselm observaba el monitor para ver si reflejaba algún indicio de que Bracknell hubiese sufrido un ataque cardíaco, pero no había modificaciones y el latido seguía uniforme, aunque acelerado.

—Vamos a hacer una copia —dijo Peter al percatarse de lo que observaba. Pulsó un botón del teclado y del aparato salió una larga cinta de papel. Luego hizo girar un mando cada pocos segundos para obtener gráficos de todas las derivaciones y los fue examinando.

Anselm cogió el estetoscopio y se puso a auscultar el cuello del enfermo.

—Ha cambiado el sonido —dijo a Peter—. Creo que debe de habérsele desprendido otro trozo del coágulo, aunque no se haya fragmentado del todo.

—Maldita sea —repuso Peter casi en un susurro—. Según los gráficos, el corazón está bien, por si te sirve de consuelo. —Alzó la vista de las tiras y lo miró—. Llame al señor Olson —pidió a la enfermera jefe—. Dígale que el señor Bracknell ha sufrido un ataque y que hablaremos con él en cuanto lo estabilicemos.

Tras concluir la evaluación, Anselm y Peter se retiraron a la reducida zona de dictado.

—Vas a tener que hacer algo, Anselm —dijo Peter, sentándose al escritorio—. No podemos dejarle así. —Estaba muy serio; aunque ahora compartía con Anselm la responsabilidad de Bracknell, se notaba su tensión.

—Francamente, Peter, yo lo trasladaría a Bethesda. Sabes que aquí no disponemos de todo lo que...

—Eso queda descartado —replicó Peter alzando la voz—. Y bien sabes por qué. Maldita sea, Anselm, estoy más que harto de oír decir a todos que se le traslade. El vaivén del helicóptero podría fragmentar el coágulo, como sabes perfectamente, y quedaría hemipléjico o moriría. Y todo porque a nosotros nos dio miedo intervenir. —Soltó un profundo suspiro y miró a Anselm con aire decidido, casi desafiante—. Nos debemos a él, y nuestro cometido es atenderle lo mejor que podamos.

—Eso significa que tendremos que operarle; imagino que lo sabes —replicó Anselm marcando las palabras.

Peter se levantó del escritorio.

—Exacto. Totalmente de acuerdo. Vamos allá. Voy a llamar a Stefan Olson; seguro que le da algo. Pero no hay otra opción, ¿verdad?

8

Tony Marino, presidente del consejo de administración del hospital, estaba en su despacho de la ciudad cuando Stefan Olson le llamó para informarle del ingreso de Bracknell. Tony telefoneó a su yerno, Bob North, y le dijo que se reuniera con él quince minutos más tarde en el hospital, donde disponía de un pequeño despacho junto a la sala de reuniones.

Tony Marino era alto, de cara gruesa con papada y pequeños ojos oscuros, de pobladas pestañas. Le gustaba vestir trajes holgados, zapatos relucientes y corbatas de mucho colorido. Treinta años antes, siendo un joven vendedor de coches, Tony había adoptado el peinado de gran tupé y aún conservaba aquella enorme onda con fijador. Tenía baja la línea del pelo, limitándole la escasa frente que se extendía hasta las espesas cejas. Tony Marino era rápido, listo y carente de escrúpulos; había ganado mucho dinero al hacerse cargo veinte años atrás de una moribunda delegación local de General Motors, y estaba casado, pero casi nadie conocía a su mujer; se rumoreaba que era demasiado gorda para salir de casa. Su hija María era una joven morena de mal genio y amplias caderas, y había heredado las cejas negras y la narizota del padre, pero no su inteligencia. Bob North había desposado a María poco después de que a Tony Marino le nombrasen presidente del consejo de administración del hospital, momento a partir del cual María había emulado a su madre, adoptando un estilo de vida en el que predominaban la pasta, el chocolate, mucho descanso y televisión. Y había engordado tanto que sudaba y jadeaba al menor esfuerzo, lo que era un grave inconveniente social para Bob, pero la intimidación que sobre él ejercía su suegro le impedía decir algo o tomar medidas.

—¿Cómo no te has hecho cargo tú de este caso? —le preguntó Marino en cuanto entró en el despacho.

—Ha sido cosa de Peter Delafield —respondió Bob, atusándose el pelo—. Está muy bien relacionado.

—Tonterías —replicó Tony meneando la cabeza. Él solía pensar que era cortesía profesional lo que impedía a los médicos actuar como cualquier hombre de negocios, pero ahora estaba convencido de que era simple incompetencia—. Me tomo la molestia de hacerte cirujano jefe del hospital, ¿y encima tengo que explicarte también cómo sacar provecho del cargo?

—Tony, yo no quiero saber nada del caso Bracknell —replicó Bob—. Tiene nueve posibilidades entre diez de palmarla y no me apetece cargar con este muerto.

Tony frunció el entrecejo y miró a su yerno, que,

como de costumbre, se intimidó por dentro aunque mantuvo su habitual actitud de engreimiento.

—¿Y por qué no le trasladáis a Washington o a donde se envíe a los VIP? —le espetó—. Lo que no te interesa es que Harris se lleve los laureles si Bracknell se recupera, porque eso repercutirá en tu contra. Si Harris se cubre de gloria, perderás todo tu prestigio y además te quitará los pocos pacientes que te queden. Tienes que insistir en el traslado de Bracknell. ¿O eso significa transgredir la ética médica o algo por el estilo?

—Vamos, Tony —respondió Bob, molesto—. La salud del paciente está por encima de todo...

—Por Dios, Bob —estalló Marino—, ¿es que no vas a aprender nunca? Bracknell no es un paciente cualquiera. Es un tipo muy importante. En estos momentos es una mercancía, una carga, un activo, un artículo de regateo, muchas cosas según cada uno y el puesto que ocupe. Es muchas cosas para distintas personas.

—No lo niego —replicó Bob—, pero como no es paciente mío poco puedo hacer, a menos que se produzca una grave transgresión del reglamento hospitalario o se pueda demostrar tratamiento inadecuado...

Marino se dirigió a la puerta, la cerró de un portazo y se volvió hacia Bob. En el modo en que su suegro se movía a zancadas había algo, un aire feroz y callejero, que atemorizaba a Bob.

—Escucha, gilipollas de mierda —dijo Tony Marino—, si somos listos Bracknell puede ser la piedra de toque para muchas cosas en el hospital. En este momento, aquí, todo quisque está pensando en cómo rentabilizar en su propio beneficio el hecho de tenerlo ingresado y en cómo sacudirse la responsabilidad si la palma. Stefan lo aprovechará para oponerse a Farman; Peter piensa que con él se va a cubrir de gloria, convirtiéndose en el médico más famoso de la región; y Harris, bueno ése vete a saber de qué espera sacar provecho. Lo que tienes que pensar —añadió, dando un paso hacia Bob, que instintivamente retrocedió— es en la manera de aprovechar la situación para consolidar tu influencia en el hospital. Te conviene tener un plan si Bracknell mejora, y otro si muere o queda hemipléjico o algo así. Conoces las reglas del juego del hospital; pues aplícalas, maldita sea.

Marino rodeó el escritorio, se sentó y cogió el teléfono, dirigiendo apenas una mirada a su yerno.

—Y ahora lárgate —dijo—. Tengo que echar un par de rapapolvos.

A las cinco el quirófano estaba listo y se efectuaban ya los análisis previos y otros preparativos. Anselm y Peter se dirigían a la sala de espera para hablar con Sandy Bracknell.

—Creo que la única posibilidad para Denton es que le operemos —dijo Peter, apoyando la mano en el brazo de ella.

Sandy miró fijamente a Anselm; comenzaba a dar muestra de su firme carácter.

—¿Está de acuerdo, doctor Harris?

Anselm asintió con la cabeza. Según los datos de que disponía no cabía duda de la necesidad de la intervención quirúrgica, pero era como si una especie de prudente voz interior quisiera expresarse, a pesar de que la suerte ya estaba echada. Pero si ahora se volvía atrás sin un tratamiento alternativo viable, arruinaría su fama de cirujano no sólo ante Peter sino ante todo el cuerpo médico del hospital.

—Me temo que Peter está en lo cierto. No hay otra alternativa, señora Bracknell —contestó—. Pero sí debo decir que es una intervención que conlleva bastantes riesgos. —Y enumeró las posibles complicaciones—. Bien, ahora tengo que dejarla. Peter le aclarará cualquier duda.

Peter miró a Sandy con una sonrisa optimista, casi fuera de lugar.

Pasillo adelante, Anselm iba pensando qué ayudante pedir para la operación; Bob North era el más indicado y estaba en el hospital. Algo le inducía a tomar esa prudente medida, porque si las cosas salían mal, tener de ayudante al cirujano jefe podía servir para contrarrestar críticas.

Desde la antesala del quirófano pidió a la telefonista que llamase al doctor North. Bob oyó el altavoz e inmediatamente imaginó para qué era; se lo pensó un instante y se dijo que actuar de ayudante de Anselm no iba a acarrearle más que problemas. Mejor no participar; que operara Harris por su cuenta y riesgo, y él ya actuaría después en consecuencia. Momentos después cruzaba la puerta de entrada de médicos, subía a su BMW y se encaminaba a su casa.

—Lo siento, el doctor North no responde —dijo la telefonista a Anselm unos minutos más tarde con su voz cantarina. Miró el tablero luminoso—. Acaba de abandonar el hospital en este momento.

Anselm optó por Teresa Carling como ayudante, una doctora de entre los interinos contratados para el servicio de quirófano. Teresa sería una ayudante tan competente como cualquiera.

En su despacho, Stefan Olson observaba a Marlin Foster, el agente del FBI, marcar una serie de números en el grueso teléfono portátil. Estaba oscureciendo y el director del hospital fue a encender las luces. Foster hizo una pausa, se llevó el aparato al oído, escuchó y volvió a marcar otros dígitos. Stefan miró el reloj de sobremesa y pensó que el del FBI tenía pocas probabilidades de encontrar a nadie en Washington a aquella hora.

Pero en cuestión de segundos el almirante Ellis estaba al aparato. Foster se identificó y le pasó a Stefan el teléfono.

—Almirante, se ha producido un cambio en el estado del señor Bracknell —dijo éste—. Al parecer, ha habido un brusco empeoramiento, ha sufrido un grave ataque cardíaco y los médicos con quienes habló usted, los doctores Harris y Delafield, temen por su estado.

Olson sujetaba el teléfono con fuerza, esperando reproches. Se hizo un largo silencio y el almirante preguntó si se había informado a Presidencia. Mirando a Foster, Olson contestó que no, que decidiera él.

—Me preocupa que no hayan decidido trasladarle antes, cuando su estado aún no era tan crítico —replicó secamente Ellis, ahora sin acento sureño—. Pero imagino que ya nada se puede hacer. ¿Puedo hablar con el doctor Delafield o con el doctor Harris?

—Señor, en este momento están en la UCI —contestó Olson. Tenía un nudo en el estómago y notaba que los acontecimientos se le iban de las manos, perdido el control de lo que sucedía en su propio hospital—. Han decidido que es necesario operar al señor Bracknell...

El almirante Ellis parecía mantener otra conversación con alguien y Stefan no supo si le había oído.

—Manténganos informados —dijo el almirante—. Estamos reuniendo un equipo médico y quirúrgico para que vaya a Glenport a ayudar a sus buenos facultativos. Llegaremos en un helicóptero Medevac totalmente equipado por si fuera necesario trasladar al señor Bracknell. En cuanto sepamos la hora estimada de llegada se la comunicaremos. Diga a sus médicos que no hagan nada hasta que lleguemos. Ahora vuelva a pasarme al agente Foster, por favor.

Olson devolvió el teléfono a Marlin Foster, quien escuchó durante casi un minuto sin pronunciar palabra y con sus ojos claros fijos en él.

—Sí, señor —dijo el agente antes de cortar la comunicación—. Señor Olson, estoy seguro de que es lo mejor para el señor Bracknell —musitó sin mirarle, mientras guardaba el teléfono en la cartera—. El almirante está enfadadísimo.

Ahora que la suerte estaba echada, Anselm se dispuso a preparar todo lo necesario para operar a Bracknell. Revisó el instrumental con la encargada que tenía ya preparada toda la panoplia necesaria. Hacía tiempo que Anselm había adoptado la costumbre de servirse de ayudantes con experiencia con los que trabajar a gusto, y ésta conocía minuciosamente el instrumental que iba a utilizar en la operación.

—Bastará con esas dos tijeras Pott —dijo, indicándole un par de tijeras curvas y afiladas, de una bandeja que contenía una docena de modelos para arteria con hoja de diversa forma y tamaño. Con las elegidas cortaría la pared de la arteria carótida—. Prescinda de las demás.

Le sonrió y ella le devolvió una sonrisa más bien trémula. Al menos operaba el doctor Harris, pensó la mujer, no uno de esos payasos como el doctor North.

Peter, con ayuda de Philip Burton, el anestesista de guardia, había introducido al paciente en camilla en la sala de recuperación para prepararle, y Philip estaba ya a punto de ponerle dos gruesas agujas intravenosas en ambos brazos. A Anselm no le agradaba mucho que el anestesista fuese Philip, un hombre bajo y rechoncho, brusco y de mal genio; sin duda no era el mejor anestesista que él conocía y, aún peor, tenía fama de perder los estribos cuando en el quirófano las cosas se complicaban.

Bracknell pareció recobrar el conocimiento, pero con mayor dificultad esta vez; tenía los ojos vidriosos y al intentar hablar sólo brotaron de su boca palabras ininteligibles.

—Bien —dijo Philip a Teresa una vez concluidos los pasos preoperatorios, irguiéndose con esfuerzo por la artritis que padecía en las articulaciones inferiores—. Vamos allá, aunque no creo que salga de ésta —añadió, meneando la cabeza y mirando el rostro perplejo de Bracknell.

Anselm les aguardaba en la antesala.

—No te apartes de él —dijo a Teresa— y que no mueva la cabeza. Avísame cuando esté listo para la mesa de operaciones.

Regresó a la sala de médicos, se sirvió una taza de café, se sentó, apoyó los codos en las rodillas y reflexionó sobre la situación. En Nueva York habría realizado aquella operación sin la menor vacilación, pero allí disponía del mejor personal del mundo y del más sofisticado instrumental. Ahora sí valoraba en su justa medida la importancia de aquellos recursos auxiliares, y le vino a la mente una idea inquietante: tal vez había sobreestimado su habilidad para suplir las limitaciones técnicas que imponía aquel modesto hospital.

El teléfono de pared cercano a la puerta sonó y él se levantó para contestar. Era Stefan Olson. Hablaba con voz pesada que dejaba traslucir un leve acento sueco.

—Anselm, acabo de hablar con el almirante Ellis. Y dice que no haga nada hasta que llegue el equipo de ellos.

—Me temo que ya es demasiado tarde —replicó Anselm—. Estamos a punto de comenzar y creo que no debemos aplazar la operación por ningún motivo que no sea estrictamente de índole médica.

Se produjo una larga pausa y Anselm notó la angustia del director.

—Bueno, usted decide, doctor Harris —dijo finalmente—. Espero que todo vaya bien.

Stefan colgó despacio. Había sido un auténtico bombardeo de llamadas a continuación de la conversación con el almirante Ellis. La oficina del asesor presidencial quería saber el nombre de los médicos que atendían a Denton Bracknell, dónde habían hecho las prácticas, trabajado y cuál era su especialidad. El joven que le hizo las preguntas se mostró muy educado, pero era obvio que consideraba el hospital de Glenport como una especie de anticuado nosocomio sin condiciones para atender a un personaje tan importante como Denton Bracknell.

Había llamado Charles Kingston, director del Centro Médico de New Coventry, porque algún alto cargo de la Casa Blanca le había telefoneado preguntando por qué su hospital no había aceptado el traslado del señor Bracknell, dado que era el mejor y más próximo centro. Y Kingston estaba furioso.

—Stefan, vosotros no deberíais atender un caso como ése —comentó—. Está fuera de las posibilidades de un hospital municipal, qué duda cabe.

Stefan le había respondido que los médicos que se hacían cargo del paciente eran muy competentes y que Anselm Harris era un cirujano vascular con gran experiencia en casos como aquél.

—Stefan, a partir de ahora voy a grabar nuestra conversación por motivos que sin duda no te escapan. —Se oyó un leve pitido antes de que Kingston volviera a hablar pronunciando claramente cada palabra—. Stefan, voy a repetir mi ofrecimiento de aceptar en el Centro Médico de New Coventry el traslado de vuestro paciente Denton Bracknell. Podemos enviar un vehículo de urgencias perfectamente equipado que estará en Glenport dentro de una hora. Tengo al equipo preparado aguardando órdenes. Y además disponemos de un equipo médico formado por un veterano neurólogo, un neurocirujano y un cirujano vascular, con sus respectivos ayudantes. Stefan, insisto en que lo pienses detenidamente antes de rechazar este ofrecimiento de colaboración.

El teléfono volvió a emitir un leve pitido y Olson tuvo la impresión de que el mundo entero estaba a la escucha, atento a su respuesta.

—Gracias, Charles —contestó pausadamente—. Te agradezco el ofrecimiento de veras, pero ya no controlo la situación. Hace media hora el estado del señor Bracknell empeoró y los médicos que le atienden decidieron que era imprescindible intervenir quirúrgicamente cuanto antes para salvarle. El señor Bracknell se encuentra en estos momentos en el quirófano.

Tras una escueta despedida Charles Kingston colgó.

En la antesala del quirófano, Anselm descolgó el auricular del teléfono de pared.

—Ya está todo dispuesto, doctor Harris —le dijo Lucille.

9

—Bien, Teresa, ya puede ponerle las tallas. —Anselm se hallaba tras la sábana verde que separaba el campo operatorio del equipo de anestesia, sujetando la cabeza de Denton Bracknell y volviéndola suavemente hacia la izquierda.

Teresa tendió una de las tallas adhesivas amarillas de yodo mientras la enfermera encargada de esterilización sujetaba los otros dos extremos para pegarla en el cuello del paciente.

—Muy bien —dijo Anselm.

Teresa pasó la mano enguantada por la talla alisándola mientras Anselm entraba en el cuarto contiguo para esterilizarse. Pisó un pedal y en la palma de la mano recibió un chorro marrón de betadine, y acto seguido inició el rutinario protocolo. Le complacía el fuerte silbido del agua; era como si en cierto modo le aislase del mundo exterior, de las tensiones que comenzaban a formarse.

Teresa asomó la cabeza por la puerta.

—Cuando quiera, doctor Harris —dijo con su dulce acento georgiano.

Anselm asintió con la cabeza.

Por la amplia cristalera, Anselm veía todos los preparativos que efectuaba Philip Burton, cargando medicaciones en jeringas que etiquetaba y haciendo ajustes en el respirador. Denton Bracknell permanecía tumbado, ligeramente anestesiado, pero Philip no paraba de moverse, nervioso; se volvió para hablar con un ayudante, que salió a toda prisa en dirección al banco de sangre.

Anselm cerró el grifo con la rodilla y, con las manos y los codos chorreando, volvió al quirófano.

Lucille estaba limpia como una patena, cosa no muy habitual en ella, pero la operación era importante y, como estaba de guardia, no podía eludirlo. Helga, la encargada habitual de esterilización, ejercía de pasante de las medicaciones coordinándolo todo.

Lucille dio una toalla estéril a Anselm para que se secase las manos y le tendió la bata para que metiese las manos por las mangas, mientras Helga se la anudaba a la espalda. Lucille abrió el primer guante con ambos pulgares y se lo presentó, pero, al meter él los dedos, se lo embutió con tanta fuerza por la muñeca que lo rompió y tuvo que repetir la operación con otro par, ruborizada de enojo.

—No tiene importancia, Lucille —dijo Anselm sonriente.

Bajo la mascarilla, Lucille apretó los dientes. Él se ajustó los guantes entre los dedos y se situó al lado derecho de la mesa de operaciones, al tiempo que Teresa se apartaba para hacerle sitio.

Habían expuesto el lado derecho del cuello de Denton Bracknell, cubriéndolo con una capa de betadine que lo hacía relucir con una tonalidad amarillenta-marrón bajo la luz de los focos que lo iluminaban directamente. Anselm alzó la vista.

—Lucille, mangos para las luces.

Había olvidado colocar las asas estériles que permiten al cirujano mover los focos durante la operación.

La mujer cogió dos asas dentadas de aluminio hueco y las ajustó a los brazos de los focos, rehuyendo la mirada de Helga. Era evidente que estaba azorada. Anselm miró por encima de la pantalla de éter que separaba el área de operación de la zona de anestesia.

—¿Cómo está? —preguntó a Philip, quien tardó en contestar, pues en ese momento ponía tiras adhesivas en los párpados de Bracknell para mantenerle los ojos cerrados.

—Bien... Cuanto antes acabemos, mejor —respondió con voz cansina y tono levemente desagradable—. No me consta si está semiinconsciente, así que no sé qué cantidad de halotano administrarle. Voy a empezar con muy poco; no se sorprenda si se mueve.

—¿Constantes vitales?

Philip se encogió de hombros y miró el monitor.

—Por ahora, normales.

Anselm notó el nerviosismo en la voz de Philip, como el eco de la tensión que él mismo comenzaba a sentir. Sabía que si el cirujano cabeza del equipo se pone nervioso, por algún extraño mecanismo de telepatía contagia a todos los que están en el quirófano.

Teresa se situó al otro lado de la mesa de operaciones, enfrente de él. Estaba preparada y conocía bien su cometido, pero también ella sentía la tensión que flotaba en el ambiente.

Anselm miró a Philip y al monitor. Todo parecía ir

bien. Respiró hondo. Era el momento de la verdad. Aún podía volverse atrás...

—Bisturí —dijo con voz monocorde.

Lucille se lo puso con cierta rudeza en la palma de la mano y él volvió un segundo la cabeza hacia ella. Todos notaron su contrariedad.

—Basta con que me lo entregue suavemente, Lucille. —Su voz sonó tenue y carente de emoción.

Situó el pulgar y el índice por debajo de la oreja del paciente para estirar la piel y practicó un corte de unos quince centímetros paralelo al esternocleidomastoideo. Teresa tenía listas las pinzas y el aspirador y a partir de ahí Anselm trabajó con presteza.

—Metz pequeñas.

Lucille le pasó las tijeras Metzenbaum con un segundo de retraso, lo bastante para interrumpir la continuidad y la dinámica uniforme de la intervención.

Anselm desgarró una capa de tejido fibroso, dejando al descubierto una gran vena azulada de paredes finas que parecía moverse al ritmo de la respiración del paciente.

—¿Yugular interna? —preguntó Teresa quedamente.

—Exacto. Ahora, Teresa, si la retrae con mucho cuidado, junto con el músculo, accederé a la carótida, que está debajo.

Diez minutos después, Anselm tenía expuestos unos seis centímetros de la arteria, pero aunque un testigo ajeno al procedimiento no habría advertido nada, la operación no iba como era debido. Cuando en un quirófano las cosas se desarrollan realmente bien, se produce una fluidez de movimientos y un ritmo peculiar que surge de la eficiencia y el trabajo coordinado del personal. Lucille, con poca práctica y no especialmente competente en el quirófano, seguía obstaculizando la dinámica y no dejaba de pedir a la pasante con un enfático susurro que le trajese solución salina, suturas y otras cosas que en aquel momento eran innecesarias; daba a todos la impresión de estar trabajando al límite de su capacidad, y Anselm comenzaba a perder la paciencia.

La arteria carótida, que le pareció más estenosada de lo que esperaba, no superaba en grosor a un lapicero. La tenía expuesta hasta el punto de su ramificación en dos vías, la que asciende irrigando la cara y el cuero cabelludo y la que se interna en el cráneo para irrigar el cerebro.

—Ahí está el trombo —dijo a Teresa, señalando la zona justo por debajo de la bifurcación en forma de Y, donde se notaba una dureza.

—No hay casi pulsación, ¿verdad? —susurró Teresa por efecto de la tensión.

Anselm asintió con la cabeza. Iba a ser muy delicado. Si la oclusión arterial era total, Denton Bracknell iba a correr grave riesgo. Y era bien consciente de que él también.

—Philip, heparina —dijo Anselm con voz suave, tratando de transmitir calma al inquieto anestesista.

Philip asintió con la cabeza y cogió una jeringuilla.

—Dos miligramos por kilo de peso corporal, ¿correcto?

—Correcto.

La heparina, administrada para impedir la coagulación de la sangre, tardaría un minuto en incorporarse al torrente sanguíneo, y así podría a continuación abrir la arteria sin peligro.

—Pequeñas de ángulo recto.

Lucille le pasó unas pinzas con las puntas en ángulo recto, y Anselm las introdujo suavemente por debajo de la arteria. A partir de ese momento, tanto él como Teresa sabían que la manipulación de la arteria implicaba el grave riesgo de desplazamiento del coágulo, por lo que procedió a moverla con sumo cuidado y delicadeza, concentrándose en separarla meticulosamente para poder pinzarla y abrir sin peligro.

—Cintas.

Lucille le pasó un esparadrapo pegado por un extremo a la punta de una pinza hemostática. Se disponía a recoger la tira con la pinza en ángulo recto, cuando se percató de que no estaba humectada. Si colocaba aquella tira seca por debajo de la arteria, causaría presión al pegarse a la pared arterial, provocando exactamente el mismo problema que trataba de evitar.

—Lucille —dijo, conteniendo el tono de voz—, las tiras tienen que estar humedecidas, por favor.

—No me lo ha dicho —musitó ella, retirándola y mojándola en solución salina.

Una oleada de irritación inundó el pecho de Anselm.

—No tengo que decírselo, Lucille —replicó—. Es algo básico. Si no lo sabe, tal vez no debería encontrarse aquí.

La tensión creció al máximo en el quirófano y el rostro de Lucille bajo la mascarilla enrojeció de ira. ¡Cómo se atrevía a hablarle así!

Volvió a pasarle las tiras, esta vez humectadas.

Anselm las introdujo por debajo de la arteria descubierta.

—De Bakeys de ángulo pequeño.

Anselm pinzó la rama que no comunicaba con el cerebro. La arteria estaba rígida y tenía muy mal aspecto. Examinó la carótida principal y vio que se hallaba muy estenosada y constricta; era un vaso sanguíneo sin resistencia, por lo que Anselm comenzó a confirmar su sospecha de que había poco caudal circulatorio, puesto que un vaso sanguíneo en estado normal presenta un fuerte latido visible. Se detuvo.

—Atención todos —dijo, mirando a Teresa pero refiriéndose a Lucille—. A partir de ahora, en los minutos que siguen vamos a tener que trabajar rápido y sin fallos. Necesito tener al instante todas las pinzas, elevadores y suturas que necesite. El resultado depende de la rapidez y precisión con que actuemos. ¿Entendido?

Nadie replicó. Teresa fijaba su tranquila mirada en Anselm, y él sabía que podía confiar en ella.

Respiró hondo.

—Pinzas vasculares en ángulo —dijo, y en cuanto Lucille se las pasó pinzó la carótica, cortando la irrigación sanguínea de la mitad del cerebro.

A partir de aquel momento comenzaba la cuenta atrás e iban a sucederse unos minutos vertiginosos.

—Bisturí, hoja pequeña —pidió.

Lucille lo tenía preparado y él practicó una incisión sobre el eje de la arteria. Notó cómo el filo rascaba sobre el material calcificado del interior.

—Elevador.

Cogió el instrumento de hoja roma redonda en sus dos extremos e introdujo uno de ellos entre la pared de la arteria y el material solidificado, desprendiéndolo con suavidad.

La tensión iba en aumento y todos sabían que era el momento crucial de la operación. Anselm tardó unos instantes en eliminar la obstrucción; el material que iba extrayendo poco a poco de la arteria era duro y quebradizo, como dentífrico reseco. Se lo dio a Lucille, quien lo depositó en un platillo metálico.

—Vamos a comprobar si hay reflujo —dijo—. Teresa, ¿preparado el aspirador?

Ella asintió con la cabeza.

Con cuidado, Anselm retrajo las pinzas de la arteria y, en vez de un flujo sanguíneo fuerte como esperaba, no brotó más que un hilillo de sangre. Sintió de pronto unas gotas de sudor corriéndole por la nariz bajo la mascarilla. Era una complicación grave que indicaba la existencia de una oclusión parcial en un tramo superior o insuficiente flujo sanguíneo procedente del lado contrario. Fuese lo que fuese, era un mal signo.

—Dilatador.

Lucille, tras un instante de vacilación, le puso en la mano un tubito de goma rígida con una perilla en el extremo. Anselm lo introdujo en la arteria abierta pero sólo pudo hacerlo avanzar unos dos centímetros. Al retirarlo, el flujo fue algo más copioso, pero no obstante, anormal.

—Volvamos a comprobar el reflujo —dijo retirando la otra pinza. Un chorro de sangre brotó de la porción inferior de la carótida y él se apresuró a pinzarla de nuevo. Efectuó un rápido resumen mental de la situación. La oclusión estaba eliminada, de eso no había duda; y el flujo de la porción inferior era excelente. No quedaba más que suturar la arteria, despinzarla y esperar que hubiera suerte.

—Dexon seis cero —dijo, abriendo la mano, y Lucille colocó de inmediato en ella un portaagujas que aferraba entre sus mandíbulas una pequeña aguja curvada en un tercio de su longitud, como era de rigor, pero mal orientada. Anselm no dijo nada; escrudiñó la aguja, la colocó bien y comenzó a coser la arteria con puntadas rápidas y precisas, furioso por dentro. No había sido más que un pequeño retraso, pero en casos en que el tiempo es crucial, los segundos son de importancia vital.

Verificó la sutura, despinzando la porción inferior, y un hilo de sangre brotó por la línea de sutura.

—Eso desaparece con la presión —comentó a Teresa, que pensaba que iba a tener que repetir la sutura.

Retiró la otra pinza para que el flujo sanguíneo llegara a la correspondiente zona del cerebro y durante un par de minutos, mientras ejercía una suave presión sobre la arteria, reinó un silencio casi absoluto en el quirófano. Aunque la parte principal de la operación había concluido y el equipo sentía cierta distensión, él sabía que no todo había terminado. Sus dedos se esforzaban por sentir la pulsación bajo la compresa de gasa y crecía en él el convencimiento de que las cosas no iban por buen camino. Repasó velozmente las posibilidades y la secuencia de factores correctores a aplicar, pero inútilmente. Había hecho cuanto podía; había extraído el trombo de la arteria...

—Le está bajando la presión —dijo Philip desde el otro lado de la partición para anestesia. Era una voz aguda con un leve temblor, indicio de que estaba al borde del pánico.

Tras la partición creció la actividad: Philip inyectaba un fármaco en la vena del brazo de Bracknell, su ayudante extraía con otra jeringa un medicamento y la pasante comprobaba manualmente la presión sanguínea.

—¿Qué señala? —inquirió Anselm con voz tranquila, aunque también él sentía los primeros aguijonazos de pánico

—Más de ciento cuarenta —respondió Philip, sujetando el émbolo de una jeringa entre los dientes y mirando a Anselm—. En los dos últimos minutos ha descendido veinte puntos.

Anselm se encontraba ante un dilema, bastante frecuente en su profesión, pero ahora, debido a la importancia del paciente y a las consecuencias que la intervención fallida iba a desencadenar, su temor aumentaba de forma imparable. Notaba el sudor frío en las cejas y sentía en el cerebro una especie de machacona señal de alta frecuencia que bloqueaba su capacidad reflexiva. Teresa le miraba con rostro inexpresivo, a la espera de que hiciera algo o tomara una decisión. También Lucille estaba serena, sosteniendo con su mano inmóvil una pinza con el mango vuelto hacia él. Observaba, y era como si con sus ojos vengativos dijera lo bien que entendía la situación y cuánto se alegraba de aquel trance. Philip, apenas capaz de actuar debidamente por su terror a que la intervención acabase en desastre y le achacasen la responsabilidad, aguardaba, mirando a Anselm por encima de la partición y esperando que fuese en el cirujano en quien recayera la culpa.

En un instante, por la mente de Anselm desfilaron velozmente toda clase de pensamientos, sensaciones de colores y sonidos y recuerdos de la niñez; la severa guardiana de su cerebro, que regulaba y controlaba los sucesivos pensamientos de que se valía para reflexionar, dejaba de funcionar, abrumada por la tensión del momento.

Entretanto el apremio de hacer algo, lo que fuese, iba en aumento. No podía seguir allí, viendo como la presión sanguínea no paraba de descender y el paciente se le iba.

Trató de ordenar sus pensamientos; la primera decisión a adoptar era si cerrar de inmediato y enviar al paciente a la sala de recuperación o continuar la intervención para estar seguro de que la sangre fluía correctamente hacia el cerebro de Denton Bracknell.

Levantó la gasa de la carótida y la examinó con una ojeada. Se veía tensa, llena de sangre, sin lugar a dudas, y por un segundo creyó detectar una palpitación; pero inmediatamente se dio cuenta que era una ilusión. Era su simple deseo de que la carótida palpitase.

—No hay pulsación —dijo finalmente, mirando a Philip—. Lo siento pero tendré que volver a abrir.

—¡Por Dios, Harris! —exclamó Philip con voz angustiada—. No sé si podré mantenerle. ¿Por qué no cierra y nos largamos de una vez?

—Pinzas de Bakey anguladas, Lucille, y las tijeras Pott pequeñas —dijo Anselm—. Lo siento, Phil —añadió, mientras volvía a pinzar hábilmente la arteria—, si cierro ahora seguro que se queda hemipléjico. Voy a intentarlo otra vez.

Anselm alzó la vista un segundo y vio cómo Philip apretaba los labios en gesto desaprobatorio.

—No le garantizo... —le oyó decir, al tiempo que musitaba algo más y seguía esforzándose por mantener las constantes del paciente.

Actuando lo más rápido de que era capaz, Anselm cogió las tijeritas y cortó las suturas que tan meticulosamente había realizado; volvió a enjuagar la vena con solución salina irrigada con una jeringuilla y, conteniendo la respiración, quitó la pinza de la porción superior con la esperanza de que brotase un buen chorro de sangre roja brillante, indicio de que el ramal hacia el cerebro estaba indemne. Pero no salió nada. El vaso sanguíneo estaba seco. Las manos comenzaban a temblarle y retrocedió un paso de la mesa de operaciones, un instante para recapacitar. Nada. Ni una gota de sangre. Eso significaba que había oclusión más arriba, en el cráneo.

«Cierra, cose y fuera —le decía una imperativa voz interior—. No tiene sentido continuar.»

—Vamos a probar otra vez —dijo—. Lucille, páseme el catéter más fino que haya. Veamos si se puede perforar la obstrucción.

—No lograré mantenerle —terció Philip con voz aguda.

—Tres minutos —replicó Anselm, insertando el extremo redondeado de la sonda en la arteria, para retorcerla y manipularla lo más cuidadosamente posible; pero no avanzaba más allá de dos centímetros. Por un instante pensó en inyectar solución salina a presión para desalojar el trombo, pero lo desechó de inmediato, pues habría supuesto ocluir la arteria un poco más arriba, causando más mal que bien.

—Vamos a cerrar —dijo finalmente, sintiendo una profunda angustia que invadía todo su ser—. No se puede hacer nada más.

Philip musitó algo, cerró el halotano y conectó la concentración de oxígeno. Ahora lo principal era sacar vivo al paciente de la mesa de operaciones.

Anselm cerró la arteria con su habitual cuidado, pero con manos de prestidigitador; sabía lo que estaba haciendo Philip y no quería que Bracknell se despertase y comenzara a rebullirse en la mesa de operaciones antes de haberle suturado el cuello.

—Prescindamos de la sala de reanimación —propuso Philip— y llevémosle directamente a la UCI.

—Por mí, de acuerdo —dijo Anselm sin alzar la cabeza.

—Llame a la UCI —dijo Philip a la pasante— y diga que preparen un pulmón de acero.

—Teresa, sujeta la piel en ambos lados —pidió Anselm, poniendo los últimos puntos—. Ya puede despertarle —dijo a Philip.

—Gracias. Hace cinco minutos que lo intento.

Anselm apartó la cobertura de delgado plástico y levantó la talla verde del campo operatorio, mientras Philip retiraba las tiras de los ojos de Bracknell para examinar sus pupilas; tenía los ojos entreabiertos e hinchados.

—No respira. Tendremos que ponerle un balón de oxígeno para trasladarle a la UCI —dijo con irritación sin mirar a Anselm.

«Me reprocha el no haber cerrado más a tiempo», pensó Anselm mientras entraban la camilla y preparaban al operado para el traslado a la UCI. Tomó nota mental para explicar a Philip, en cuanto el paciente estuviera en cuidados intensivos, por qué no lo había hecho. No era momento para sembrar la discordia entre los que habían atendido a Denton Bracknell.

10

Stefan Olson y Erica aguardaban a Anselm junto al mostrador de la sección de quirófanos. El rostro imperturbable de Olson enmascaraba su inquietud.

—¿Qué tal ha ido? —preguntó, apartándose al aparecer la camilla, rodeada por Anselm, Teresa y, en cabeza, Philip, insuflando rítmicamente oxígeno de una bolsa negra en los pulmones de Bracknell.

—Ahora no —respondió Anselm sin aminorar el paso—. Perdone, en este momento... Hablaremos en la UCI dentro de unos diez minutos.

Olson enrojeció pero no dijo nada. Se volvió hacia Erica.

—Puede decir a los medios de comunicación que la operación ha concluido y que Bracknell está en la UCI. Es toda la información de momento.

Anselm apretaba el paso junto a la camilla, sosteniendo las bolsas de suero para que no se balanceasen en las pértigas. No se había parado a hablar con Olson porque no sabía qué decirle. Hasta que Bracknell recobrara el conocimiento y comprobasen la respuesta funcional de brazos y piernas para evaluar si se había producido lesión cerebral, no podía decir cuál era su estado.

Las puertas de la UCI se abrieron automáticamente al aproximarse la camilla.

—Primer habitáculo —dijo Jasmine Wu, y en un minuto Bracknell estaba en una cama; colgaron las bolsas de suero de unas pértigas junto al lecho, conectaron los electrodos del tórax al monitor sobre la cabecera, y el tubo endotraqueal fue acoplado al aparato de respiración artificial.

Llegó Peter y se enfrascó en una conversación en voz baja con Anselm; su rostro se fue demudando conforme escuchaba lo que éste le decía.

—Bien, vamos a reconocerle —farfulló Philip, que seguía visiblemente enfadado, abriendo un párpado de Bracknell y mirando el ojo con una luz, para, a continuación, hacer lo mismo con el otro. Se incorporó y miró en derredor buscando a Anselm, pero al ver a Peter se dirigió a él—. No hay reacción pupilar. ¿Quiere examinarle el fondo de ojo?

Peter cogió el oftalmoscopio, lo reguló en la apertura adecuada, mantuvo abierto el ojo de Bracknell con el dedo, se inclinó y examinó la pupila.

—Poca cosa —dijo después de explorar la retina y los vasos sanguíneos que irradiaban desde el centro. Examinó el otro ojo y momentos después meneaba la cabeza y devolvía el instrumento a Philip.

—Puede que haya un poco menos de presión en las venas del lado derecho —dijo—. Aparte de eso, no se observa gran cosa.

—¿No podría darle Nalorfina o algo así a ver si despierta? —dijo Anselm.

—Ya se la he dado —replicó Philip, volviéndose con ceño hacia Anselm—. Tendré que mencionarlo en el informe. Debió suspender la operación en cuanto comenzó a descender la presión sanguínea.

—Hágalo —respondió Anselm—. Redáctelo. Pero quiero que sepa que en aquel momento aún existía la posibilidad de abrir la arteria, y decidí probar.

—¿Y la abrió? —repuso Philip con voz cortante y sarcástica.

—No me fue posible —contestó Anselm.

Philip, airado, miró a un lado y otro y bajó la voz para que sólo le oyeran Peter y Anselm.

—Y por eso ahora nos encontramos con un paciente que no vuelve en sí y que si recobra el conocimiento seguramente se quedará en estado vegetativo. ¡Buen trabajo, Harris! —añadió, poniéndose el estetoscopio en los oídos para auscultar el brazo de Bracknell.

Peter y Anselm intercambiaron una mirada y éste se encogió de hombros. Había hecho cuanto podía; de eso estaba convencido.

—Peter, es una intervención en la que no puedo garantizarte ningún resultado —dijo mientras se dirigían hacia la reducida zona de consulta—. No hagas caso de Philip. Él es así y no sabe sobreponerse. Anda, vamos a tomar café.

Se abrieron las puertas automáticas para dar paso a Olson y a Erica. Olson venía con cara tensa y preocupada; por el contrario, Erica tenía el mismo aspecto que si acabara de entrar a trabajar y no de llevar en el hospital casi dieciséis horas. Dirigió a Anselm una sonrisa por la que Peter y Olson habrían dado cualquier cosa, pero él no se inmutó.

—Los medios de comunicación están en el salón de actos —dijo—. Le están esperando desde que terminó la operación.

—No creo que sea buena idea —respondió Anselm tajante, sorprendiéndola. A ella no le hablaban así los hombres—. En este momento no tengo nada que decirles. Dejemos que pase una media hora. Al fin y al cabo, no creo que les importe esperar un poco más.

Le sudaban las manos y se las frotó en los faldones de la bata.

—Es que se han enterado de que ya ha salido del quirófano —terció Olson—, y si les hacemos esperar van a pensar lo peor.

—¡Vaya, maldita sea! —exclamó Anselm—. ¿Y quién les ha dicho que había terminado de operar? ¿Pero qué ocurre aquí?

—Cálmese —dijo Olson—. Se lo dijo Erica porque es su obligación.

—Pero crearme más problemas no es su obligación —espetó Anselm, dando cauce a toda su frustración de las últimas horas—. Me están poniendo en un brete. Si digo a los periodistas que Bracknell no ha recobrado el conocimiento, pensarán que nos lo hemos cargado, y si aguardamos media hora dirán que les ocultamos información.

Miró a Erica y le sorprendió ver que le temblaban los labios y que tenía los ojos anegados en lágrimas por efecto de la ira. En ese momento se oyó el fuerte zumbido de un helicóptero que se aproximaba; las ventanas del departamento vibraron por unos segundos hasta que el sonido fue apagándose hasta dejar de oírse.

—Es el equipo de Washington —se apresuró a decir Stefan Olson—. Iba a informarles...

—¿Qué equipo? —inquirió Peter con enfado—. ¿Los de la marina? Dijeron que venían mañana. ¿Qué ha sucedido? —añadió, mirando suspicaz a Stefan.

—Que han decidido adelantar su llegada —contestó él—. Y además lo hacen por orden del presidente —añadió con voz templada, que, aunque menos fuerte, se sobrepuso al tono elevado de Peter—. El almirante viene con un equipo de especialistas para ayudarle a atender a Bracknell.

—¿Ayudarnos? Pero... ¡maldita sea! —exclamó Peter—. ¿Sabe lo que van a hacer? Intentar acaparar al enfermo y apuntarse el mérito si las cosas van bien y hundirnos en caso contrario. —Lanzó un profundo suspiro.

Philip salió del habitáculo de Bracknell con gesto abatido. Saludó a Olson con una inclinación de la cabeza y se volvió hacia Anselm con gesto agresivo.

—Está mal y no reacciona. Apenas si detecto reflejos. Además... depende totalmente de la ventilación artificial pues los pulmones no le funcionan.

—En definitiva, ¿qué? —inquirió Olson.

—Pues, en mi opinión, Denton Bracknell ha sufrido lesión cerebral grave durante la operación, y si la situación no cambia radicalmente, las perspectivas no pueden ser peores.

Philip miró a Anselm, como retándole a decir algo, pero él permaneció en silencio.

—Y otra cosa —prosiguió Philip, volviéndose hacia Olson—, voy a enviarle un informe detallado respecto a cómo se ha llevado este caso. —Tras lo cual se dio la vuelta y se dirigió a la UCI.

Olson miró a Anselm y luego a Peter.

—Vamos al helipuerto a recibir a los de la marina —dijo—. Creo que su llegada les libra de momento de las garras de los periodistas. Nos veremos en el salón de actos cuando bajen. No tengan prisa.

Anselm y Peter contemplaron a Olson y a Erica abandonar la unidad.

—Bueno, Anselm —dijo Peter con apremio—, más vale que nos pongamos de acuerdo en lo que vamos a decir a esos de Washington. Ahora, cuéntame qué ha sucedido exactamente en el quirófano.

Aún perduraba en Erica el enfado con Anselm Harris mientras, al lado de Olson, caminaba deprisa por el pasillo y sus tacones herían ruidosamente las baldosas. Desde que el doctor Harris había llegado a Glenport, ella había sentido interés por él, llegando a salir juntos un par de veces, pero Anselm había resistido reposadamente sus intentos de profundizar la relación. Un interés que Peter había notado, y le había molestado, aconsejándole que desistiera, que Anselm acababa de salir malparado de un divorcio y no era buen partido. Pero lo cierto es que Peter tenía sus propios objetivos. La verdad era que, en esta ocasión, ella misma había observado en la mirada de Anselm algo que le decía que era inútil toda insistencia.

Llegaron al ascensor y, mientras aguardaban, Olson

no dejaba de observarla con el rabillo del ojo; sabía lo que la reconcomía, y él estaba dispuesto a esperar el momento propicio. Cuando salieron al helipuerto, un grupo se apiñaba ya alrededor del aparato; sus rotores gemelos aún giraban y Erica comprobó que era un helicóptero enorme, mucho más grande que el que a veces trasladaba pacientes del hospital a New Coventry. Cuatro hombres vestidos de paisano descendieron por la escalerilla, encabezados por un individuo delgado, serio y de pelo negro que debía de rondar los cincuenta años; Olson se adelantó a saludarles.

—Hola —dijo el que iba delante, sin sonreír—. Soy el almirante Ellis.

En cuanto estuvieron fuera de la zona de barrido de los rotores, se volvió para presentar a los que le acompañaban: el doctor Neville Sachs, un hombre de mediana edad, calvo y con gafas redondas de montura metálica, neurólogo de la marina. A su derecha, el doctor Simon Faber, un joven neurocirujano de la armada con pelo al cepillo y gafas de montura gruesa de concha, y un tercero, el doctor Marcus Poynter, gordito y bajo, de escaso pelo rubio y con una gabardina que le venía grande y sufría los embates del viento.

—Subamos a mi despacho —dijo Olson, abriendo la puerta y cediéndoles el paso.

—Antes quisiéramos ver al paciente, si no le importa —dijo el almirante—. Mientras subimos, podrían informarnos los médicos que le atienden.

—No lo sé —respondió Olson con un aturdimiento poco habitual en él—. El doctor Harris está ahora en la UCI con el paciente y...

El almirante se detuvo, molesto por el tono de Olson.

—El doctor Harris es el cirujano, ¿no es así?

—Sí. Como le dije por teléfono, el doctor Harris y el doctor Delafield decidieron que, dado el empeoramiento de Bracknell, había que operarle.

El almirante asintió enfáticamente con la cabeza, pero se contuvo y dijo con jovialidad forzada:

—Bien, afortunadamente, traigo a los dos mejores neurólogos del país, y ellos asesorarán encantados a sus facultativos a adoptar cualquier decisión.

Olson respiró hondo.

—Esa decisión ya ha sido adoptada. El doctor Harris intervino quirúrgicamente hará cosa de una hora.

Se hizo un prolongado silencio, interrumpido únicamente por el sonido de las pisadas del grupo en las baldosas a medida que avanzaban hacia el ascensor. Los médicos que caminaban detrás del almirante y de Stefan Olson intercambiaron miradas.

—Bien —dijo el almirante al entrar todos apretujados en el ascensor; apretó los labios con fuerza y Stefan advirtió que a duras penas contenía la indignación—. Esto lo cambia todo. Creí que...

Olson esperaba un estallido de ira, pero el almirante se mordió el labio y no dijo nada hasta que llegaron a la tercera planta.

—A la izquierda —dijo Olson al abrirse las puertas, y Erica se les adelantó por el pasillo para que se abrieran las puertas de la UCI. El vigilante dirigió una mirada a aquel compacto grupo que avanzaba hacia él y se apartó casi de un salto.

Anselm estaba junto a la cama del operado cuando entraron. Tras las presentaciones de rigor, el doctor Poynter, especialista en cuidados intensivos, se quitó el abrigo y comenzó a reconocer al operado, comprobando sueros, medicaciones y control de la respiración asistida, mientras Anselm y el resto del grupo pasaban a la sala de médicos.

—Bien, decidió operar, ¿no es así? —dijo el almirante Ellis, mirando a Anselm con sus ojos azules y con voz cortés y fría—. ¿Quiere decirnos qué circunstancias le obligaron a adoptar esa decisión?

Mientras Anselm se explicaba, Olson se acercó a la

puerta, seguido de Erica, que había estado hablando por teléfono.

—Los periodistas aguardan —dijo ella con su habitual tono sereno y eficiente—. Quieren saber quiénes son los recién llegados.

—Pues tendrán que esperar —contestó Olson. En aquel momento lo que más le preocupaba era evitar que el almirante, al llegar a Washington, tomara represalias contra el hospital y eso repercutiera en los ingresos.

En la unidad de cuidados intensivos, despacio pero sin pausas, el almirante Ellis y sus acompañantes iban acorralando a Anselm.

—Supongo que pediría una consulta neurológica antes de decidir operar —dijo el neurocirujano Simon Faber, un hombre enérgico y práctico, quien no se sentía cómodo interpelando de aquel modo a un colega.

—No —contestó Anselm, sin añadir que el único neurocirujano de la ciudad era un hombre enfermo a quien un año antes le habían practicado una triple derivación cardíaca y, estando retirado, casi ningún médico mantenía relaciones profesionales con él.

—A decir verdad, aquí sólo hay dos especialistas cardíacos para efectuar casi todas las intervenciones de carótida —apostilló.

Hizo su entrada el doctor Poynter y la conversación se interrumpió.

—Su estado es crítico, señor —dijo, dirigiéndose al almirante—. Quisiera que el doctor Faber y el doctor Sachs le reconocieran, pero creo que debemos ir pensando en sacarle de aquí —añadió, dirigiendo una breve mirada a Anselm—, lo antes posible.

Mientras se efectuaban los preparativos finales para el traslado de Bracknell, Peter y Anselm fueron a la sala de espera de la UCI para informar a Sandy, quien, aunque demudada, recibió la noticia sin amilanarse.

—Yo le acompaño —dijo.

11

—Bien, Teresa, usted sujétele la cabeza y que no se le mueva mientras le pasamos a la camilla —dijo el doctor Poynter, dirigiendo la maniobra—. Yo iré aguantando el balón de oxígeno hasta el helicóptero.

Poynter se había hecho cargo del paciente desde el primer momento y su competencia era evidente. Hasta Peter tuvo que admitir que era irreprochable, pues con gran meticulosidad había previsto cualquier contingencia. En el extremo de la camilla había dispuesto una caja con jeringuillas etiquetadas y cargadas con medicaciones de urgencia y había colocado también una cánula extra endovenosa en el brazo de Bracknell para la administración de cualquier fármaco de urgencia.

Teresa lo observaba todo mientras Poynter iba al pulmón artificial y giraba el mando del oxígeno para aumentar el ritmo respiratorio del paciente.

—Quiero hiperventilarlo un poco antes de moverle —le explicó al ver su mirada interrogante—. Así tendremos un margen de seguridad por si surge algún problema antes de llegar al helicóptero.

Teresa asintió.

—Llevaré una reserva de oxígeno —dijo, señalando un balón negro de respiración que había cogido del departamento de anestesiología.

—Muy bien. Ahora, aparte el monitor, que vamos a pasarle a la camilla.

Una enfermera retiró las bolsas de suero intravenoso y las colgó de la pértiga acoplada a la camilla. Todo estaba listo para el traslado.

—Listos todos —dijo Poynter, mirando en derredor a enfermeras y ayudantes y dirigiendo una ojeada a Bracknell, que permanecía inmóvil, a excepción del pecho que subía y bajaba al ritmo del aparato insuflador de oxígeno—. Bien, vamos allá —añadió, desconectando el tubo de plástico del respirador insertado en la garganta de Bracknell y acoplándole la bolsa de insuflación manual—. ¿Le sujeta la cabeza, Teresa? Bien. Uno, dos... —Al decir tres, las enfermeras y ayudantes que rodeaban la cama alzaron la sábana de abajo por su lado correspondiente y Bracknell quedó situado en la camilla.

—Bien, adelante —dijo Poynter echando a andar a paso ligero, pese a su rechoncho cuerpo.

La camilla cruzó velozmente las puertas de la UCI y avanzó por el pasillo, al tiempo que Peter, Anselm y Sandy se unían a la comitiva. Poynter había ordenado a uno de los guardias de seguridad que retuviera el ascensor, y, mientras el hombre lo hacía, entraron sin dilación la camilla precedida de Poynter, quien rítmicamente comprimía el balón de respiración para insuflar los pulmones paralizados de Bracknell.

Ya en la planta baja, la camilla fue deslizada presurosamente por el pasillo; todos sentían el mismo apremio de urgencia. Había que embarcar a Bracknell en aquel helicóptero dotado de instrumental sofisticado; si algo le sucedía en el trayecto hasta el aparato, ya una convulsión ya un paro cardíaco, sus posibilidades de supervivencia mermarían peligrosamente.

Quienes circulaban por el pasillo, enfermeras y visitantes, se apartaban, aunque sin escatimar ojeadas al famoso paciente.

El incidente se produjo al doblar el recodo, ya hacia la salida principal. El doctor Poynter, que iba a paso ligero junto a la camilla, oprimiendo la bolsa de respiración cada cinco o seis segundos, caminaba por el interior de la curva de giro y una rueda de la camilla le pilló el pie, haciéndole perder el equilibrio. Pese a que trató de evitarlo, el hombre cayó de bruces sin soltar la bolsa, y como ésta iba acoplada al tubo endotraqueal introducido en la garganta de Bracknell, lo desalojó al soltarse las cintas adhesivas que lo sujetaban.

Poynter se levantó inmediatamente, jadeante y sin soltar la bolsa con el tubo. La camilla se había detenido unos pasos más allá. Aquel incidente era la única eventualidad no prevista y eso le hizo perder el aplomo.

—¡Teresa, vaya deprisa por un laringoscopio! —gritó.

Ella echó a correr por el pasillo con la esperanza de que el ascensor estuviera aún en la planta, cosa prácticamente imposible.

Anselm, Sandy y Peter caminaban unos metros detrás. Sandy vio que acababa de suceder algo horroroso y, sin poder contenerse, volvió la cara a la pared, cerrando los ojos. Anselm, nada más ver que Poynter caía, quiso adelantarse para ayudarle, pero Peter le retuvo por el brazo.

—Quieto —dijo—. Puede que por puro azar Poynter haya sido nuestra salvación.

Perplejo, sin saber a qué se refería su amigo, Anselm se zafó de su mano y echó a correr. Pero poco podía hacer aparte de desinflar la bolsa en el tubo endotraqueal para que Poynter volviese a colocarlo una vez dispusiera de un laringoscopio.

Poynter vio que Bracknell no daba señales de respiración espontánea y, sin preocuparse por la sangre en su boca y nariz, le pasó la mano por el cuello y comenzó a aplicarle un boca a boca, mientras el doctor Sachs, que había optado por acompañar al paciente, verificaba el ritmo cardíaco en la pantalla portátil, dispuesto a aplicar compresión manual cardíaca en caso necesario.

Tras un par de minutos, el doctor Sachs sustituyó a Poynter en el boca a boca; en ese momento llegaba corriendo Teresa por el pasillo, y sin aliento, tendió el lanringoscopio al doctor Poynter. Éste lo miró con desdén; era un modelo antiguo de paleta en ángulo recto. Encendió la luz, pero las baterías estaban algo gastadas y no daban buena visibilidad, pero no había otra alternativa. Sujetó la nuca de Bracknell para alzarle la cabeza y le introdujo el instrumento en la boca. Lo único que necesitaba era localizar visualmente las cuerdas vocales para introducir el tubo entre éstas y la tráquea. Anselm tendió el tubo y Poynter se lo arrebató con mano temblorosa. Afortunadamente entró correctamente a la primera.

Transcurrido un instante el cortejo reanudaba la marcha, con el doctor Sachs presionando la bolsa para insuflar los pulmones del paciente.

Peter apretó el paso y se acercó a la camilla.

—¿Comprende por qué no quería trasladarlo? —farfulló a Poynter, que caminaba cojeando—. Seguramente este incidente ha provocado un daño irreparable al señor Bracknell. —Lo dijo en voz alta para que todos le oyeran y sus palabras no cayeran en el vacío.

Poynter no contestó; caminaba jadeante con el tobillo dolorido y se limitó a fulminarle con la mirada.

El doctor Sachs terció conciliador.

—No ha pasado nada, doctor Delafield, el corazón del señor Bracknell no ha cesado de latir en ningún momento. No creo que haya habido deterioro.

Pero Sachs y Poynter estaban ya pensando en medidas para neutralizar el posible daño y en cómo minimizar la mala impresión que causaría aquel incidente casi fatal en cuanto llegase a oídos de los periodistas.

Mientras, Peter, que iba detrás sujetando a Sandy del brazo, recapacitaba sobre las distintas maneras de capitalizar en provecho propio el incidente.

Un minuto después la camilla era izada al helicóptero bajo la intensa luz de las cámaras de televisión. Sandy y el almirante Ellis subieron por la escalerilla y los rotores comenzaron a girar apenas se cerraron las puertas.

Anselm, Peter y Olson iniciaron el camino de regreso hacia el edificio del hospital nada más despegar el helicóptero, mientras que a Erica la asaltaba una turba de periodistas que le preguntaban a gritos qué había pasado.

—Bien, gracias a Dios, todo ha acabado —dijo Peter una vez se apagó a lo lejos el ruido del helicóptero y pudo hacerse oír.

Olson se detuvo, con la mano en la puerta y le miró con gesto de incredulidad.

—¿Acabado? ¿Lo dice en serio, doctor Delafield? —replicó meneando la cabeza—. Permita que le diga que esta lamentable historia no ha acabado, sino que acaba de empezar. Y lo primero que les sugiero a los dos —añadió mirándolos— es que se pongan en contacto con la compañía con la que tengan suscrito el seguro por negligencia médica. —Y agregó con tono irritado al ver que Peter trataba de interrumpirle—: Ya he dejado recado al abogado del hospital y también a nuestra compañía de seguros, y ustedes dos deben hacer lo propio. No es que sea una certeza que les demanden, pero hay que comunicárselo a la aseguradora por precaución. En su contrato ha de figurar tal eventualidad. —El siguiente comentario despectivo de Olson vino a demostrar cuán abrumado se sentía—: Que le informe Harris, que conoce bien el tema.

Anselm volvió a la tercera planta para acabar de dictar el informe sobre la consulta y la operación de Denton Bracknell. Estaba tan cansado que tuvo que hacer varias pausas para recapitular los últimos párrafos y no perder el hilo. Aquello le recordaba su época de residente, en la que su cansancio crónico le obligaba a funcionar con el piloto automático durante días y a veces semanas.

Peter se había marchado, y él, después de efectuar una última llamada a la UCI para interesarse por el estado de Florence Gowan, que seguía estable y dormía, se dirigió a urgencias. Caminando por los pasillos desiertos y tenuemente iluminados y esforzándose por hacer el menor ruido posible, percibió aquella calma de madrugada de los hospitales, maravillándose del extraño contraste con la frenética actividad de horas atrás.

Pensamientos que solía mantener a raya le acosaban ahora con intermitencia, como esos enemigos que surgen constantemente en los juegos de máquinas: reflexiones sobre su niñez, su vida en Nueva York, su ex mujer, pensamientos, en fin, que tantas veces había rehuido y que rara vez afloraban a la superficie. Su infancia había transcurrido en bases de la fuerza aérea, en las que su padre era un excelente piloto que formaba parte del equipo acrobático de los Thunderbird; la madre era una mujer triste, maestra de escuela, que nunca sonreía. Habían vivido años en continuo traslado de una base a otra, pero a Anselm no le importaba, aunque de haberle desagradado habría sido igual. Llevaba grabado en su cerebro el recuerdo de su padre como una instantánea: un hombre bonachón, cariñoso y alegre, guapo y apuesto como un oficial de caballería de Tolstoi. Pero su madre no apreciaba aquella apostura y muchas veces tenían altercados que duraban hasta mucho después de que Anselm se hubiera ido a la cama; pero nunca había sabido el motivo concreto de aquellas peleas. Una mañana, después de una de ellas, Anselm, entonces de diez años, salió fuera con su madre a ver el equipo de su padre hacer prácticas sobre el aeródromo. Los cuatro aparatos rugían al pasar en formación como pegados para luego ascender en vertiginosa vertical, brillantes bajo el sol, y a continuación abrirse en súbita flor de lis los dos de los flancos, para volver a juntarse y descender como un rayo sordo sobre la pista casi a la velocidad del sonido, precediendo al ensordecedor rugido de sus motores a reacción, y volver a elevarse como cuatro flechas que surcasen el cielo con inaudita rapidez. La maniobra siguiente era un rizo en formación cerrada; los cuatro aviones, cuatro motas plateadas en lo alto del cielo, descendían en picado, aumentando cada vez más de tamaño, y se aproximaban en un amplio balanceo cuyo perigeo estaba calculado para que coincidiera con el centro del aeródromo. Conforme los aparatos se precipitaban desde arriba, acercándose más y más, Anselm sentía la angustia de su madre con la misma evidencia que si estuviera gritando. Y sucedió en aquel momento. Al final de un rizo, uno de los aviones desapareció y una enorme nube de humo negro brotó del suelo, mientras los otros tres ganaban elevación en la vertical, libres, vivos. Anselm supo de inmediato que acababa de perder a su padre; un instante después se oía el impacto: un golpe sordo que hizo temblar la tierra. Y él pensó que el espíritu de su padre había abandonado este mundo. Su madre, aferrándole el hombro, le dijo:

—Cariño, anda, vete adentro.

Anselm quiso ahuyentar aquel recuerdo emocional, pero el sonido de la partida del alma de su padre resonaba en su cerebro, como un suave gong en el centro de una pantalla de espejos.

Fuera, en el helipuerto, flotaba todavía en rachas invisibles el olor a queroseno del helicóptero, y Anselm se dirigió al coche pensando en las veces que había salido tarde del hospital cuando estaba en Nueva York; y le vino al recuerdo su cautela, el temor a las regañinas, que él había sencillamente asumido como parte de su existencia.

Luego, había tenido bastante éxito en su carrera, había abierto una buena consulta en Queens y obtenido un puesto en un prestigioso hospital, y se había casado con una hermosa mujer. Mariana era una ejecutiva de altos vuelos que trabajaba en una agencia de publicidad situada entre las cinco primeras; una mujer elegante, imaginativa, irritable y sorprendente. Se habían conocido por la circunstancia de que un taxista le había pillado la mano al cerrar la portezuela de golpe, conduciéndola, presa de pánico, a las urgencias del hospital Bellevue, donde trabajaba él. Mariana entró en aquel lugar sórdido y miserable como una diosa que transita por el empíreo, con la mano envuelta en un pañuelo Hermès ensangrentado, y Anselm había quedado prendado, en parte por el contraste que representaba respecto a los vagabundos y borrachos que constituían la clientela habitual. Ella, a su vez, quedó encantada con el guapo cirujano que tan bien la había atendido y, una semana después, le invitaba a una fiesta en su oficina de Madison Avenue. Una cosa llevó a la otra y semanas más tarde se casaban, pese a las insistentes advertencias que a él le hicieron sus amigos, Peter incluido. «No es mujer para ti —le decían—; es frívola, engreída, bastante alocada y desde luego no es esposa apropiada para un cirujano que está ganando prestigio.» Y Anselm comprobó que vivir con Mariana era como ir en una montaña rusa a una velocidad cinco veces mayor de la normal. Seis meses después de la boda, un día, al regresar al confortable apartamento en que vivían, se lo encontró completamente vacío. Ni un solo mueble en el reluciente parquet, y su Mariana estaba sentada en el suelo, desnuda con las piernas cruzadas en actitud de meditación. Estupefacto, Anselm se dirigió a su despacho, donde tampoco quedaba un solo mueble; todo había desaparecido: archivadores, fotografías enmarcadas, escritorio, ordenador y la alfombra de Kashan que le habían regalado sus abuelos al concluir su período de médico interno. Todo porque ella había decidido que había que emprender una nueva vida y cambiarlo todo: ropa, costumbres, todo. Y había llamado a un camión del Ejército de Salvación para que se llevaran todos los enseres. Los nuevos muebles serían de bambú y cuero, dijo, y los tendrían a finales de semana. A pesar de aquellos cataclismos inesperados, Mariana no estaba loca, ni mucho menos. Era una mujer que realizaba a la perfección su difícil trabajo; se trataba sencillamente de que cuando decidía que había que hacer algo, no se atenía a términos medios y llegaba hasta el límite, y más lejos a veces.

Anselm quería niños y, al principio, Mariana pensó que era una magnífica idea; pero luego cambió de opinión, alegando que las exigencias de su trabajo iban a impedírselo durante unos años.

Después, de pronto, se produjo el desastre crucial en la vida de Anselm, un incidente que le dejó destrozado. Le fallaron todos los apoyos posibles y sus colegas del hospital, el elenco médico, sus amigos y hasta su esposa. Todos le dejaron en la estacada.

Mariana llegó de inmediato a la conclusión de que toda la publicidad adversa derivada del pleito de Anselm dañaba su carrera, y cuando el principal diario sensacionalista publicó en primera página el titular de DOCTOR MUERTE con la foto de Anselm llenando el resto de la plana, ella dejó la casa, se fue a vivir al apartamento de sus padres en East Side y se negó a contestar a sus llamadas telefónicas. Las noticias que tuvo poco después fueron por boca del abogado de ella, y optó por aceptar el divorcio. En la última comparecencia, cuando abandonaba la sala del juzgado, Mariana se acercó, lo abrazó, lo besó y dijo:

—De verdad, cariño, nuestro matrimonio ha sido de lo mejor. Aún te amo, por supuesto.

Lo llamó una semana más tarde, quejándose de que como la había rechazado tan bruscamente en la escalinata del juzgado aún tenía magulladuras.

Y, ahora, todavía le llamaba en los momentos más inverosímiles; a veces desde una fiesta, o cuando no podía dormir. En una ocasión en que había bebido más de la cuenta, le telefoneó para decirle que volvía con él y que estaba camino de Glenport, para, luego, no aparecer. Anselm sabía que ella tenía esporádicas aventuras, pero el trabajo era lo que consumía la mayor parte de su tiempo y energías. De vez en cuando el recuerdo de aquella Mariana elegante, de largas piernas y esbelta como una modelo, le turbaba; pero ella proseguía con aquellas llamadas con pretensiones cada vez más extrañas y él comenzaba a dudar que conservase capacidad para desempeñar su trabajo.

Permaneció inmóvil un par de minutos en el reducido asiento del Triumph, rendido y abrumado por los acontecimientos de la jornada. Luego puso el motor en marcha y se encaminó a casa.

Al trasladarse a Glenport había alquilado un apartamento por unas semanas, pero después se había comprado no muy lejos del hospital una casita que acondicionó provisionalmente con muebles de aquí y allá: una cama, una mesa, un escritorio, dos lámparas y un par de archivadores. Luego compró tres alfombras en una liquidación de Touloukian's: una Kashan y dos afganas. Y en una subasta, a la que acudió con Peter y Susan, adquirió unos grabados de coloridas vistas locales. Tenía la clase de vivienda que encendía los instintos maternales y caseros de cualquier mujer, pero a él le agradaban los ambientes sencillos, casi monásticos, y resistió diversas intentonas de convencerle de que la transformara en una casa «en la que viviría más cómodo».

Y ahora la casa le resultaba fría, oscura y vacía, igual que su vida. Pensó en cómo lo estaría pasando Denton Bracknell, pero su experiencia clínica y su instinto le decían que no demasiado bien.

Miró un buen rato el teléfono, y pensando en Mariana y en si realmente la llamaría algún día, se fue a la cama.

12

El almirante Ellis condujo sin demora a Sandy Bracknell a la zona de pasajeros del reducido compartimiento trasero del helicóptero, separada del resto por un mamparo con una puerta tapada por una cortina verde claro. La ayudó a ajustarse el arnés de seguridad y se acomodó en el otro asiento junto a ella, al tiempo que se acoplaba unos auriculares conectados a un enchufe del fuselaje y sacaba una revista como si para él fuese rutina cotidiana.

La puerta del aparato se cerró con un ruido sordo y momentos después las vibraciones comenzaron a sacudirlo y el ruido de los motores se transformó en un aullido, al tiempo que Sandy notaba la presión en sus oídos. El morro del helicóptero se elevó y despegaron. Por la ventanilla vio fugazmente caras mirando hacia arriba, las dependencias iluminadas del hospital, las acentuadas sombras tras los focos y luego una negrura absoluta.

A quinientos metros, con el morro ligeramente inclinado, emprendieron la ruta hacia la costa de Connecticut con destino al hospital de la armada en Bethesda, Maryland.

Tiritaba en la fría cabina. El almirante Ellis dejó la lectura y miró fuera, escuchando algo por los auriculares, a los que luego colgó de un gancho junto al enchufe. Se quitó el cinturón de seguridad y se dirigió a la puerta. Al correr la cortina, Sandy pudo ver fugazmente el compartimiento anterior, enorme en comparación con el reducido espacio trasero, pero fue todo cuanto alcanzó a distinguir.

Ellis se acercó al doctor Poynter, que parecía nervioso y enojado, y en aquel momento aplicaba a Bracknell un inyectable a través de la cánula endovenosa. El almirante advirtió que un leve sudor cubría la frente del paciente.

—Ha sufrido una taquicardia —dijo Poynter, señalando con la cabeza el monitor. El perfil del electrocardiograma mostraba un ritmo cardíaco rápido con intermitentes picos irregulares—. Acabo de administrarle propranolol para contrarrestarla.

Ellis se acercó a la camilla y abrió el ojo derecho de Bracknell con el índice. Era un ojo en blanco. Apartó aún más el párpado para observar la pupila.

—Está contraída —dijo, y Poynter asintió con la cabeza—. Y la otra igual. Hasta ahora no ha dado señal de haber recuperado el conocimiento.

Uno de los enfermeros militares que estaba atareado con un instrumento de laboratorio situado sobre un mostrador a poca distancia, se acercó con un gráfico en la mano.

—Los gases en sangre del paciente, señor. Ha vuelto a descender la saturación de oxígeno y el dióxido de carbono aumenta.

Poynter cogió la hoja, la miró y se la pasó a Ellis.

—Está entrando en estado acidótico —comentó—. Observe qué descenso del bicarbonato —añadió, señalando con el dedo la hoja, consciente de que Ellis no estaba muy al corriente de aquella complicación.

—Señor —dijo el enfermero, un delgado joven rubio con el pelo a cepillo, señalando la pantalla del monitor para llamar su atención. Poynter alzó la vista y vio que el ritmo cardíaco de Bracknell se aceleraba y se situaba a 174 pulsaciones por minuto.

—Maldita sea —dijo, sin quitar la vista de la pantalla y tratando de averiguar con qué clase de nueva taquicardia se enfrentaba—. Lo único que nos faltaba.

—¿Es supraventricular, señor? —inquirió el enfermero.

—Sí, probablemente; creo que sí. —Era tan rápida que resultaba difícil asegurarlo—. Hágame una impresión. Le pondremos más propranolol.

—Sigue aumentando la presión —dijo Ellis.

El aparato señalaba 210/155, una tensión muy alta y peligrosa. Momentos después, cuando el enfermero iba a introducir la aguja de la jeringuilla en la cánula intravenosa, el corazón de Bracknell recuperó de pronto el ritmo normal.

Poynter soltó un suspiro de alivio.

—¿Ha visto? —comentó al enfermero, señalando la jeringuilla—. Si se lo hubiera inyectado un minuto antes, habríamos comentado lo estupendo que es el propranolol.

Observaron unos instantes al paciente, mientras el otro enfermero verificaba manualmente la presión sanguínea.

Se descorrió la cortina y apareció el doctor Sachs.

—¿Qué tal va? —inquirió.

—Nada de particular en lo que a usted respecta —contestó Poynter—. ¿Quiere examinarle las pupilas? —añadió, en deferencia hacia el neurólogo.

—No es necesario —replicó Sachs, encogiéndose de hombros.

—Es curioso, ¿no? —añadió Poynter, relajándose un instante—. Si hubiera sido un cualquiera, probablemente ayer le habrían calificado de NR y estaría muerto.

—A nadie de su importancia le califican de No Reanimable —replicó Sachs en tono reflexivo—. Cuanto más importante, menos probabilidades hay de morir en paz.

—¡Dios mío! —exclamó Poynter, que miraba a la pantalla justo en el momento en que sonó la alarma del monitor—. ¡Ha entrado en taquicardia ventricular!

—exclamó dirigiéndose a Ellis, quien por sí mismo podía apreciar el acelerado ritmo de la taquicardia en cuestión, preámbulo de fibrilación ventricular, un trastorno cardíaco posiblemente fatal.

—¡Conectemos el desfibrilador! —gritó Poynter al enfermero para contrarrestar el ruido del motor, al tiempo que sacaba del cuerpo del desfibrilador las paletas metálicas—. Compruebe si está cargado.

El enfermero acercó la vista a la pequeña esfera del instrumento.

—Totalmente cargado, señor.

Ellis cogió un tubo de crema para electrodos y untó ambos flancos del blanco tórax de Bracknell.

Poynter le tendió las paletas.

—Unte un poco en ellas.

El almirante lo hizo y luego se apartó. La alarma seguía emitiendo aquel penetrante pitido que ponía los nervios de punta; el ritmo cardíaco de Bracknell marcaba 220 ineficaces latidos por minuto.

—¡Apártense todos! —gritó Poynter, colocando una paleta metálica a cada lado del pecho de Bracknell, mientras todos se alejaban de los puntos metálicos de la camilla.

Rechinándole los dientes, Poynter pulsó el botón rojo y el cuerpo de Bracknell se convulsionó al pasar la corriente por su pecho. Momentos después, el desfibrilador emitía un ruido agudo y chillón al recargarse los condensadores.

Todos dirigieron la mirada hacia el monitor. Durante la fracción de segundo en que la corriente había atravesado el pecho de Bracknell, la línea del electrocardiograma se había borrado de la pantalla y tardó algo en reaparecer.

El ritmo cardíaco era ya gravemente irregular y cada pocos segundos describía picos muy irregulares.

—Sigue con taquicardia ventricular —dijo Sachs.

—Voy a administrarle otra descarga —dijo Poynter. ¡Por Dios, que alguien desconecte la alarma!

Aguardó un poco a que se recargara el aparato y en cuanto se hubo apagado el testigo de recarga, viendo que habían quedado dos marcas rojas en el lugar previo de aplicación de los electrodos, Poynter decidió un nuevo emplazamiento. No quería que, encima, Bracknell sufriera quemaduras de segundo grado.

La nueva descarga provocó una segunda convulsión más débil y la espera para que reapareciese en la pantalla la raya del electrocardiograma pareció durar una eternidad.

—Plano —dijo el doctor Sachs, mejor situado que Poynter para verla.

Poynter sudaba copiosamente.

—Adrenalina con la aguja intracardíaca larga —dijo.

El enfermero le tendió una jeringa larga con una aguja de unos quince centímetros. Poynter, que era católico, reprimió el impulso de santiguarse y hundió la aguja entre las costillas de Bracknell en dirección al ventrículo izquierdo del corazón. Retiró el émbolo y el vidrio se llenó de sangre oscura.

—¡He acertado! —Respiró hondo y procedió a inyectar la adrenalina en el corazón de Bracknell.

Aquélla era la última oportunidad, lo último que podían hacer para salvarle.

Mientras esperaban a que la medicación surtiera efecto, Poynter y Sachs no quitaban ojo del monitor, ya que, de momento, nada más podía hacerse.

El almirante Ellis, que había permanecido apartado durante el proceso de reanimación, se acercó. Poynter se volvió hacia él.

—Es una situación grave, señor —dijo con voz ronca de fatiga, y, sin dejar de mirar el monitor, le explicó el proceso acaecido en los últimos minutos.

Probaron una vez más a reanimarle mediante compresión cardíaca externa, pero doce minutos más tarde decidieron cejar en sus esfuerzos. A las 2.13 hora del Este, del viernes 29 de abril, el doctor Poynter certificaba la defunción de Denton Bracknell.

—Voy a llamar a la Casa Blanca —dijo Ellis, mirando hacia el panel de comunicaciones detrás de la cabina del piloto—. Y tendré que ir personalmente a comunicárselo a la esposa —añadió tras una pausa.

SEGUNDA PARTE

13

Fue Stefan Olson quien despertó a Anselm pasadas las cuatro de la mañana aquel viernes para informarle con voz cansina que Bracknell había muerto camino de Bethesda. Tras la noticia, Anselm permaneció despierto en la cama, pensando y dándole vueltas a todas las facetas del caso. Él había atendido a muchos pacientes con la misma clase de dolencia, pero en el caso de Bracknell había ciertos detalles que le intrigaban. ¿Acaso había sufrido otra enfermedad, o se había producido alguna complicación que él no había detectado? Recordó el caso de William Casey, ex director de la CIA, cuyo tumor cerebral letal había pasado desapercibido durante meses, y quizá años, y fueron sus propios secretarios quienes advirtieron la enfermedad antes que los médicos. En realidad se daban muchos casos en que los pacientes presentaban una dolencia obvia que encubría otra enfermedad, a menudo grave.

Pero en el caso de Bracknell él había actuado con suma diligencia, y Peter le conocía y le había tratado durante años; no parecía verosímil que a ambos les hubiera pasado inadvertido algún signo importante.

Finalmente se levantó angustiado, irritado y augurando graves repercusiones por la muerte de Bracknell. No es que fuese a degenerar en aquella especie de pesadilla que había sido para él el caso de Andy Panneterio en Nueva York, dado que en todo momento había sido la Mafia quien movía los hilos; pero eso él no lo había sabido hasta después. Sin dejar de pensar en ello, Anselm llamó a su agente de seguros y le dejó un mensaje en el contestador.

Llegó al hospital justo cuando el sol se elevaba sobre el Sound; un sol rojo, triste y lleno de presagios.

Era evidente que ya se sabía lo sucedido. En urgencias se topó con Pat Mooney, quien le invitó a un café, cosa que agradeció. La siguió hasta la sala de médicos, donde estaba Emily Prosser, la enfermera en prácticas, quien apuró de un trago su café, le miró con ojos de espanto y salió casi a la carrera.

—Todo el mundo está perturbado por lo que sucedió anoche —dijo Pat—. De verdad que lo siento. Nos consta que usted hizo cuanto pudo. No siempre se gana, como suele decirse.

—Todos hicimos lo que había que hacer —replicó Anselm—. Y en urgencias se portaron estupendamente —añadió, posando la mano en el brazo de Pat con gesto tranquilizador—. No se preocupe; no pasará nada. —Pero lo decía sin convicción.

—He desayunado con un grupo de enfermeras —dijo Pat—, y la mayoría de las que trabajan con usted están de su parte. No es mucho consuelo, pero quiero que lo sepa.

—Voy a explicarle exactamente todo lo que pasó —añadió Anselm, intuyendo que en el hospital circulaban toda clase de rumores—. La dolencia del señor Bracknell estaba muy avanzada para poder salvarle. Le operamos porque no quedaba otro remedio. Imagino que sabe que esta circunstancia se da de vez en cuando, y nada se puede hacer por evitarlo. La única diferencia en este caso es que ese hombre era un personaje.

Se abrió la puerta y una enfermera le dijo a Pat que la necesitaban en los habitáculos de urgencias.

—Lo sé, doctor Harris —dijo Pat, dirigiéndose hacia la puerta—. Lucille dijo que hubo una fuerte discusión en el quirófano entre usted y el doctor Burton, pero nadie se lo ha creído. Bueno, si yo puedo hacer algo, cuente conmigo.

En la sala de médicos, el doctor Burton charlaba animadamente con un grupo de facultativos que le rodeaban, pero guardó silencio al pasar Anselm Harris por su lado. En ese momento sonó el busca de Anselm; era Stefan Olson, que quería verle en su despacho cuanto antes.

Stefan aparentaba diez años más que la víspera, y no se había afeitado, lo que empeoraba su aspecto; pero parecía bien despierto y con las riendas de la situación en sus manos.

—Doctor Harris, he pedido a todos los que han intervenido en el caso Bracknell que hagan un informe detallado. Lo cual, naturalmente, incluye también a usted y al doctor Delafield.

—Todo lo que tengo que decir está escrito ya —contestó Anselm—. El informe de la consulta, anotaciones sobre el progreso del enfermo, anotaciones preoperatorias, todo.

—Estupendo —dijo Stefan—. Les diré a los del registro que lo pasen a máquina. ¿No querría... —añadió, dudando un instante— revisarlo o volver a escribir algo? Quiero decir, a la luz de lo sucedido.

—No, no quiero modificar nada —replicó Anselm, mirándole fijamente—. Si lo hiciera, saldría a relucir el informe original y se organizaría un lío tremendo.

—Como quiera —dijo Olson, encogiéndose de hombros—. Ayer estábamos todos muy cansados y sometidos a una fuerte presión, y podrían haberse dicho y escrito cosas que hoy se verían de otra manera o que no reflejasen exactamente lo que sucedió en su momento.

—Hágale ese comentario a Philip Burton —replicó Anselm.

—Aquí tengo su informe —dijo Stefan con voz de hastío, señalando una carpeta—. Ya está pasado a máquina, así que no veo cómo.

Anselm tomó el ascensor hasta la UCI, pensando en Florence Gowan. De momento reaccionaba bien, aunque distaba mucho de estar fuera de peligro.

Volvió a sonar el busca. Era el agente de seguros. Anselm le explicó a grandes rasgos lo sucedido. No, no había recibido ninguna citación; se había puesto en contacto con él ante la posibilidad de una demanda, tal como estipulaba la póliza. A medida que le daba las debidas explicaciones, notó que el agente se inquietaba. Sin embargo, él no había cometido ningún error y las posibilidades de un pleito por negligencia médica en el tratamiento aplicado a Bracknell eran tan remotas que parecían risibles. Pero ni Olson ni el agente de seguros parecían pensar así. Había hecho muy bien en llamarle, dijo, y le aconsejaba que entretanto no hablase con nadie del caso.

En la UCI reinaba una calma poco habitual y sólo un tercio de los habitáculos con cortina estaban ocupados. Sonrió a las dos enfermeras sentadas al gran escritorio frente a las particiones, cruzó la sala y descorrió la cortina del número 3, ocupado por Florence, que tenía los ojos cerrados. La sonda de la nariz emitía de vez en cuando una especie de gorjeo al activarse el sistema automático de succión y de la mascarilla de oxígeno, desplazada ligeramente, surgía un leve silbido.

Anselm entró sin hacer ruido, examinó los contenedores al pie de la cama y, acercándose a la cabecera, ajustó con cuidado la máscara de oxígeno.

Florence Gowan abrió los ojos; Anselm le sonrió, se sentó junto a ella y le cogió la mano con cuidado de no desplazar la aguja de perfusión de la muñeca, y vio que estaba hinchada. La cara también la tenía muy hinchada.

Casi institivamente comprobó el pulso: rápido e irregular. Miró la pértiga de la botella de suero intravenoso y la cánula transparente y advirtió que la válvula estaba abierta del todo y el líquido corría muy rápido. El monitor de la cabecera le confirmó que el pulso era más alto de lo debido.

Un sexto sentido le hizo pensar que aquella mujer estaba en inminente peligro, pero vaciló, porque en ese momento no sabía debido a qué. Ya le habían quitado la sonda de presión sanguínea de la arteria del brazo; Anselm cogió un manguito, lo ajustó al antebrazo de Florence y tomó la tensión. Era de 80-25. Miró un instante la columna de mercurio, tratando de imaginarse a qué se debería y de repente lo comprendió. Dejó puesto el manguito, sacó del bolsillo el estetoscopio y le auscultó inmediatamente el pecho. Se escuchaban claramente crepitaciones en torno a ambos pulmones. Anselm cerró el paso del suero intravenoso al mínimo, se puso en pie sin hacer ruido, sonrió a la enfermera, quien le devolvió una desmayada sonrisa, consciente quizá de lo apremiante de sus movimientos.

—Enseguida vuelvo —le dijo.

Jasmine Wu, la menuda enfermera jefe, estaba sentada ante el largo mostrador, trabajando en las llamadas para consulta del mes siguiente.

—La presión de Florence está bajando —dijo Anselm.

—Exacto —replicó Jasmine, alzando un instante la vista—. El doctor Delafiel la vio hace media hora y al ver lo baja que estaba nos mandó que aumentásemos la administración de fluidos intravenosos. Le hemos puesto mil mililitros rápidos de glucosa lactato y a medida que recupere la presión iremos reduciendo el ritmo.

Anselm se volvió para coger de la estantería el historial de la enferma, pasando rápidamente el dedo por la sección de medicación, fijándose en lo que le habían administrado antes y después de la operación y la excreción urinaria durante el mismo período.

—Maldita sea —masculló.

Jasmine lo miró.

—Florence está a punto de sufrir un colapso —añadió—. Cuando ingresó estaba a base de una medicación de altas dosis de esteroides y según esto —dio un golpecito en el gráfico— desde entonces no se le ha administrado nada. ¿Quiere confirmarlo?

—Nadie nos lo ha mandado desde que está ingresada en la unidad, doctor Harris —respondió Jasmine.

—Adminístrele inmediatamente cuatrocientos miligramos de hidrocortisona por vía endovenosa —dijo Anselm con voz serena pero perentoria.

Jasmine se levantó del taburete como una exhalación, fue al armario de medicamentos y regresó con una jeringuilla y una ampolla de líquido transparente. Le temblaba la mano, pues era consciente de las implicaciones de lo que decía el doctor Harris. Al ingresar Florence en el hospital estaba medicada con altas dosis de esteroides que le habían sido interrumpidas antes de la operación, precisamente en el momento en que iban a aumentar sus necesidades del fármaco.

—Déme —dijo Anselm con una actitud calma y plena de autoridad que tranquilizó a Jasmine, quien le tendió jeringuilla y ampolla, observando cómo llenaba con el líquido el cilindro de la jeringuilla.

—He puesto casi al mínimo la perfusión endovenosa —dijo—. En este momento está al borde de sufrir insuficiencia cardíaca congestiva porque tiene en el organismo un exceso de casi tres litros de fluidos.

—Oh, Dios mío —exclamó Jasmine.

—En cuanto le administre la hidrocortisona —añadió Anselm—, le pondremos una infusión de manitol para incrementar la excreción urinaria y evitar que se produzca insuficiencia renal. —Le tendió la jeringuilla—. Sólo nos faltaba otra complicación.

Jasmine hizo venir a otra enfermera para que la ayudase a preparar la infusión de manitol, un potente diurético utilizado para incrementar la función renal.

Mientras, Anselm, sin perder su habitual serenidad, había regresado al habitáculo 3 para sentarse en la silla y observar a Jasmine aplicar la primera inyección a la cánula endovenosa.

—¿Qué pasa? —musitó Florence.

—Estamos poniéndole una inyección de hidrocortisona para que se sienta mejor —respondió Anselm—. Y como tiene demasiados fluidos vamos a darle un diurético para que los orine.

—Pero no puedo levantarme... —replicó Florence.

—Tiene usted una sonda en la vejiga —le explicó Anselm sonriente—; no tendrá que levantarse.

Estuvo sentado con la enferma más de una hora, hablándole tranquilamente, aguardando a que la medicación surtiera efecto y a que la mujer se quedara dormida; la presión sanguínea recuperó poco a poco la normalidad y el recipiente de orines colgado a los pies de la cama se llenó rápidamente y hubo que cambiarlo.

Pero cuando Anselm se puso finalmente en pie y se dirigió al mostrador con intención de dejar instrucciones escritas para las próximas medicaciones de Florence, su expresión se endureció. En el momento de decidir que la enferma requería intervención quirúrgica, Peter había manifestado claramente que él se encargaba de la medicación, una responsabilidad propia del internista de cada paciente; pero había actuado con negligencia, omitiendo ordenar la medicación más importante, la hidrocortisona, y la consecuencia era que Florence había estado a dos pasos de la muerte.

Detuvo su mano sobre el teléfono de la UCI, pensando en la mejor manera de enfocarlo. Si hubiese sido cualquier otro, le habría echado una reprimenda sin contemplaciones, pero a Peter... Decidió no usar el teléfono; ya le vería en persona y se lo comentaría.

14

Al día siguiente, cuando Valerie llegaba a las oficinas en el piso veinte de Collier, McDowell y Stern, apenas se había quitado el abrigo cuando la secretaria de Andrew Collier le dijo que éste quería verla en la sala de juntas. Collier era el fundador de la firma y el socio mayoritario.

«Ya está», se dijo Valerie, y pensó cómo iba a reaccionar de hecho ante aquel despido. El corazón le latía deprisa mientras avanzaba por el pasillo, repasando mentalmente la crucial conversación sostenida con Elliott Naughton, el viejo amigo de Patrick del Departamento de Estado, a quien había localizado en su despacho del edificio de la ONU en Nueva York; Elliott se había mostrado encantado de volver a saber de ella y, tras un mutuo intercambio de noticias, Valerie le había engatusado para que le diese la información que deseaba de Ralph Stern, aunque antes tuvo que explicarle a qué se debía tanta urgencia.

Neil McDowell y Ralph Stern estaban sentados uno al lado del otro en la larga mesa de juntas. Neil, con gesto severo y serio, contempló a Valerie acercarse, mientras que Ralph mantenía la vista al frente.

—Andrew volverá enseguida, señorita Morse —dijo Neil con sequedad—. Ha salido a atender una llamada telefónica.

—Bien —dijo Valerie sin inmutarse por aquella frialdad—. Así podremos hablar un rato nosotros tres.

Ralph alzó la vista sorprendido por su animoso tono de voz. Era indudable que aquella mujer sabía que iban a despedirla sin contemplaciones.

Valerie no sabía de cuánto tiempo disponía y no se anduvo por las ramas.

—Acabo de hablar con un antiguo amigo suyo —dijo a Stern, quien de momento no respondió, por lo que ella continuó con tono relajado—. Elliott Naughton de Nueva York. Seguro que lo recuerda. Le envía saludos.

—Creo que no conozco a nadie con ese nombre —replicó al fin un Stern muy tieso, removiendo los papeles que tenía en la mano y mirando hacia la puerta, con deseo de que Andrew no tardase y concluir aquel desagradable asunto.

—Ah, claro que le conoce —replicó Valerie riendo pero con voz firme y obstinada—. ¿Cómo no iba a recordarle? Era subsecretario en la embajada de Londres cuando usted... se topó con él.

Ralph se volvió hacia ella y sus mejillas se enrojecieron ligeramente, al tiempo que la comisura izquierda de los labios comenzaba a temblarle.

—¿Le conoce usted? —preguntó con tono tenso, humedeciéndose los labios y mirándola como si fuese una aparición infernal.

—Vendrá aquí a pasar unos días de permiso —contestó ella jovialmente. Sabía que disponía de poco tiempo para lanzar su advertencia antes de que regresase Andrew—. Me ha dicho que me pondría al corriente de los detalles de la historia —añadió, mirando fijamente a Stern para darle a entender que ya la sabía a grandes rasgos y estaba dispuesta a difundirla, llegado el caso.

Neil miraba a uno y otro con curiosidad, consciente de que iba a producirse un grave enfrentamiento, y dándose cuenta, además, de que Valerie llevaba las de ganar. Veía a Stern tenso en su asiento, mirándola furioso, sin saber si agredirla o ceder; ahora volvía a humedecerse los labios y farfulló algo, pero en ese instante entró Andrew, vestido como de costumbre con su conservador terno a rayitas hecho a medida en Savile Row de Londres. Saludó cortésmente a Valerie con una inclinación de la cabeza y se sentó en el lugar de presidencia de la mesa.

—Bien, continuemos con el asunto —dijo con sequedad a Stern—. Has tenido un grave problema con un trabajo que encomendaste a la señorita Morse, ¿no es así?

Stern apenas podía disimular su rabia y frustración, pero ante la pregunta de Andrew y la insistente mirada de Valerie algo tenía que decir.

—En realidad es un equívoco —musitó lanzando ojeadas intermitentes a los papeles que tenía delante—. Me daba la impresión de que... Bueno, es que no tenía toda la documentación y pensé que habían quedado sin resolver diversos aspectos del caso, pero en realidad... —tragó saliva— estaban cubiertos, y no me percaté hasta... hasta hace muy poco.

Andrew le miró con ceño.

—¿O sea que ya no tienes queja alguna? —dijo con aspereza—. ¿Y aun así convocas una reunión extraordinaria? —Se contuvo y miró sucesivamente a los tres. Andrew era un abogado muy listo y advertía que, de alguna manera, a Ralph Stern le habían ganado por la mano, y seguramente la propia Valerie—. ¿Debo entender que ahora estás satisfecho con el trabajo de la letrada Morse?

—Sí —balbució Stern con cara de mártir.

—Así que hizo bien su trabajo, ¿no? —inquirió Andrew, removiendo la herida—. ¿Cómo lo valoras? Ya que has convocado la reunión, Ralph, es de justicia para la señorita Morse que hagas una evaluación ante ella. ¿Ha hecho un trabajo regular, bueno o excepcional?

Se produjo una larga pausa, durante la cual Valerie pensó que Stern iba a escupir sangre.

—Excepcional, he de admitir —respondió al fin con voz queda—. Realmente irreprochable.

—Bien —añadió Andrew—. En ese caso podemos aprovechar la ocasión para felicitar a la abogada Morse. Desde que entró en la firma su actuación ha sido excelente, ¿no te parece, Neil?

Los ojos de Neil McDowell parpadearon mirando a Stern, luego a Valerie, sonrió malicioso y estiró sus largas piernas bajo la mesa.

—Desde luego —dijo—. Valerie es extraordinaria.

—¿Alguna otra cosa que tratar? —inquirió Andrew.

Los dos menearon la cabeza.

—Pues se aplaza la reunión *sine die* —dijo Andrew, levantándose y volviéndose hacia Valerie—. Señorita Morse, quisiera hablar con usted de un asunto en mi despacho, si tiene unos minutos, por favor.

Andrew ocupaba el despacho mejor situado de la firma, en el chaflán sudeste del edificio, con una espléndida panorámica del campus de la universidad por un lado y del puerto y del Sound por el otro.

—Siéntese, señorita Morse —dijo con su estudiada actitud protocolaria. Tenía buena fama de abogado corporativo tenaz y agresivo, pero ahora más parecía un embajador con los puños de la camisa almidonados, su pelo espeso perfectamente peinado y sus manos impolutas de manicura.

—He estado hablando con el juez Haynes y me ha dicho lo bien que llevó usted el caso Kasper. La felicito.

Andrew dudó un instante y miró un bloc que tenía delante.

—Esta mañana he recibido una llamada de Paul Arrow, de Professional Insurers. Sin duda habrá leído en el periódico lo que llaman el caso Bracknell. Esta compañía es la aseguradora del cirujano de Glenport implicado en el caso, el doctor Anselm Harris, y me dicen que el asunto presenta graves complicaciones. Sólo está en fase de comunicación previa rutinaria en base al contrato, lo que no necesariamente significa que les planteen querella. —Miró pensativo por la ventana como adoptando una decisión—. Quiero decirle que tenemos contrato con Professional Insurers, y si hubiese pleito me gustaría que usted llevara el caso.

Andrew alzó la mano al ver que Valerie iba a protestar.

—Sé lo que va a decir. Que no está especializada en casos de negligencia médica. Lo sé; pero usted ha llevado muy bien el asunto Kasper. Y no piense que la arrojamos a los leones —añadió como leyéndole el pensamiento—. Ya he hablado con Dexter Milne, que como sabe se encarga de casi todos nuestros pleitos por negligencia profesional, y me ha dicho que la ayudará encantado en lo que sea.

Aguardó a que Valerie dijese algo, pero ella optó por callar hasta haber hablado con Milne. Dexter era amigo suyo y un buen abogado que podría asesorarla debidamente.

—Así que quiero que esté preparada por si el caso llega a juicio —añadió Andrew—. Paul va a enviar toda la información por mensajero y hoy mismo la tendrá en mano.

Valerie miró a su jefe con el entrecejo levemente fruncido, preguntándose por qué la había elegido a ella para aquel caso. La negligencia médica no era su especialidad y sabía que si se hacía cargo de aquello tendría que enfrentarse a un equipo de abogados querellantes con pico de oro y cuyo principal objetivo sería comérsela viva.

—Gracias, señor Collier. Estudiaré la documentación —dijo, sin comprometerse.

Momentos después se dirigía a su despacho. Sabía

que en casos de negligencia profesional Andrew prefería que la firma se hiciese cargo de la parte demandante y no de la defensa, pero en tales circunstancias el encargo de llevar la acusación habría recaído en un abogado veterano con más experiencia por haber mucho más dinero en juego. Actuar de defensora en una querella por negligencia era otra cosa, puesto que la compañía de seguros corría con las costas de los abogados, pagándoles por horas y no había una cuantiosa suma a compartir con el querellado al final del proceso; razón por la cual las firmas jurídicas rara vez dedicaban sus abogados más expertos y caros a pleitos de esa naturaleza.

Pero en algún recoveco de su cerebro pugnaba una pregunta inquietante. Aunque Stern se había echado atrás en la reunión, no cabía duda de que Andrew no ignoraba que quería echarla de la firma, y Stern era con toda evidencia mucho más importante que ella para el bufete. ¿Por qué, entonces, le había encargado la defensa de lo que presentaba todos los visos de ser un caso difícil de negligencia profesional?

Sandy Bracknell se alojó en casa de unos amigos en Georgetown y regresó a Glenport el lunes, rehusando la oferta personal del presidente de hacer el viaje en helicóptero. «No gracias —le dijo con firmeza—, creo que sería un gasto injustificable del dinero de los contribuyentes.»

Sus padres acudieron a esperarla al aeropuerto y Sandy lo primero que vio fue el coche: habían ido en su propio Toyota amarillo.

—Los periodistas nos han dado la lata —dijo Beth, su madre, mientras enfilaban la salida del terminal—. Se presentaron el viernes y estuvieron todo el día llamando a la puerta para pedir información y gritándonos preguntas desde la calle.

Estaba realmente ofendida; cuando a Denton le habían nombrado asesor presidencial por todo lo alto dos años antes, también les había acosado la prensa, pero en aquella ocasión los reporteros se habían mostrado deferentes y educados.

—Mañana no quedará ni uno —dijo Sandy, que sabía a qué atenerse respecto a los medios de comunicación—. No habrá más que los fotógrafos en el entierro.

—¿Dónde está Denton? —preguntó el padre desde el asiento de atrás. Sus ojos azul claro parecían mirar al vacío y los dirigió hacia su hija como si a él mismo le sorprendiera escuchar lo que acababa de preguntar.

—Ha muerto, papá —contestó Sandy, volviéndose a mirarle—. Murió a primera hora del viernes.

Pero el hombre no escuchaba; miraba por la ventanilla los setos de zumaque que desfilaban fugaces por los lados de la carretera. Comenzaban a brotar las hojas.

—Tu padre sigue igual —musitó Beth—. Nos causó... me causó una fuerte impresión... ¿Qué le sucedió?

—Sufrió un paro cardíaco en el helicóptero. Los médicos de la marina fueron... muy amables —respondió Sandy con cierta vacilación.

Beth la miró de reojo.

—Me dijeron que habían llegado demasiado tarde para salvarle —añadió.

—Dios mío —comentó Beth—. Cuando supe que llevaban a Denton al hospital de Glenport tuve un presentimiento. ¿Qué más te dijeron?

—Uno de ellos, el almirante Ellis, me explicó que el mal ya estaba hecho antes de llegar él con su equipo, y que quizá si lo hubiesen atendido antes podría haberse corregido. Pero se mostró muy afectado por la muerte de Denton y...

—¿El mal? ¿Que ya estaba hecho el mal? ¿Lo decía por la enfermedad o crees que se refería al mal a causa de la operación? Porque...

—No lo sé, mamá. Dijeron que iban a hacerle la autopsia, y que después podrían precisar mejor.

Se hizo un silencio durante un rato. Los labios de Beth fueron apretándose mientras barajaba mentalmente varias posibilidades. Del mismo modo que un buen número de habitantes de Glenport, Beth abrigaba sus dudas respecto al nivel de la atención médica de los facultativos del hospital local.

—Sandy, creo que deberías consultar a un abogado —dijo con decisión.

Sandy miró por la ventanilla durante un rato.

—Precisamente estaba pensando en eso, mamá.

—¿Has decidido lo del entierro? —preguntó Beth.

—Bueno, desde luego no va a ser en Arlington —replicó Sandy.

Eso era lo que había insinuado el presidente, diciéndole con mucho tacto que si quería no tenía por qué preocuparse de la organización del entierro ni de otras disposiciones.

En el asiento trasero, el padre comenzó a canturrear por lo bajo una melodía irreconocible.

—Lo enterraremos en la isla —dijo Sandy, adoptando una súbita decisión—. A él le gustaba el viento y la soledad, y el cementerio está frente al mar.

Una vez en el hogar de sus padres, una casita verde de madera y de dos pisos cerca del centro de Glenport, Sandy hizo unas llamadas telefónicas y a continuación se sentó a la mesa del comedor con un bloc de notas oficial. Se sentía abrumada por todo lo sucedido y le costaba concentrarse. Su mente cansada era como un calidoscopio y sus ideas iban y venían, deteniéndose en distintos momentos de su vida y en gente que había tratado antes y después de conocer a Denton, en su casa de la isla.

Veía nítidamente la casa: una vivienda nada aparatosa, pero cómoda y lujosa, al borde de una lastra rocosa lisa que descendía en suave pendiente hasta la orilla, donde estaba amarrado el velero a una boya roja a veinte metros. En el lado contrario había una piscina curva separada de la casa por un amplio patio enlosado al que daban las ventanas de su estudio.

El día de la llegada de Denton, indispuesto, ella le había visto bajar del helicóptero y cruzar a zancadas los cincuenta metros hasta la casa, como un tanque que se abriera paso hacia ella a través de la niebla. En la puerta, dejó la bolsa y le dio un abrazo de oso, como de costumbre, despachándose un buen trago de whisky y preguntándole qué tal iba el cuadro. Después subieron arriba cogidos del brazo, y cruzaron el dormitorio hasta el estudio, cuyo suelo estaba cubierto por una gruesa lona salpicada de pintura, para acercarse al caballete de madera en el centro de la luminosa pieza, donde Denton había estado contemplado un buen rato la pintura que representaba, en una roca a flor de agua, a una sirena sentada con la mirada fija en un paseo distante lleno de gente y el brazo en gesto protector sobre sus dos sirenitos, un niño y una niña. Había comentado que el óleo le recordaba a un Marc Chagall, aunque con las luces más fuertes y marcadas de un Diego Rivera. A ella le había complacido que le gustase, pero a continuación él ya casi no habló, seguramente porque comenzaba a molestarle aquel dolor de cabeza.

Entró la madre con una taza de café y una rosquilla en un platito floreado que dejó frente a Sandy.

—¿Ya has decidido qué vas a hacer?

—He llamado a un abogado de Hartford especialista en casos de negligencia médica.

—¿Ah, sí? ¿Quién?

—Norman Hartman.

—¿Le conocías de antes? —inquirió Beth, mirándola con curiosidad.

—No; me dio su nombre una amiga.

—¿Para cuándo tienes cita?

—A las dos —contestó Sandy—. Quiere hablar hoy mismo conmigo.

—¿Sabes cómo llegar allí? —preguntó la madre.

—Claro. Es en el centro de Hartford. Y conozco el edificio.

—Espero que pueda hacer algo —comentó Beth.

Sandy asintió con la cabeza y miró la lista que tenía anotada.

—¿Te vas a marchar? —quiso saber la madre.

—Tengo que hacer un par de cosas. Una de ellas, ir a hablar con Peter —contestó con un tono que a su madre se le antojó extraño.

—¿Por qué?

Sandy se encogió de hombros.

—Peter, Peter, Peter —dijo la madre sin énfasis pero con un deje de irritación—. Todo acaba siempre en Peter. Nunca lo superaste, ¿verdad? —añadió, entrando en la cocina—. ¿Quieres más café? —gritó desde dentro—. Estoy haciendo para tu padre.

—No, gracias. Tal vez sea mejor que le llame antes... —dijo, pero miró el reloj y cambió de idea—. Ahora estará en la clínica; así que pasaré a verle allí —añadió, como hablando consigo misma, pero Beth la oyó.

—¿Tú crees que debes? —preguntó, saliendo de la cocina y limpiándose las manos en el delantal—. Ir allí, donde todos saben lo vuestro...

—También saben que llevo años casada —replicó Sandy tajante, poniéndose en pie—. De todos modos, lo que quiero es que me explique algunas cosas sobre lo que le sucedió a Den.

Rose Beckwith, la recepcionista de Peter, le avisó por el intercomunicador y él salió de inmediato de una sala de reconocimiento, para coger a Sandy del brazo y hacerla pasar a su despacho. Sandy Bracknell estuvo dentro unos diez minutos y al volver a salir los dos parecían muy tristes. La despedida de Peter fue concisa y ella no contestó.

15

La autopsia de Denton Bracknell se llevó a cabo en el departamento de patología del hospital de la marina en Bethesda el lunes por la tarde. En el caso de personas importantes lo normal era que estuvieran presentes dos anatomopatólogos de similar antigüedad y que ambos firmaran el informe; de existir discrepancias, se recurriría a un tercer anatomopatólogo para que dictaminara.

La sala era amplia, cubierto casi todo su techo por paneles luminosos que le daban una claridad exagerada. Las paredes eran blancas e inmaculadas, tan impersonales como las de una nevera vacía. Una fila de ocho mesas de acero inoxidable ocupaba el centro, cada una de ellas con su respectivo canalón de drenaje en torno al pedestal, y manguera, pila, micrófono y cámara de vídeo suspendida del techo.

Sólo había una mesa ocupada, la más próxima a la entrada. Los dos anatomopatólogos, ambos con grado de capitán de la armada, charlaban en voz baja junto a una vitrina de instrumental, tratando detalles de la técnica que iban a aplicar en aquel caso.

—Me gustaría extraer las dos carótidas enteras —decía Jay Penn, de mayor edad aunque algo inferior en el escalafón respecto a su colega, Barry Herkheimer. El doctor Penn tenía un rostro desvaído, redondo y de aspecto académico, escaso pelo castaño y gruesas gafas con montura negra que dilataban sus ojos y le conferían una mirada estática—. Pero técnicamente es muy problemático. No sé si se podrá.

—Hace años pusimos a punto un método para hacer esa clase de extracción —replicó Herkheimer, un hombretón de cutis cetrino, que también llevaba gruesas gafas—, pero rara vez es necesario. Según nuestra técnica, con una sierrecita eléctrica se ensancha la abertura que da paso a la carótida en el paquete vásculonervioso y de ese modo se extrae todo el sistema arterial carotídeo en el momento de desalojar el cerebro.

—De acuerdo —dijo Jay—. Siempre y cuando la sierra no afecte a la arteria, que está tan pegada.

—Arno sabe lo que se hace —replicó Herkheimer—. Ha aprendido directamente de mí.

Se volvieron a examinar el cadáver. Denton Bracknell yacía desnudo, boca arriba y con los brazos y las rodillas levemente flexionados. Aun conservaba en los brazos las sondas intravenosas con las tiras de esparadrapo, pues los tubitos los habían cortado sólo a unos centímetros de la cánula. Comenzaban a apreciarse los primeros cambios *postmortem*: la piel en la espalda y en la cara posterior de los muslos presentaba una descoloración morada en zonas de acumulación sanguínea en los pequeños vasos capilares cutáneos.

Se abrieron las puertas pivotantes y entró Arno, el técnico, con un largo delantal de goma y botas. Era un hombre delgado y canoso de unos sesenta años, ligeramente encorvado, cuyo corte de pelo a cepillo se advertía bajo el gorro blanco.

Herkheimer miró el reloj.

—¿Listo? —inquirió.

—Sí, señor —contestó Arno—. El comandante Fox está fuera conteniendo a la prensa. ¿Empezamos por abdomen y tórax?

—Eso es. Y cuando acabe, quiero que extraiga las carótidas en una pieza; así que dejamos para el final la cabeza y el cuello. ¿De acuerdo?

Arno asintió y se dirigió a la mesita de instrumental.

—¿Hace usted la comprobación de signos externos? —preguntó Herkheimer a Penn.

—Por supuesto —dijo acercándose al micrófono con la vista fija en el cadáver, escrutándolo—. Se ha identificado el cadáver como correspondiente a Denton Bracknell, funcionario federal. Varón de aparentemente la edad señalada. En la pared torácica anterolateral izquierda se aprecian dos marcas circulares de unos cinco centímetros de diámetro provocadas por quemaduras de segundo grado; concuerdan con la aplicación reciente de los electrodos de un desfibrilador. Se observa una incisión quirúrgica reciente en la parte derecha del cuello. Las suturas están intactas...

Mientras Penn hablaba con la proverbial monotonía de las circunstancias, Arno se puso unos gruesos guantes de goma, colocó una plancha de madera en el borde de la pila y comenzó a disponer ordenadamente sobre ella el instrumental. Puso un largo escalpelo con mango junto a un juego de tres sierras para hueso, una sierra eléctrica con una serie de hojas, unas grandes tijeras sujetas por una cadena a la mesa de autopsia y una panoplia de pinzas y fórceps casi tan impresionantes como los de los quirófanos. Luego se apartó para escuchar impasible la minucosa descripción que hacía Penn de los signos externos del cadáver. Arno no podía tocarlo hasta que hubiera concluido aquella etapa del procedimiento.

Acabada la descripción, Penn se retiró de la mesa para dejar sitio a Arno, quien cogió un gran escalpelo para iniciar una incisión desde el apéndice xifoides del esternón hasta la zona inferior del abdomen. La cámara de vídeo situada sobre la mesa filmaba todo el procedimiento.

Con el mismo escalpelo, Arno separó la piel de la pared torácica, retrayéndola hacia atrás a un lado y otro hasta dejar al descubierto el rojo tejido muscular, las costillas y las junturas cartilaginosas. Una vez expuesto el suficiente tejido, se volvió para coger un cortahuesos de mango largo similar a unas cizallas de jardinería, cortó las costillas de ambos lados y abrió el pecho, levantando el esternón con las porciones de costilla adheridas a él. Lo hizo con cuidado, separando los delicados tejidos subyacentes y los vasos sanguíneos, fáciles de romper por una torpe maniobra. A continuación apartó el trozo cortado con porciones de costillas, apoyándolo en el cadáver.

A continuación comenzó a trabajar en el abdomen, profundizando el corte central, tras lo cual dirigió una mirada a Herkheimer, que asintió con la cabeza antes de ponerse unos guantes para iniciar su tarea. Con las grandes tijeras, Herkheimer prolongó la incisión de Arno, practicó una abertura en la parte media suficiente para introducir dos dedos y, sujetando la cara frontal del abdomen con dos dedos, seccionó los tejidos, abriendo el abdomen entero desde el pecho hasta el pubis.

Sin decir palabra, pues era una maniobra que habían hecho juntos muchas veces, Arno y Herkheimer sujetaron con ligamentos las circunvoluciones grisáceas y flojas del paquete intestinal entre el estómago y el recto, lo cortaron y lo dejaron en la plancha de drenaje.

—Dura como una piedra —dijo Herkheimer mirando a Penn. Estaba palpando el borde de la aorta abdominal en el punto próximo al duodeno por donde la había cortado—. Mírelo usted mismo.

Penn observó la cavidad. La arteria, normalmente blanda y elástica, estaba muy engrosada y rígida como un lápiz, y el diámetro de la luz se hallaba muy reducido.

—Y la aorta está igual —comentó Penn después de palparla y pulsando un botón para desactivar el micrófono—. Fíjese. —Señaló una serie de arterias rígidas y engrosadas secundarias a la aorta—. Este hombre era arteriosclerótico de pies a cabeza.

Arno se acercó desde la pila en que había vaciado el contenido de los intestinos. Estaban acostumbrados a los olores de aquel procedimiento.

—¿Listos? —inquirió Arno.

Penn asintió con la cabeza y se apartó. Arno introdujo una mano entre el diafragma y el hígado y lo levantó mientras con la otra cortaba los ligamentos. El hígado se desprendió con un fuerte chasquido, y Arno lo puso en el escurridero de la plancha, bajo la atenta mirada de Penn y Herkheimer.

—Grande, ¿eh? —dijo Penn, mirando la gran víscera de aspecto rígido.

—El FBI dice que bebía moderadamente —comentó Herkheimer—. Una botella cada fin de semana.

Penn se encogió de hombros.

Arno había vuelto a acercarse a la mesa con el escalpelo y cortaba con cuidado las arterias endurecidas unos centímetros por encima de la aorta. Llegando al cuello, seccionó la tráquea y el esófago.

Asió con sus manos enguantadas los extremos inferiores de los cortes y extrajo corazón y pulmones con un solo movimiento hábil y sin esfuerzo, para recortar a continuación con las tijeras las hebras y briznas de tejido sobrantes.

—Las arterias coronarias se hallan rodeadas de tejido de inclusión adiposo —dijo Herkheimer al micrófono minutos después, cuando, con el corazón de Bracknell en la mano, examinaba los vasos que discurrían por el exterior del músculo—. No hay signos externos de infarto del miocardio —puntualizó, tras comprobar la ausencia de zonas blandas o de coloración anormal en el músculo cardíaco indicativas de un ataque cardíaco.

Entretanto, Arno realizaba una incisión por detrás de una oreja a otra y separaba la piel y el cabello del cráneo echándolos sobre la cara y dejando al descubierto la osamenta craneal. Por el gañido agudo de la sierra el anatomopatólogo supo que Arno comenzaba a cortar el cráneo; no tardaría en extraer el cerebro con las arterias correspondientes. Era el momento que ambos aguardaban, pues todo lo demás, a menos que surgiese alguna sorpresa —por ejemplo, un tumor insospechado—, era pura rutina.

Antes de trasladarle de Glenport, todo el historial de Bracknell había sido fotocopiado, incluyendo copia de las pruebas de ultrasonidos; el expediente estaba en un sobre oficial color ocre encima de un escritorio al lado de la entrada. Se había enviado también a Bethesda una copia mecanografiada del informe quirúrgico dictado por Anselm, copia que estaba sujeta al sobre con un clip.

Mientras Arno proseguía su faena, Herkheimer fue a verificar un detalle en el informe quirúrgico y Penn le siguió. Los dedos de Herkheimer imprimieron unas huellas de sangre en los márgenes.

—Los de Glenport pueden verse en una situación bien comprometida —dijo—. Si la operación se hubiera realizado aquí y nos lo hubiéramos cargado, probablemente se habría podido ocultar sin que sucediera nada; pero cargándoselo en Glenport, Connecticut, los autores irán a parar al quinto círculo.

Se hizo una pausa mientras Penn miraba inquisitivo a Herkheimer con sus vivarachos ojos oscuros.

—¿Qué quinto círculo? —inquirió.

Herkheimer esbozó una sonrisa condescendiente.

—Pues el quinto círculo del infierno —respondió—. ¿No ha leído a Dante?

—No —contestó Penn, meneando la cabeza—. En la facultad de medicina no nos exigían lecturas.

—Seguro que le gustaría —replicó Herkheimer, echando una ojeada a la mesa. Arno casi había concluido—. El quinto círculo está reservado a los coléricos y malhumorados, que se destrozan unos a otros y se debaten sin cesar en un mar de mierda que les llega hasta la nariz.

—Como los políticos de Washington —comentó Penn.

—O como los cirujanos pueblerinos que quieren hacer más de lo que pueden —replicó Herkheimer.

—Ya está —dijo Arno.

Volvieron a acercarse a la mesa y Herkheimer introdujo la mano enguantada por debajo del lóbulo central del cerebro y comenzó a cortar los diversos nervios que lo retenían. Cinco minutos después, y con ayuda del doctor Penn, que desprendió las arterias del cuello, tenía en sus manos el cerebro con sus arterias irrigantes.

Los dos examinaron y vieron que ambas carótidas se hallaban rígidas y estenosadas. En la arteria carótida derecha se apreciaba la incisión practicada por Anselm. Penn puso el cerebro en la plancha de cortar y abrió con cuidado la arteria, totalmente ocluida en una porción de unos cinco centímetros.

Cuando acto seguido examinaron el cerebro, hallaron un reblandecimiento que se extendía por casi todo el hemisferio derecho, señal de que el paciente había sufrido un ictus fulminante como consecuencia de la oclusión de la carótida.

—Menuda les va a caer a esos de Glenport —dijo Herkheimer, irguiéndose—. Bracknell estaba minado por la arteriosclerosis. No deberían haberle operado.

—La carótida parece como contraída en la oclusión —dijo Penn, mirándola con detenimiento—. Quizá sufrió un espasmo arterial y eso de algún modo desencadenó toda la secuencia.

—Sí, podría ser —comentó Herkheimer, asintiendo con la cabeza—. Lo haremos constar en el informe.

A sus espaldas, Arno cosía ya el cadáver eviscerado de Denton Bracknell con un largo y grueso hilo enhebrado en una aguja curvada. En la mesa supletoria de acero inoxidable habrá una serie de grandes tarros de cristal con el cerebro, el hígado y las otras vísceras de Bracknell, debidamente etiquetados al objeto de enviarlos al laboratorio para examen miscroscópico.

—Llamaré al almirante Ellis —dijo Herkheimer—. Sin duda está esperando el resultado.

—Ya lo creo —añadió Penn.

Sonrieron. Llevaban bastante tiempo en la casa para sabérselas todas. Su informe sería exacto y objetivo, pero en términos que resultaran favorables para el almirante y su equipo en caso de que el documento tuviera que presentarse ante la justicia. Y todos pensaban que así iba a ser.

16

Una hora y media después de salir del despacho de Peter, Sandy Bracknell encontró sitio para aparcar cerca de las oficinas de Bowie & Hartman, una pequeña y dinámica firma jurídica especializada en negligencia médica y legal y riesgos de productos.

En las oficinas reinaba un ambiente de eficiencia y actividad. La decoración y los muebles eran de inmejorable calidad: sólidos y duraderos. La recepcionista era guapa, amable y competente, e inmediatamente la invitó a pasar al despacho de Norman Hartman. Era una habitación amplia, algo oscura pese al ventanal, sobria y con una simple moqueta gris pero costosa. A la derecha de la puerta había un gran escritorio de roble con su genuino sillón y, en la pared de detrás, unos diplomas enmarcados en negro. Junto al ventanal había una reluciente mesa de reuniones de palo rosa con vasos y una jarra de agua, complementada por media docena de sillas de cuero negro de aspecto confortable.

Norm Hartman se levantó del escritorio, estrechó la mano a Sandy y le indicó la mesa de reuniones con cortesía. Era un hombre alto y delgado, de ojos oscuros y vivaces y pelo negro peinado hacia atrás. Retiró una silla para ofrecerle asiento, haciéndolo él a la cabecera de la mesa al tiempo que ponía delante, meticulosamente, un bloc y un lápiz. Acto seguido, se reclinó y miró a la visitante con la cabeza levemente ladeada como un cuervo alerta.

Y sin preámbulos le preguntó por el estado de salud previo de Denton Bracknell y los tratamientos médicos recibidos.

—¿Nunca le reconoció algún médico del gobierno o se hizo análisis o examen médico al incorporarse a su puesto en Washington?

—No. Denton estaba sano. Él mismo me dijo que, aparte de visitarse con el doctor Delafield un par de veces, la última revisión médica completa que le hicieron fue al suscribir un seguro de vida hace unos quince años.

A Sandy se le escapó una sonrisita que Hartman, que rara vez se perdía detalle de nada, captó. Sin hacer comentarios, enarcó las cejas inquisitivo.

—Es que me lo contó —prosiguió ella—, me refiero a lo de la revisión, diciéndome que nunca más consentiría que nadie le metiera un dedo en el culo, porque le estuvo doliendo una semana.

—Comprendo —dijo Hartman por todo comentario; pero, de algún modo, sus palabras, o la manera de decirlos, hicieron que Sandy se percatase de que el abogado era una persona amable y considerada y se sintió algo más relajada.

Hartman escuchó con atención las circunstancias por las que Anselm Harris había entrado en juego.

—¿En qué circunstancias les presentó el doctor Delafield al doctor Harris?

Sandy reflexionó un instante.

—Peter le hizo pasar a la sala y no sé en qué términos dijo que era el mejor cirujano del hospital —contestó—. Pero yo no tenía la cabeza muy despejada en aquel momento, y tal vez dijera algo más de él.

—Bien —dijo Hartman con una mirada que recababa de ella suma atención—. Señora Bracknell —añadió, vocalizando pausadamente—, de momento no tengo una sólida base al respecto, pero me ha llegado el rumor de que el doctor Harris fue imputado en un pleito por negligencia médica en Nueva York. Mi pregunta es la siguiente: ¿le mencionó en algún momento el doctor Delafield algo sobre un pleito en que pudiese haber estado implicado el doctor Harris?

—No, en ningún momento.

—¿La informó de que, si usted lo deseaba, tenía derecho a elegir otro cirujano para efectuar una consulta?

—Pues no. Naturalmente, yo confié en el criterio de Peter. El que él eligiese era...

Hartman la interrumpió suavemente:

—Señora Bracknell, si usted hubiese sabido o sospechado *en aquel momento* que el doctor Harris había tenido hacía poco un pleito por negligencia médica y que su competencia profesional estaba en entredicho, ¿habría permitido que operara a su marido?

—No, claro que no —respondió Sandy a regañadientes—, pero...

—Naturalmente —musitó Hartman, efectuando una anotación en el bloc—. Eso creo yo. Veamos, cuando el doctor Harris tomó la decisión de operar a su esposo, ¿explicó lo que iba a hacer?

—Sí, por supuesto —contestó Sandy—. Y me pidió que firmase un formulario de consentimiento, cosa que hice.

Norman Hartman se inclinó súbitamente y Sandy se sobrecogió al ver su expresión.

—Señora Bracknell —preguntó—, ¿qué le dijo *exactamente* el doctor Harris que iba a hacer?

Sandy no sabía qué contestar.

—No estoy muy segura, ahora que lo pregunta. Habían estado hablando de una obstrucción que el doctor Harris iba a eliminar.

—¿Le dijo dónde estaba localizada la oclusión? ¿Le dijo qué vasos sanguíneos afectaba? ¿Hizo alguna clase de esquema para explicárselo o le mostró algún vídeo sobre la clase de operación que iba a practicar?

Sandy quedó desconcertada ante tantas preguntas seguidas.

—No, con tanto detalle —dijo meneando la cabeza—. Sólo me habló de la oclusión...

—Señora Bracknell, quiero que se lo piense bien antes de contestar mi siguiente pregunta. Basándose en lo que le dijo el doctor Harris, ¿podría explicarme la operación que le practicó a su esposo? Si quiere, puede hacer un esquema —añadió, acercándole el bloc y el lápiz.

—No lo sé —replicó Sandy mirándole—. No sabría por dónde empezar. No soy...

—Así pues, señora Bracknell, aunque el doctor Harris le dijo algo sobre la operación en cuestión, ni usted ni el señor Bracknell entendieron exactamente qué iba a hacer, ¿correcto?

Sandy hizo una pausa, consciente de que era una pregunta decisiva. Miró a Hartman.

—Sí, correcto —dijo—. Sinceramente, yo apenas si tenía una vaga idea de lo que iba a hacer.

Hartman asintió con la cabeza, satisfecho, y anotó algo en el bloc amarillo.

—Bien, señora Bracknell —añadió sin abandonar el trato formal—, una operación de esta clase es de por sí muy arriesgada. ¿Expuso con detalle el doctor Harris los riesgos que implicaba?

—Pues... bueno, dijo que era lo único que podían hacer para salvarle la vida a Denton.

—¿No expuso los riesgos concretos? ¿No le dijo la tasa de probabilidades de que el señor Bracknell quedase hemipléjico a consecuencia de la operación, o mentalmente afectado, o que existía riesgo de muerte?

Sandy se reclinó en el respaldo, abrumada por el implacable interrogatorio.

—No concretamente. Pero a mí me dio la impresión de que Denton corría grave peligro.

—¿Quiere decir que no le expuso los riesgos concretos? —inquirió Norman con su mirada impertubable clavada en ella.

—Pues no —contestó Sandy, tratando de recordarlo, pero gran parte de lo sucedido aquel día nefasto era una maraña de impresiones y vagos recuerdos. De pronto se sintió muy cansada.

La entrevista se prolongó una media hora más, durante la cual Norm Hartman indagó en todos los aspectos del traslado realizado por los médicos de la marina.

—¿Le comunicó formalmente el doctor Harris que a partir de ese momento recaía en algún miembro concreto del equipo médico de la marina el cuidado y la responsabilidad del señor Bracknell? —inquirió.

La fatigada Sandy le contestó que no, que no le había dicho nada. Ella simplemente recordaba que se había realizado el traslado, aunque el almirante Ellis parecía estar al mando de los médicos de la marina.

Finalmente, Norm Hartman se levantó y su actitud dura y neutral se desprendió de él como un impermeable. Sonrió y le tomó una mano entre las suyas.

—Mi enhorabuena, señora Bracknell —dijo con brillo en sus ojos claros—, por haber soportado estoicamente el interrogatorio, y le ruego me perdone si he sido áspero. Sí, señora Bracknell —añadió, revelando por un instante su amabilidad y consideración—, me haré cargo del caso. Creo que existen claros indicios de que se ha producido una grave negligencia profesional, y, por mi experiencia en estas lides, tengo plena confianza en un resultado favorable.

Antes de despedirla le entregó un folleto explicativo de la política del bufete en los casos de negligencia profesional y las condiciones para patrocinar los mismos. Se pondría manos a la obra inmediatamente, añadió, y al día siguiente cursaría las primeras demandas de comparecencia.

Sandy, con un gran desahogo, aunque tan cansada como si la hubiesen pasado por una secadora, le dio la mano y le dijo con tono cordial:

—Señor Hartman, quiero expresarle cuánto me complace que se encargue de mi demanda.

Después de acompañarla al ascensor, Norm volvió a su despacho, buscó un número de teléfono en su agenda y marcó las cifras de la agencia de detectives de Coventry a la que recurría en casi todos los casos que le encargaban.

—¿Terry? Oye, necesito que indagues a dos personas. —Dio al detective los nombres de Peter y Anselm con la dirección y el número de teléfono—. Y a fondo —añadió—. Quiero saber de ellos más que sus madres o esposas... Exacto, a partir de cuando iban al colegio —escuchó un instante—. Presta particular atención al doctor Harris. Puede que haya estado implicado en un pleito por negligencia médica hará cosa de un año en Nueva York, pero no sé en qué distrito. Tengo el ordenador estropeado, si no te lo diría. Recaba toda la documentación y una transcripción del acta judicial correspondiente. Para lo otro, lo mejor en principio es el Nomenclátor de Especialistas Médicos, en el que figuran por apellidos, una especie del Quién es Quién. Sí, exacto, a partir de ahí. Terry, lo quiero para ayer. Si tienes que contratar a alguien más, hazlo.

Después de colgar, Norm se enfrascó en el trabajo. Tenía mucho que hacer, desde solicitar historiales médicos hasta averiguar los nombres de todas las enfermeras, técnicos y personal hospitalario que habían visto a Denton Bracknell durante su breve estancia en Glenport. Una sonrisa iluminaba su rostro: su instinto le decía que iba a ganar el caso más interesante de su larga y fructífera carrera de abogado demandante.

17

Anselm no habló personalmente con Peter hasta unos días después del incidente con Florence Gowan, y fue mejor porque así tuvo ocasión de calmarse. Llamó a su clínica y le propuso dar un paseo por la playa al terminar el trabajo. Peter sabía lo que había pasado con Florence y, temiendo una bronca, trató de encontrar una excusa, pero Anselm no le dio tregua.

Se reunieron a las cinco en el aparcamiento. No había mucha gente pese a que hacía un calor impropio de la estación. Caminaron en silencio hasta el quiosco de música, dejaron atrás el esqueleto de las instalaciones de la feria de atracciones y la piscina pública bordeada de banderas, vacía hacía más de un año, y entraron en el amplio muelle que conducía al paseo entablado de medio kilómetro.

—¿En qué piensas? —preguntó Peter, mirando al frente.

—En Florence Gowan. Ha estado a punto de morir después de la operación.

—Ya se encuentra muy bien. —Peter miraba el mar—. Hoy me ha dicho que le dan de alta.

Anselm se detuvo y se encaró con Peter, más preocupado que enfadado.

—Pero estuvo a punto de morir porque se te olvidó

prescribir de nuevo la prednisona —dijo—. Peter, ¿qué demonios te pasa? ¿Qué sucede? Has cometido dos errores de diagnóstico seguidos en un paciente. Primero cuando tenía peritonitis y luego con lo de la prednisona. ¿Te encuentras bien? Tú nunca te equivocabas en cosas como éstas; ni cuando estudiábamos en la facultad.

—Lo siento —respondió Peter—. Supongo que tenía muchas cosas en la cabeza y se me escaparon algunos detalles —añadió, echando a andar, pero Anselm lo detuvo.

—Eso no es excusa —dijo—. Mira, Peter somos amigos hace años y en las actuales circunstancias ya es más que complicado desarrollar el trabajo sin que se interponga una cosa u otra entre los dos. —Anselm se cruzó de brazos—. Sé que a ti te pasa algo, y está afectando a tu trabajo. ¿Qué sucede? ¿Tiene que ver con Susan?

Peter se echó a reír.

—No es que las cosas vayan viento en popa con ella, pero eso no es ninguna novedad. No, supongo que es todo ese lío de Bracknell, y además... —vaciló— tengo algunos problemas y tal vez... Bueno, cosas que tengo que arreglar. —Parecía buscar algo que decir que impidiese que Anselm siguiera preguntando—. Por cierto, ¿has llamado a la compañía con la que tienes el seguro profesional? Sandy Bracknell tuvo la gentileza de advertirme que iba a consultar a un abogado.

—Por supuesto —respondió Anselm con sonrisa irónica—. He llamado a mi agente. Ya sabes la experiencia que tengo en estas cosas.

Siguieron caminando por el paseo de tablas; el sol comenzaba a caer detrás de los árboles, muchos de ellos aún desnudos, y desde el Sound sopló de repente un viento que les hizo tiritar.

—Echemos una carrera —dijo Anselm, comprendiendo que Peter no iba a contarle qué le preocupaba.

Estaban los dos en buena forma y, aunque llevaban

zapatos corrientes, echaron una buena carrera hasta el final del paseo entablado, espantando a un par de gaviotas que alzaron el vuelo desde la barandilla con un ronco graznido para trazar un círculo y volver a posarse en el mismo sitio; Anselm y Peter dieron la vuelta sin parar y así siguieron hasta el coche.

—¡Guau! —exclamó Peter sin aliento, apoyándose en el techo de su reluciente Lamborghini—. Deberíamos correr más a menudo.

—Cuando quieras, Peter —dijo Anselm, que apenas sudaba—. ¿Es por temor a que te demanden? —inquirió con gesto de preocupación.

—Descuida, estoy bien; de verdad, Anselm.

—¿No te preocupa? —añadió Anselm, meneando la cabeza—. Pues a mí sí. Lo único que me faltaba es otro juicio como el último. ¿Nunca has tenido un juicio?

—Claro que sí —contestó Peter—. Dos; pero en ambos se llegó a conciliación. Ahora que lo pienso, no creo que Sandy plantee querella. Sabe que hicimos cuanto pudimos por Denton.

Anselm asintió.

—Ya veremos, pero yo no estaría tan seguro. Yo del abogado de Sandy Bracknell, presentaría demanda sin vacilar. Hay muchos elementos en que basarse; equipamiento anticuado del hospital, el hecho de que no trasladamos a Bracknell cuando podíamos...

Peter subió a su coche, obviamente deseoso de dar fin a aquella conversación, y bajó el cristal de la ventanilla.

—Mira, Anselm —dijo—, no hay por qué preocuparse por algo que a lo mejor no va a suceder. En realidad, en este momento lo que me preocupa es mi barco. Este fin de semana tengo que darle al casco un par de capas de anticorrosión y es un palo.

Anselm le miró alejarse, y recordó que en el pasado él habría adoptado igual actitud, convencido de que nada podía sucederle. Pero también tenía la sensación de que en la vida de Peter estaba ocurriendo algo importante y no quería decirlo. Quizá Susan le estaba haciendo la vida imposible en venganza por sus infidelidades. Pensó en Erica Barnes, de quien era sabido su interés por Peter. Con una mujer guapa como ella era muy posible que hubiese algo serio, quizá lo bastante serio para dejar a Susan. Hizo votos para que no fuera así; sentía simpatía por Susan y la conocía de hacía bastante tiempo.

Ya anochecía cuando Anselm volvió a su clínica y se encontró con que su secretaria Melanie aún no se había marchado.

—¿Algún recado? —preguntó.

—Sí, ha llamado el señor Lanier preguntando a qué hora volvía usted.

—¿El sheriff Lanier?

—Eso es —contestó Melanie, mirando el reloj—. Estará aquí de un momento a otro.

—¿Algo más?

—No. Esto está muy tranquilo. Dos pacientes que han anulado la visita.

Melanie tenía el pelo color zanahoria y un cutis claro pecoso. Había conseguido el empleo con Anselm por medio de su hermana, que era enfermera del hospital.

Se abrió la puerta de recepción para dar paso al sheriff delegado Armand Lanier, vestido de paisano como de costumbre. Traía en la mano un gran sobre y una tablilla de escribir.

—Hola, doctor —dijo con jovialidad—, tengo algo para usted. —Le tendió el sobre y la tablilla—. Ha llegado por entrega urgente. Si hace el favor de firmarlo, todos contentos y en regla. Gracias, señor, que tenga un buen día.

Lanier se llevó la mano a la frente a guisa de saludo, lanzó un guiño a Melanie y abandonó el despacho.

Una sensación de temor embargó a Anselm al mirar el grueso sobre oficial. De vez en cuando recibía exhortos para comparecer ante los tribunales por demandas de pacientes, pero en esta ocasión sabía que se trataba de una cosa bien distinta, aunque llegaba antes de lo esperado.

Cogió el sobre con una mano como si fuese radiactivo, entró en su despacho y lo abrió.

Miró la primera página del largo documento oficial y se dejó caer en el sillón tras el escritorio. Notó un nudo en el estómago y sudor en las manos mientras se disponía a leerlo.

Al concluir la lectura sintió alivio. Mejor estar al corriente que la angustia de la espera, y ahora que ya conocía los datos había mucho que hacer. Primero llamó al agente de la aseguradora para comunicarle que habían presentado querella.

—Claro —dijo el hombre sin mostrar sorpresa y con un deje de insolencia que Anselm no había advertido anteriormente—. Es lo que esperábamos. Ya se pondrá en contacto con usted el abogado... Un momento, voy a buscar el archivo de la firma... Aquí está: Collier, McDowell y Stern de New Coventry. Es un buen bufete. El abogado que le envían se llama V. Morse.

Momentos después entraba Melanie con el abrigo puesto para decirle que se iba de viaje; iban a operar a su madre, que vivía en Minnesota, y no había nadie de la familia que pudiese cuidarla. Esperaba estar de vuelta en un par de semanas, pero no se lo aseguraba.

18

La notificación al hospital de que iban a demandarles judicialmente llegó a la mesa de Stefan Olson casi al mismo tiempo que Anselm recibía su citación de comparecencia.

Olson firmó el recibo, esperó a que el sheriff se marchara y descolgó el auricular. Llamó primero a Tony Marino, luego a la compañía de seguros y finalmente a John Kestler, el abogado del hospital.

—Lo siento, el señor Kestler está reunido —contestó la secretaria.

—Pues sáquele de la reunión —le espetó Olson. Sabía que las reuniones de Kestler solían ser con una pelota de golf en el campo en miniatura que tenía al fondo de su oficina.

Un par de minutos más tarde Kestler se ponía al teléfono. Su voz sonó brusca, como si le hubiesen despertado de una siesta en lugar de haber interrumpido su entrenamiento.

—Sí, Stefan.

—La viuda de Denton Bracknell solicita judicialmente que el hospital comparezca ante los tribunales —dijo el director—. No es una sorpresa, pero acabo de recibir la citación y usted y yo tenemos que examinar el documento cuanto antes.

—¿Lo ha comunicado a la compañía de seguros?

—Claro. ¿Cuándo nos reunimos?

—Tranquilo, Stefan —replicó Kestler—. Primero tengo que leer la citación. De nada sirve precipitarse.

—Ahora mismo le envío una copia con mensajero —replicó Stefan, que sabía que con Kestler no había que descuidarse. Unos meses después de la llegada a Glenport había intentado sustituirle por un brillante abogado joven de New Coventry, y su reacción había sido fulminante. Kestler, incompetente pero con buenas relaciones sociales y bien aceptado, fue confirmado por el voto unánime del consejo de administración, pese a que ninguno de los miembros le habría elegido como abogado para un pleito personal. El resultado fue que el propio cargo de Olson en el hospital había sufrido en su consolidación. Stefan Olson sabía que Kestler se dedicaría al caso sin complicarse la vida, haciendo lo justo para salir del paso, pero sin entusiasmo ni buena voluntad.

—Bien —dijo Kestler—. La leeré en cuanto la reciba.

—John, no tengo que decirle que es un asunto muy importante y que no puede quedarse en la lista de espera.

—Descuide, Stefan —repuso Kestler con su voz meliflua, algo rasposa por efecto de los años que llevaba enjugándose las cuerdas vocales con Dimple Haig—. Mire, los pleitos llevan tiempo. No hay ninguna prisa; créame.

—Es que hay más cosas a considerar a la luz de la demanda —replicó Stefan procurando dominar la irritación de su voz—. La clínica de Farman, por ejemplo; y está el problema de cómo ha de actuar el hospital ante el doctor Harris, que es el principal demandado. Además, cabe esperar publicidad muy adversa en relación con el juicio...

—Sí, cierto. Lo estaba pensando, Stefan. —Se hizo una pausa mientras Kestler reflexionaba—. Creo que deberíamos contratar a una empresa de relaciones públicas para hacer frente a esa faceta del problema —añadió—. Hoy en día es un terreno muy especializado; igual que la creación de imagen y esa clase de cosas. —Hablaba en términos ambiguos, como si no tuviese idea de las relaciones públicas—. Hay una buena empresa en New Coventry —prosiguió—, la que llevó aquel caso escandaloso del departamento de investigación de la Facultad de Medicina de Yale, ¿lo recuerda?

—John, de momento tenemos que resolver este asunto nosotros. Le diré que, para empezar, el consejo de administración no va a aprobar fondos extraordinarios para actividades de relaciones públicas; de eso puede estar seguro. Segundo, lo que cuenta aquí es el tiempo, y no podemos perderlo en explicaciones a gente ajena a la situación.

—¿Y la bonita Erica Barnes? Ella es bien lista. Es su relaciones públicas, ¿no? ¿No debería ella encargarse de una cosa así?

—Erica es la portavoz oficial del hospital —contestó Olson, preguntándose cuándo iba Kestler a poner su léxico a la altura de la década de los noventa—. Pero somos nosotros quienes tenemos que decidir qué va a decir esa voz.

—Stefan, en la facultad de derecho no nos enseñaban esas cosas. Bien, pero estoy dispuesto a leer los comunicados de prensa que redacten y examinarlos con perspectiva jurídica.

Disgustado, Olson alzó unos instantes el teléfono en el aire, justo en el momento en que Tony Marino entraba en el despacho. Tony caminaba de un modo peculiar, rápido pero a pasos demasiado cortos para un hombre de su estatura. Vestía traje gris claro con corbata ancha rosa y malva, y parecía enfadado.

Se detuvo ante el escritorio de Olson.

—¿Quién más figura en la citación? —preguntó bruscamente. Tony tenía sus propios problemas y otras cosas que hacer aparte de verse envuelto en una querella que no habría debido producirse.

Stefan había tratado lo suficiente a Tony Marino para intimidarse, pero su voz, siempre profunda y pausada, adoptó un acento nórdico al contestarle.

—Bien, señor Marino, el primero, naturalmente, el doctor Harris; luego el doctor Delafield, tres enfermeras de la UCI, Pat Mooney...

—¿Quién?

—Pat Mooney. La supervisora de urgencias que estaba de servicio cuando ingresó Bracknell.

Volvió a abrirse la puerta y entró Bob North con su aspecto rechoncho y presumido, en un abrigo blanco de corte impecable, y su escaso pelo negro perfectamente peinado. Le seguía Erica, elegante y muy vistosa con falda negra y blusa rosa de seda. Tony los miró con recelo antes de interpelar de nuevo a Olson.

—¿Y quién más?

—Estoy dando al señor Marino el nombre de los demandados en el caso Bracknell —dijo Olson a los recién llegados—. Hay toda una lista, señor Marino. Está el doctor Burton, que administró la anestesia, la supervisora de la UCI, el jefe de terapia respiratoria.

—La táctica del francotirador indiscriminado, ¿no? —comentó Bob North, contento de que no figurara su nombre en la lista—. Un método bastante corriente en la abogacía.

Olson y Marino hicieron caso omiso del comentario.

—¿Ha llamado a John Kestler? —preguntó éste.

—Acabo de hablar con él. —El tono de Olson hizo que Marino le mirase fijamente.

—Estaría practicando golf, seguro —comentó—. De todos modos, necesitaremos más servicios de los que él pueda darnos.

—Exacto —dijo Olson, e hizo una pausa—. He llamado también a la compañía de seguros. Su abogado se pondrá en contacto conmigo hoy mismo.

—Ya. Bueno, entretanto lo mejor será ir planificando alguna estrategia defensiva —dijo Tony Marino, sacando un habano al que contempló un buen rato antes de volver a guardárselo en el bolsillo—. En primer lugar, ¿hay algún elemento sólido al que puedan agarrarse?

—No soy abogado —respondió Olson—, pero imagino que atacarán por el flanco de que no disponíamos de instrumental ni de personal adecuados para atender este caso y que habríamos debido trasladarlo inmediatamente a un centro de cuidados terciarios.

—Tonterías —terció Bob North—. En nuestro hospital podemos atender a toda clase de pacientes, salvo los que requieren cirugía a corazón abierto.

—¿Es una tesis defendible? —preguntó Tony Marino a Olson.

Éste se encogió de hombros.

—Claro. Como dice North, hace años que atendemos a pacientes con toda clase de afecciones.

—Pues los de la marina no pensaban lo mismo, y tampoco los del Centro Médico de New Coventry —replicó Marino, mirando con ceño a Olson—. Por Dios, Stefan, si hasta nuestro propio anestesista redactó un informe adverso sobre la manera en que se ha llevado el caso.

—Pero sólo sobre la manera en que Harris ha llevado el caso —dijo Bob North—. La actuación del hospital no se pone en cuestión. De hecho, la responsabilidad de todo este desastre es de Harris. El hospital ni siquiera debería aparecer en la demanda.

—El abogado de la querellante va a levantar buen revuelo implicando al hospital, de eso pueden estar seguros —dijo Olson, mirando a Marino y North—. En cuanto empiecen a indagar comprobarán las insuficiencias del hospital. Y nuestra afiliación al JCAH peligra por las carencias de equipamiento, y además tenemos problemas de personal...

—Este caso en concreto se reduce a la actuación de Anselm Harris —terció Bob North con tono tajante—. Si hubiese hecho su trabajo como es debido, no habría ninguna demanda.

—North, estamos en una situación en la que no se trata simplemente de quién tiene razón y quién no —replicó Olson con paciencia—. A los abogados de la demanda les interesa el que más dinero tenga. Y somos nosotros quienes más dinero tenemos; mejor dicho, la compañía de seguros. Y por eso nos plantean querella.

Erica, sentada en una silla, escuchaba y tomaba notas sin intervenir. A ella le gustaba Anselm Harris y despreciaba a Bob North, pero también era consciente de dónde se ganaba el sustento.

North le miraba las piernas, y le dirigió una sonrisa antes de insistir una vez más en su tema preferido.

—Muchos médicos del hospital opinan que hay que despedir a Harris —dijo—. Y ello al margen de la demanda.

—No nos hemos reunido para eso, Bob —espetó Tony Marino—. Nos enfrentamos a una demanda grave y hay que hacerle frente; ahora no interesan tus vendettas personales.

—Sin embargo, señor Marino —añadió Olson, midiendo las palabras—, creo que el asunto de Anselm Harris puede estallarnos en las manos, y si eso sucede influirá gravemente en la demanda contra el hospital. Creo que nuestra actitud y relación con el doctor Harris es algo que hemos de tratar. —Extendió sus manazas sobre el escritorio. Había en su persona cierta solidez que inspiraba confianza, por la chaqueta gruesa de tweed y la corbata conservadora, la precisión de su modo de hablar y sus gestos.

Marino reflexionó un instante sobre lo que acababa de manifestar Olson y asintió con la cabeza, mientras Bob North esbozaba una gran sonrisa y dirigía un guiño subrepticio a Erica. Marino sacó el habano y esta vez sí lo encendió.

19

Denton Bracknell fue enterrado en la isla Carver, en el viejo cementerio de césped que descendía en suave pendiente hacia el Sound. Debido a la dificultad de acceder a la isla y por sus limitados servicios, se decidió celebrar un funeral una semana después en la mayor iglesia de Glenport: la presbiteriana.

A lo largo de la mañana antes del funeral fueron llegando por la interestatal 95 coches y limusinas de Nueva York y Washington, y se armó un gran revuelo cuando corrió el rumor de que en el aeropuerto local había aterrizado un Boeing con los emblemas de la fuerza aérea y el blasón presidencial. Habían hecho despejar la pista especialmente para el aterrizaje y el tráfico aéreo local fue desviado o retrasado quince minutos antes de la hora de llegada prevista del aparato. El avión se detuvo en el lado opuesto del terminal del aeropuerto y por la ciudad corrió el rumor de que el presidente había acudido en persona para asistir al funeral de su asesor de mayor confianza. Sin embargo, para decepción general, resultó que por la escalerilla del aparato sólo descendió el secretario de Estado con varios miembros del gobierno, para subir todos inmediatamente a una serie de limusinas. Minutos después el cortejo cruzaba velozmente las verjas del aeropuerto, escoltado por motoristas, entre destellos de luces y aullidos de sirenas.

La iglesia estaba a rebosar, y mucho antes de la hora varias docenas de curiosos se habían congregado en la entrada. Las limusinas fueron aparcando en la acera de enfrente, ante la admiración de los niños que contemplaban los uniformes de aquellos chóferes apoyados contra los vehículos, fumando y charlando unos con otros. Nunca se había visto en Glenport acontecimiento de tal naturaleza.

Sandy Bracknell, con un sencillo vestido negro y un mínimo de maquillaje en su pálido semblante, ocupaba un asiento en la primera fila del templo, acompañada por sus padres y rodeada de miembros de la familia de Denton Bracknell. El hermano de Denton, Grant, un abogado alto y canoso de Atlanta, se sentaba a su lado.

Llegado en avión dos días antes, había ya revisado con Sandy los fondos de inversión de Denton, haciéndose cargo del testamento y de la transferencia legal de bienes, y ayudándola en cuanto la atañía personalmente en relación con los asuntos económicos del difunto. Grant era la amabilidad personificada, pero su manera de trabajar, lenta y minuciosa, ponía nerviosa a Sandy Bracknell; era como si Grant hubiese hecho de la cortesía una profesión. Antes del funeral le reveló que las cualidades intelectuales de Denton no se extendían a los asuntos financieros domésticos, por lo que no esperase más que una modesta herencia. No era ninguna sorpresa; la falta de competencia de Denton en asuntos económicos era algo que ella conocía por experiencia, pero no había podido hacer nada al respecto.

Grant, sentado en el banco junto a Sandy, hablaba en voz baja por encima del hombro de ella con Norm Hartman, el abogado de su cuñada. Alto, delgado, cetrino y de aspecto fúnebre con su traje negro, Hartman, más que formar parte del duelo, parecía de la funeraria; pero lo que hacía era explicarle en voz baja, en aquellas circunstancias de respeto y dolor, su estrategia legal.

En ese momento entró Peter en la iglesia tras una delegación de media docena de cargos del hospital, entre los que se encontraba Stefan Olson, un par de administradores, las enfermeras jefas de cuidados intensivos y urgencias y Lucille Heinz. Peter tomó asiento en el extremo de un banco, asomando sus largas piernas por el pasillo. No faltaban tampoco Tony Marino y Bob North, que ocupaban asientos en la parte delantera en compañía de sus gruesas esposas.

Anselm entró cuando el oficio estaba a punto de comenzar y se situó discretamente al fondo con otros que, al llegar tarde, se habían quedado sin asiento. Se sentía fuera de lugar y aturdido; no había tenido intención de acudir, pero un impulso interior le había animado a ello. Quizá fuese la necesidad de mostrarse en público para acallar su mala conciencia y hacer ver que no se escondía. Por una parte, sabía que por muchos esfuerzos que hubiese hecho no habría podido salvar a Denton Bracknell, pero por otro lado notaba la presión de ambigua responsabilidad autoimpuesta haciéndole sentirse indigno de ser garante de la vida de sus pacientes. Se sentía solo, aislado de sus colegas y del resto de la sociedad, cual si fuese el único merecedor de reproches por lo sucedido, y en esa tesitura se veía semejante al asesino que regresa para asistir al entierro de su víctima.

El funeral duró una hora y en su transcurso se pronunciaron varios elogios mortuorios y se escucharon algunos pasajes de la música preferida del finado, desde Bach hasta el propio Gershwin, que sonaba extraño y pomposo al órgano. «Es tan incongruente, como un elefante bailando», pensó Anselm al escuchar unos florilegios de *Girl Crazy*, y miró a la gente que abarrotaba la parte posterior del templo con gesto triste y distanciado.

Fue el primero en salir, al oír que el órgano comenzaba a desgranar la obertura de *Carnaval Romano* de Berlioz, y se escurrió por un lateral para eludir a periodistas y cámaras de televisión apostados en la calle ante la entrada principal.

Por ello no vio a los familiares salir por el pasillo central. Sandy difícilmente pudo evitar reparar en Peter, sentado como estaba junto al pasillo, pero ni le miró, aunque sí saludó con una inclinación de la cabeza a Olson, que estaba sentado a su lado. Tampoco fue testigo Anselm del comentario que hizo Norm Hartman, con los labios apretados, al ser acosado por los reporteros de televisión a la salida de la iglesia.

—Es un día muy triste —dijo mirando a las cámaras—, no sólo para la desconsolada viuda de Denton Bracknell, sino para toda América, que ha perdido un abnegado y brillante servidor público. Lo peor de esta tragedia es que no tenía por qué haberse producido —añadió por encima del hombro.

Anselm había dejado el coche aparcado en una bocacalle dos manzanas más allá, y a él se dirigió deprisa, pensando en Denton, el hombre al que sólo había conocido enfermo. Aun teniendo en cuenta la prosopopeya de los elogios funerarios, Denton Bracknell debía de haber sido en todos los aspectos una persona relevante, inteligente, trabajador insaciable y, por encima de todo, un esforzado negociador en el difícil terreno de la política internacional. Anselm se sentía muy abatido y, por enésima vez desde la muerte de Bracknell, se preguntó si había efectuado el diagnóstico y el tratamiento adecuados, dando los pasos correctos en cada fase; llevaba varias noches desvelado reflexionando sobre otros posibles enfoques clínicos. ¿Debería haberse impuesto a Peter desde un principio para que hubiesen trasladado al enfermo? Peter era quien lo tenía a su cargo, y estaba seguro que de haber dicho algo, él se habría limitado a recurrir a otro cirujano y el resultado hubiese sido el mismo.

¿Habría debido esperar? ¿O aplicar medicación para desbloquear la arteria? ¿Quizá había confiado demasiado en el anticuado equipamiento del hospital? Estas y otras preguntas sin fin atormentaban su mente sin dejarle razonar adecuadamente.

Pasó despacio con el coche por delante de la iglesia y Sandy Bracknell, que en aquel momento subía a una limusina, alzó la vista y lo vio. Lo miró fijamente un instante y después, impasible, apartó la vista. Muy a su pesar, Anselm sintió que el corazón se le encogía. «Ha de creer que he sido negligente con su marido y que yo tengo la culpa de su muerte», se dijo. Y hasta pensó hasta qué punto odiaría él a una persona a la que considerase responsable de la muerte de un ser querido.

Y le embargó una indignación difusa, contra nadie en particular, mezclada con sentimientos de temor e inseguridad. ¿Y si el caso no se arreglaba fuera de los tribunales y acababa en un juicio por negligencia médica? ¿Volvería a poder ejercer como cirujano? ¿Sería capaz de soportar el hundimiento definitivo de su carrera? De lo que estaba seguro era de que tendría que marcharse de Glenport. Vio la cara de satisfacción de Bob North tan claramente como si estuviese a su lado en el coche.

Una vez en casa, se sentó sin quitar la vista del teléfono, en un tris de llamar a Mariana para pedirle que viniese a Glenport. Marcó el número hasta la última cifra y volvió a colgar el auricular. En su vida se había sentido tan solo.

TERCERA PARTE

20

Michael Parrett, enviado del *New Coventry Herald*, llegó a Glenport al día siguiente del funeral de Bracknell, con el cometido de obtener material para un reportaje sobre la muerte del asesor del presidente. «Reúna datos sobre las enfermeras y los médicos que le atendieron —le dijo el director—. Ya sabe, historias personales; lo que tan bien se le da a usted.» Michael sabía perfectamente lo que le pedía; siempre había cosas sucias que salían a relucir en casos como aquél. Así que a descubrirlas, muchacho.

Michael era ufano propietario de un Porsche 944, lo que convertía en aventura el viaje por la autopista de Connecticut. Michael tenía costumbre, siempre que utilizaba autopistas, de fijarse en los coches conducidos por mujeres. Si al volante iba alguna atractiva, él conducía en paralelo por el carril contiguo, sonriendo y haciéndole señas, y acto seguido se detenía en el primer McDonald's que encontrase. Según sus estadísticas, el 27 por ciento de las veces la mujer le seguía.

Pero aquel día no, se decía en el momento en que le adelantaba a toda velocidad una beldad conduciendo un Mercedes. Aquel día no. Michael tenía treinta y un años, y era precoz en su vida y su carrera, y comenzaba a estar harto de la clase de trabajos que le encomendaban. Él quería dejar el empleo en aquel diario de provincias y ser periodista de investigación en alguna gran ciudad; estaba cansado de aquellos reportajes superficiales que escribía desde hacía dos años; historias marginales, historias simpáticas, historias de desgracias con interés humano, cotilleos. Su director últimamente le empujaba hacia esto último porque tenía habilidad para sonsacar detalles a las mujeres, aunque tuviera que pagar previamente contribución en la cama, como, por otra parte, sospechaba el director.

Michael había enviado el currículum a *USA today*, al *Miami Herald* y al *Times* de Los Ángeles, además de otros diarios de tirada nacional, pero sin resultado. Cuando le llamaban para alguna entrevista, los directores miraban su portafolio de reportajes y artículos y le decían: «Señor Parrett, esto está muy bien, pero no tiene usted historias con garra. Podría desempeñar el trabajo, pero necesitamos referencias más concluyentes. Lo siento.»

«Referencias», se decía Michael mientras tomaba la peligrosa salida de la interestatal 91 en New Coventry. Querían pruebas de que era capaz de encontrar una gran historia y sacarle el mejor partido. Bueno, pues aquel caso podía ser su estreno por todo lo alto; según le había dicho su jefe, tenía todo el aspecto de ser un reportaje sensacional. A Denton Bracknell, especialista en economía política de fama internacional, principal asesor presidencial, le habían trasladado enfermo desde la isla Carver a las urgencias del hospital de Glenport, donde le habían operado, muriendo después camino del hospital de la marina en Bethesda.

Michael comenzó a planificar a quién tendría que entrevistar en el hospital. El caso es que para que fuese un reportaje importante, pisando el terreno a la competencia, tendría que tener acceso a información confidencial, la clase de datos desconocidos incluso para los medios de comunicación locales. Sonrió, pisó el acelerador y cruzó como una bala un semáforo en ámbar como si nada.

—¡En esto consiste precisamente el periodismo de investigación, muchacho! —exclamó por encima del ruido del motor.

En el hospital la seguridad había vuelto al nivel anterior al ingreso de Bracknell, y Michael cruzó la puerta con sólo enseñar la tarjeta plastificada que le acreditaba como periodista, a la par que dirigía al guardia un seco buenos días, como si tuviera prisa.

Cruzó el vestíbulo y continuó por el pasillo hasta la UCI, diciéndose que podía empezar por allí sin más. Pero ante la puerta de la UCI había un guardia de seguridad más joven y de distinto talante, como pudo constatar a juzgar por la manera en que le miraba aproximarse.

Michael no quería verse envuelto en una discusión ni ser expulsado, así que cambió de rumbo en dirección a los quirófanos. En el pasillo había una mujer de la limpieza, entre dos letreros amarillos que rezaban CUIDADO. SUELO HÚMEDO; estaba de rodillas sujetando el cubo por el asa, tratando de escurrir el mocho sin ponerse en pie y mirando acercarse a Michael, quien iba pensando en dirigirse a la floristería para comprar un ramo y volver a la UCI fingiendo ser un mensajero; hiciera lo que hiciese, lo mejor era hacerlo cuanto antes, antes de que alguien detectase su presencia en el hospital. No advirtió los letreros y resbaló justo ante la puerta del quirófano, cayendo con estrépito en el momento en que se abría la puerta dando paso a Lucille Heinz.

—Por Dios —exclamó ella, disponiéndose a ayudarle y dándose cuenta de lo guapo que era y de que vestía un elegante traje con camisa azul claro y corbata de seda roja. Con el concurso de la mujer de la limpieza, Lucille ayudó al joven a ponerse en pie.

—Creo que me he torcido el tobillo —dijo él con una torva sonrisa que provocó un vuelco en el corazón de Lucille.

—Pase usted aquí —dijo Lucille, deshaciéndose en amabilidad— y siéntese un rato. Veremos si se le pasa.

Michael se percató de que aquella mujer de mediana edad, rechoncha y poco atractiva, irradiaba un aire de autoridad y tampoco le pasó desapercibido que la de la limpieza parecía temerle.

—Muchas gracias —dijo a Lucille, cojeando a pesar de que se sentía perfectamente capaz de caminar erguido. Dejó que las dos mujeres le ayudasen y cruzó a la pata coja la puerta que mantenía abierta la mujer de la limpieza.

Sonrió agradecido a Lucille, quien ahora le sujetaba el brazo con ambas manos, aguantándole hasta que él tomó asiento con un gemido de fingido dolor en una silla de la desierta sala de espera del departamento de cirugía.

«Quizá la casualidad haga que esta mujer sea un regalo del cielo», pensó.

Inclinándose sobre él, Lucille miró su tarjeta de identidad en la solapa y sonrió.

—Ya me parecía que no era usted del hospital —comentó—. Bueno, vamos a ver ese tobillo... ¿Conoce a alguien aquí? —añadió con mirada severa—. Quiero decir si viene a visitar a algún enfermo...

Michael meneó la cabeza, comprendiendo lo que quería decir.

—No, no conozco a nadie. Soy reportero del periódico de New Coventry, vengo por un reportaje sobre el caso Bracknell y acababa de entrar.

—Esa tonta de la limpieza pone siempre los letreros donde no se ven —dijo Lucille, pensando a toda prisa y sin quitarle la vista de encima. Y adoptó una repentina decisión: se agachó y le quitó sin más el zapato, reparando en que era un caro modelo italiano de suela finísima, para a continuación despojarle del calcentín.

Lucille nunca había visto un calcetín masculino de seda y lo retuvo un instante en la mano, deleitándose en su sensual suavidad. Incluso el leve olor la excitaba.

—No tiene mal aspecto —dijo sin incorporarse, frotándole suavemente el tobillo y esforzándose en que su tono fuese clínico y distanciado—. Está un poco hinchado, pero no creo que se haya roto nada. Seguramente no es más que un leve esguince.

—Qué alegría. Gracias, enfermera... —fijó la mirada en la tarjeta de identidad prendida en el uniforme— L. Heinz. Desde luego —añadió, echando toda la carne al asador en su sonrisa y apoyando el pie en el suelo con una convincente mueca de dolor—, he tenido suerte de haber sufrido esa caída delante de su puerta.

—¿Necesita usted alguna cosa? —preguntó Lucille con ojos arrobados.

—Un vaso de agua —replicó Michael. Necesitaba prolongar aquello un poco más o en un par de minutos se vería obligado a abandonar la plaza cojeando y con las manos vacías.

Al poco regresó Lucille con un vaso de plástico.

—Tenga —dijo, arrodillándose a su lado—. ¿Se siente mejor? —preguntó cogiéndole el pie con las manos y alzando la vista.

Michael volvió a sonreír, haciendo un esfuerzo por mirarla a los ojos. En el pasillo había advertido su figura achaparrada, sus piernas cortas y el cuerpo sin formas, pero ahora, de cerca, apreciaba en detalle su larga nariz con poros abiertos y aquellos ojillos grises que le asediaban sin descanso. Y desde tan cerca notaba su acre olor corporal, y, por débil que fuese, era lo que más le repelía de ella.

Le puso la mano en el hombro, y ella se estremeció.

—¿Puedo preguntarle cuál es su nombre? —inquirió Michael.

—Lucille —contestó ella—. Lucille Heinz. Soy la encargada de quirófanos.

—¡Guau! —exclamó Michael, fingiendo quedar impresionado—. Mire, ha sido muy amable conmigo y, aunque acabamos de conocernos, no sé por qué es como si la conociera de toda la vida. Espero que no le importe si le pido una cosa.

—Pruebe —replicó ella sonriente.

Michael tuvo la impresión de que habría podido pedirle el capricho más absurdo y ella habría dicho que sí sin perder aquella sonrisa fatua y bobalicona ni dejar de mirarle a los ojos. El joven periodista respiró hondo.

—¿Qué le parece si cenamos juntos?

—Me encantaría —respondió ella sin pensárselo dos veces—, pero no sé cuándo acabaré aquí.

—No importa —añadió Michael—. Estoy en el Hilton. Tenga —añadió, sacando del bolsillo una fina cartera de piel de cocodrilo y cogiendo una tarjeta en la que apuntó algo en el anverso—. Habitación 505. Esperaré a que me llame.

—De acuerdo —dijo ella—. Prométame que no se disgustará si salgo tarde.

Michael volvió a calzarse el zapato y se puso en pie.

—Bueno, será mejor que le permita continuar su trabajo. Hasta luego, ¿de acuerdo? No se le olvide.

—No —contestó Lucille.

Cuando cruzó la puerta no se le advertía el menor indicio de cojera. Lucille sonrió inocentona, mirando cómo se cerraba la puerta tras él. ¡Qué suerte! Haber conocido a aquel joven, guapo a rabiar, sano sin duda y, lo mejor de todo, sin relación alguna con el hospital. Y era evidente que ella lo había fascinado.

La obsesión de ser objeto de comentarios en los

pasillos del hospital era lo que le había impedido durante años tener relaciones con el personal, aunque había hecho una excepción con el recién llegado Anselm Harris. Y era, precisamente, por la manera con que Harris le había dado calabazas por lo que tanto le odiaba. En cierta ocasión —él llevaba en el hospital apenas una semana— ella le había llevado a solas al cuarto de instrumental con la excusa de comprobar lo que necesitaba para el quirófano al día siguiente, convencida de que se le echaría encima a la mínima oportunidad a poco que ella dejara traslucir la atracción que ejercía sobre su persona. Había dispuesto ordenadamente el instrumental en la larga mesa de acero inoxidable y Harris, un tanto extrañado, se había sentado para seleccionar lo que necesitaba; normalmente era el encargado de instrumental quien se ponía en contacto con el cirujano antes de la operación para preguntarle si quería algo en particular, pero, por lo visto, en Glenport hacían de otro modo las cosas. Lucille estaba a sus espaldas, detrás de la silla y, al inclinarse a señalarle un instrumento, le oprimió la espalda con el busto y se puso a jadear, con excitación, sintiendo húmeda la entrepierna.

Como si nada, Anselm eligió el instrumento que necesitaba y se puso en pie.

—Lucille, le sugiero que vaya a darse una ducha fría —le había dicho sonriente, pero era una sonrisa helada que a ella le partió el corazón—. Si busca una historia conmigo, resígnese. No me interesa; punto. ¿Lo ha entendido o quiere que se lo ponga por escrito?

Después de aquello, Lucille fue diciendo que Anselm la había acosado en el cuarto de instrumental y que prácticamente la había violado, pero la reacción de quienes la escucharon contarlo fue una estentórea carcajada. Aún sentía un escalofrío de rabia al recordarlo.

Pero con Michael sería distinto, estaba segura. No tenía relación con el hospital y no sufriría la humillación de los comentarios; al menos hasta que llegase el momento en que ella pudiese hacer pública la relación.

Se imaginó dando primero la noticia a sus subalternas y observando sus caras de envidia; después haría que la noticia circulase por el despacho de la enfermera jefa. Pero para eso vendría acompañada de Michael y entonces sí a Marge Taylor se le saldrían los ojos de las órbitas.

«Marge, te presento a mi futuro esposo, el señor Michael Parrett. Sí, nos casaremos dentro de unas semanas, así que dejaré el trabajo a finales de mes...» Suspiró feliz y se sentó con el archivador a hacer la lista de guardias del mes siguiente.

Pero las cosas no salieron como ella esperaba. A primera hora de la tarde, por un accidente en la interestatal 95, ingresaron tres heridos graves, y dos de ellos tuvieron que pasar al quirófano. Tuvo el tiempo justo para telefonear a Michael y decirle que no podía ir a cenar; y a él no le complació.

—¿No podríamos dejarlo para mañana? —preguntó ella con tono de súplica.

—Mucho me temo que habré regresado a New Coventry —respondió él con frialdad. Lucille vio cómo su sueño se desvanecía.

—No imagina las cosas que podría contarle —añadió con ansiedad—. Sobre el caso Bracknell y el doctor Harris. Yo estaba en el quirófano cuando le operó.

Michael pensó a toda velocidad. New Coventry estaba sólo a una hora de coche, y el reportaje podía demorarse un día si aquella mujer tenía realmente algo bueno que desembuchar.

—De acuerdo —dijo—. Me quedaré. ¿Seguro que mañana podrá venir?

—Claro que sí —contestó Lucille—. Michael, es que hoy estoy de guardia. Mañana le garantizo que iré.

—Estupendo —replicó Michael, esforzándose por infundir cierto entusiasmo a su voz—. Entonces, mañana a las siete en el hotel.

21

Cuando los periódicos sobre el caso Bracknell llegaron a las oficinas de Collier, McDowell & Stern, Valerie los miró con detenimiento, tomando notas en un bloc. Los demandantes alegaban que el doctor Anselm Harris era culpable de negligencia médica, tratamiento inadecuado, evaluación preoperatoria errónea y de una plétora de errores de hecho y por omisión. Los términos médicos y el lenguaje utilizado en los documentos le resultaban desconocidos, e incluso echando mano del diccionario médico *Taber's* le costó comprender cuál había sido la afección de Denton Bracknell, cómo lo habían atendido exactamente en el hospital, qué operación había practicado el doctor Harris y por qué el paciente no había despertado de la anestesia.

La información de que disponía sobre su cliente tampoco era muy alentadora. Anselm Harris había estudiado en una facultad estatal de medicina de Nueva Jersey. Valerie dio unos golpecitos con el lápiz en el papel. No, no era precisamente la mejor universidad del país, pero tampoco había de qué avergonzarse, y menos a la vista de su expediente universitario; después se había matriculado en unos cursos para cirujanos residentes en Bridgeport, Connecticut, y parecía que allí también las cosas le habían ido bien. Valerie hizo una anotación para ponerse en contacto con el director del curso en Bridgeport; así se enteraría de lo que pensaban de Harris sus profesores y cómo desempeñaba su carrera por entonces.

Continuó con el expediente y comprobó que, tras acabar el período de residente, había trabajado en el hospital Bellevue de Manhattan y después en Queen's con un cirujano semirretirado. El siguiente documento hizo que lanzara un suspiro; se reclinó en el sillón y miró un instante al techo. Harris y el hospital en que trabajaba habían sido demandados por negligencia médica y la sentencia había sido en gran parte favorable al demandante.

Valerie miró en qué tribunal se había tramitado la vista, y efectuó otra anotación para conseguir el número de expediente y tener acceso a las actas. Una querella por negligencia profesional no siempre significaba que el médico fuese culpable, aunque la sentencia resultara adversa. Pero de todos modos, aunque tuviese la prevención de no consentir que se presentase como prueba, aquello era un factor que los abogados de la acusación podían aprovechar si se lo proponían, y seguro que lo harían. Al terminar de leer se sentía desanimada y se preguntó por qué Collier le había asignado a ella el caso, habiendo en la firma gente más especializada y con mayor experiencia en aquella clase de asuntos.

No se consideraba preparada para aquello, y llamó a Dexter Milne, el experto de la firma en negligencia médica; momentos después enfilaba el pasillo hacia su despacho. Milne dejó lo que estaba haciendo y se puso a repasar con ella el caso, centrándose en la operación de Bracknell. Con la *Anatomía* de Gray abierta en el escritorio, le mostró la disposición de los vasos sanguíneos en el cuello, luego cogió de la librería la *Cirugía vascular* de Eastcott y *Técnicas de cirugía vascular* de Denton Cooley, y le explicó el modo de descubrir las arterias carótidas para la operación quirúrgica, y entró en detalles acerca de la intervención del doctor Harris.

Valerie quedó impresionada.

—Dexter, hablas como si fueses médico —dijo—. Eres apabullante. No sé si podré aprenderme todo eso.

Milne sonrió. Era un hombre de casi sesenta años, delgado y de mirada reflexiva, mucho menos agresivo y machista que sus colegas, pero con fama de terrible dialéctica y de tenaz ponente ante los tribunales.

—Es que he sido internista —explicó él—. Me he pasado muchos años tratando alergias y enfermedades pulmonares, pero al final acabé harto.

Dudó un instante, al ver a Valerie mirarle con atención, y estuvo a punto de contárselo; pero lo que hizo fue volver a su escritorio, abrir el expediente de Harris que había llevado ella y explicarle cómo se organizaba el historial médico de un paciente.

—En el historial está siempre la clave —dijo—. Si sabes cómo sacar la información que necesitas, puedes montar con él toda la defensa.

Dexter le dijo qué era lo que tenía que buscar: discrepancias entre las anotaciones de las enfermeras y las del médico, lagunas en las anotaciones del estadillo del enfermo, lugares en que la escritura estuviera apelmazada en reducidos espacios, indicios de que el médico había hecho las anotaciones *a posteriori*, y cómo con las diferencias entre las copias y el original podía demostrarse una manipulación posterior. Y precisó que había un error particularmente recurrente que un abogado competente podía utilizar para hundir la credibilidad de un médico.

—Soy la abogada defensora —le recordó Valerie.

—No importa —replicó Dexter—. Cuanto más sepas, mejor podrás defenderle. Y si tu cliente comete errores de éstos, tú debes saberlo y buscar la manera de justificarlo ante un jurado.

Mientras Valerie volvía a guardar los papeles en la cartera, Dexter la miraba como si no acabara de entender algo.

—Andrew debe de tener mucha confianza en ti —dijo—. Te ha tocado un caso muy difícil. ¿Sabes quién es el abogado de la señora Bracknell?

—Sólo sé el nombre.

—Norm Hartman es un abogado muy competente —añadió Dexter—. Sabe mucho, es cuidadoso y muy ambicioso. Hay quien le llama «el hombre sin corazón».

—Vaya ánimos me das —dijo Valerie.

—No tendrás problemas mientras lo lleves todo bien comprobado. Es una persona muy decente, créeme, y no te hará ninguna jugarreta. Si no creyera de verdad que su cliente tiene razón, no se habría hecho cargo del caso.

—Como esta vez —dijo Valerie.

—Pues sí —replicó Dexter sonriente—, pero puede equivocarse, como todos, y, por lo que se comenta en la casa, tú eres una abogada muy competente.

Valerie advirtió que algo preocupaba a Dexter respecto al caso que le habían asignado, y se preguntó si trataba de animarla para que no se atemorizase al verse arrojada al foso de los leones.

Dexter volvió a colocar la gruesa *Anatomía* de Gray en la librería.

—Como suele decir Andrew —añadió sin mirarla—, no siempre se gana. —Hizo una pausa y se volvió hacia ella sonriente; una sonrisa sesgada pero atractiva—. Pero también dice que más nos vale justificarnos debidamente cuando no se gana un caso.

Cuando Valerie se disponía a marcharse, Dexter, mirándola, tosió nervioso, como si hubiera decidido decirle algo.

—Vamos, Dexter, suéltalo —dijo Valerie sonriente—. Llevas todo el rato queriendo decirme algo.

—Es que no me explico qué has hecho para que Ralph Stern esté cabreado contigo —replicó él con voz sombría—, al extremo de convocar una reunión de socios para despedirte.

—Ya lo sé. Estuve en ella. No porque me hubiesen nombrado socia, ya te imaginarás —añadió sonriendo—, sino para defenderme.

—Ah, ¿te llamaron a ti también? —inquirió Dexter—. ¿Y qué sucedió?

Una sonrisa pícara iluminó el rostro de Valerie, y Dexter no pudo evitar sonreír también.

—Ah, algo sucedería —respondió ella con falsa modestia—, porque de repente Stern cambió de idea y decidió no insistir en el tema.

Miró a Dexter, tratando de averiguar hasta qué extremo él estaba enterado.

Dexter Milne meneó la cabeza.

—No sé cómo te las habrás arreglado —dijo y, tras una pausa, cuando ya era obvio que Valerie no iba a decírselo, añadió—: Stern es mezquino, y no de una mezquindad corriente sino a rajatabla. Ni perdona ni olvida. Además, como seguramente sabrás, detesta a las mujeres. No sé qué habrás hecho para que se vuelva atrás, pero imagino que no lo hizo con mucho gusto. Si te interesa seguir en la firma, y eso espero, te aconsejo que te esfuerces de verdad por apaciguarle.

—¿Alguna sugerencia?

Una leve sonrisa cruzó el rostro de Milne mientras meneaba la cabeza.

—No —contestó—, lo que estaba pensando con él no serviría.

A la mañana siguiente, Valerie se levantó temprano, se preparó un desayuno rápido y decidió ir a Glenport por la interestatal 95 en vez de en el tren Amtrak. Había llovido un poco por la noche y el pavimento brillaba como el hielo; casi todos los coches llevaban las luces encendidas, y al tomar la entrada de la carretera se acordó del día en que Patrick había sufrido el accidente, y en un movimiento casi reflejo se apretó el cinturón de seguridad, pensando que en cuanto pudiese se compraría un coche nuevo con *air bag* y frenos antideslizantes.

Trató de concentrarse en el caso Bracknell, pero el enfrentamiento con Ralph Stern seguía atormentándola. Sabía que Dexter tenía razón y que en los días y semanas venideros iba a tener que bregar lo suyo. Stern era un enemigo implacable que no iba a darle cuartel y trataría de hacerla cometer cualquier error en el trabajo y, claro, tarde o temprano alguno cometería. Sabía que en aquella fase de su carrera no era de particular importancia para la firma Collier, McDowell & Stern; si decidían que había que prescindir de ella, la despedirían sin contemplaciones. No faltaban abogados jóvenes de valía para sustituirla. Hizo un esfuerzo por concentrarse en Bracknell y el doctor Harris, con la zozobra de que su desconocimiento en temas de medicina acabara por hacerse evidente para todos los implicados en el caso, cliente incluido.

Tardó una hora en llegar a Glenport y otros diez minutos en encontrar la consulta del doctor Harris, situada a más de medio kilómetro del hospital en la avenida Manitauk, frente al mar.

Había un viejo deportivo en la entrada de coches, y Valerie giró en la siguiente bocacalle para volver y aparcar en un sitio libre en la acera de enfrente. La clínica ocupaba el centro de una fila de casas residenciales anodinas de dos pisos y en el exterior había un letrero que rezaba: DR. ANSELM HARRIS. CIRUGÍA GENERAL Y VASCULAR. Valerie no se había planteado qué clase de coche tendría el médico y le chocó ver aquel viejo Triumph azul oscuro. Se bajó del suyo, cogió la cartera y cruzó la calle.

La consulta era bastante simpática, acogedora, con

cómodos sillones marrones y, en las paredes, grabados de montañas nevadas. Una joven pecosa y pelirroja ocupaba un pequeño despacho cerrado frente a la entrada. Sonrió a Valerie, quien hizo lo propio, dio su nombre y le tendió la tarjeta por la ventanilla.

—Hola, soy Melanie —dijo la joven—. Voy a avisar al doctor Harris. —Se levantó y se dirigió al despacho interior con la tarjeta en la mano, haciéndole gesto de que la siguiera.

El doctor Harris estaba reclinado en el asiento, hablando por teléfono, y se sorprendió al verla, pero enseguida sonrió, señalándole la silla que había frente al escritorio. Valerie dejó la cartera en el suelo junto a la silla y tomó asiento. Daba la impresión de que el cuarto era partición de una pieza más grande, pero no dejaba de ser espacioso. En el tabique de paneles de madera de detrás del escritorio colgaban cuatro diplomas enmarcados, uno de ellos del hospital Bellevue. A la izquierda, en una librería con puerta de vidrio había una colección de libros de texto y montones de revistas. La alfombra oriental tenía aspecto blanduzco y fláccido, como si fuese belga y no auténticamente persa. En la pared contraria había dos puertas que supuso daban a las salitas de reconocimiento.

Miró con interés al doctor Harris. Tendría cerca de cuarenta años, era bien parecido y con algunas arrugas, pelo largo hasta el cuello y un cutis sin defecto y bronceado. Había un no sé qué en aquel maxilar, tozudez quizá, mientras que los ojos parecían reflexivos y amables, incluso un poco crédulos. No era en absoluto lo que ella había imaginado tras la lectura de la documentación médica, si bien tampoco recordaba exactamente qué había imaginado. Se contuvo: ya estaba otra vez formándose una opinión sobre una persona a partir de indicios meramente superficiales, cuando sabía por experiencia profesional que no había que hacerlo.

Él colgó el auricular.

—Lo siento —dijo—. ¿Es usted la abogada de la compañía de seguros?

Valerie se presentó.

—No sé por qué —replicó Anselm sonriendo—, pero me esperaba a un hombre. Supongo que habré dejado traslucir algo de sorpresa cuando ha entrado.

—Bueno, creo que dejó ver que agradecía la suerte de que fuera lo contrario —replicó Valerie devolviéndole la sonrisa. Respiró hondo, consciente de sus ojos. ¿Notaría lo lega que era en aquella materia? ¿Advertiría que lo que ella sabía de medicina se reducía a lo poco aprendido durante la hospitalización de Patrick y las someras orientaciones de Dexter Milne?

—Bien, aquí estamos. Mi cometido es defenderle en la demanda de la señora Bracknell.

—Exacto —dijo Anselm moviendo la silla giratoria y apoyando los brazos cruzados sobre el pecho.

Observándole, Valerie notó que paulatinamente la miraba más a la defensiva, y se preguntó si iba a ser un trato difícil. Pero detectaba algo más en aquella mirada; no se le había ocurrido que iba a ser arduo actuar de defensora en un caso de negligencia profesional, y que, por supuesto, para el doctor Harris era una reincidencia.

Abrió su cartera, sacó un bloc de color amarillo y se lo puso en la rodilla.

—Ya sé que todo lo que voy a decirle no le resultará nuevo —dijo—, pero quiero dejar claro cómo llevaré el caso.

Al mirarle, se dio cuenta de que debía de haber dicho algo fuera de lugar, pese a que el leve cambio en su mirada había sido casi imperceptible. «Claro —pensó—, se ha percatado de que estoy al corriente de su anterior juicio por negligencia.»

Y siguió explicándole los testimonios que tanto el abogado de la parte contraria como ella recogerían, y el modo en que se llevarían a cabo.

—Antes de que usted haga ninguna declaración —puntualizó—, examinaremos juntos cualquier posible aspecto del caso. No quiero que le pille desprevenido ninguna pregunta.

Anselm la miraba, reclinado en su sillón y con los brazos cruzados sobre el pecho. Valerie advirtió que la puerta había quedado abierta y se levantó para cerrarla.

—Ahora quisiera que me dijera algunas cosas sobre usted —añadió, volviendo a sentarse.

Él fue contestando a sus preguntas de un modo conciso y seguro. Ella le preguntó dónde se había especializado, quiénes habían sido sus profesores de cirugía y cuáles sus preferidos, y si tenían algún premio o distinción académica. Luego le interrogó sobre su vida privada, sus aficiones, si estaba casado y si tenía hijos. Al abordar aquel tema sus respuestas fueron concisas y, aunque sin dejar de mostrarse cortés, no logró disimular cierta irritación.

En cierto momento, Valerie dejó el lápiz y dijo:

—Escuche, doctor Harris, no le estoy haciendo estas preguntas por husmear en su vida privada. Como abogada suya necesito saber el mayor número de datos sobre usted para llevar la defensa lo mejor posible. Puede estar seguro de que en el juicio el abogado de la señora Bracknell sabrá sobre su persona más cosas que usted mismo.

Anselm sonrió y Valerie percibió una persona totalmente distinta.

—¿Contestaría usted esas preguntas si yo se las plantease? —inquirió él.

—Lo haría si fuese necesario —respondió ella con frialdad—. Pero en su caso, al no ser mi defensor, le da igual si estoy casada o tengo hijos.

Anselm clavó la mirada en la mano izquierda de ella, desprovista de anillos, y sonrió.

—Como experto observador que soy —replicó—, hay preguntas que me serían innecesarias.

—Ésa es precisamente una de las diferencias entre nosotros —repuso ella, un tanto molesta por la implícita conclusión de que ella no fuese una gran observadora, pero quería aprovechar la aparente buena disposición de él; no es que estuviera coqueteando, simplemente deseaba que aquel médico tan estirado se relajase un poco.

Anselm debió de malinterpretarlo, porque su expresión se endureció e inmediatamente se restablecieron las barreras y su hostilidad fue más evidente que antes. Miró el pequeño reloj de sobremesa.

—Señorita Morse —dijo con voz gélida—, le diré un par de cosas. Hasta ahora mis experiencias con abogados han sido negativas. El que se encargó de la herencia de mi padre era un ladrón; el que me defendió en el juicio por negligencia de Nueva York, un alcohólico, y a tal extremo que en pocas ocasiones veía claramente; y además era un corrupto, cosa que supe después. El abogado de mi ex mujer que llevaba el divorcio era un fullero, y el mío acabó teniendo una aventura con ella. Y aquellos a quienes he tratado en otros asuntos los he visto demasiado ambiciosos o demasiado ocupados para pararse en detalles, o han tratado de obtener algo de dinero o publicidad bajo mano aparte de ganar el caso. Comprenda mi falta de entusiasmo en esta entrevista.

—Pura mala suerte —se limitó a replicar Valerie—. No todos los abogados son ladrones ni borrachos, del mismo modo que no todos los médicos son codiciosos o incompetentes. Quizá le interese saber que, personalmente, bebo un par de copas a la semana, que antes trabajaba en Ayuda Legal y seguiría haciéndolo de no ser porque necesito más ingresos, que estoy considerada competente por encima de la media, y que no tengo más problemas de ego que los de quien trabaja para ganarse la vida.

Valerie estaba enfadada, y estuvo en un tris de levantarse y decirle a aquel médico que se metiera el pleito donde le cupiese y que se organizase él mismo la defensa.

—No me ha dicho qué clase de experiencia tiene en este terreno, señorita Morse, así que tengo que extraer mis propias conclusiones —replicó Anselm sin dar el brazo a torcer—. He de decidir si me hace falta un abogado competente y detallista y tan trabajador como usted dice que es, o uno que tenga mucha experiencia. Imagino que sería pedir demasiado encontrar uno que reúna ambas cosas.

—Seguramente —replicó Valerie airada—. Por supuesto que puede contratar su propio abogado y así tendrá el que se ajuste a sus deseos.

—Gracias por decírmelo —dijo Anselm, arrepentido de haberse mostrado en exceso arrogante. La verdad era que tenía alergia a los abogados por sus anteriores experiencias, y tanto le daba que fuesen dedicados y competentes—. Bien, volvamos al caso. Si tiene alguna otra pregunta relevante, procuraré contestarla lo mejor que pueda.

Valerie respiró hondo y removió un instante los papeles para recobrar la calma. Por su cabeza cruzó la idea de que Andrew Collier le hubiese asignado aquel trabajo como castigo.

—Necesito saber cuántas operaciones ha practicado similares a la de Denton Bracknell —dijo.

—Unas sesenta —respondió él—. O alguna más, quizá.

—¿Podría decirme el número exacto? —añadió Valerie—. El abogado de la demandante le hará esa pregunta y puede ponerle en un aprieto si no responde la cifra exacta.

—En este momento no lo puedo asegurar, pero se lo diré la próxima vez que nos veamos —contestó Anselm—. He de consultar el archivo —añadió, haciendo una anotación en un bloc.

—También necesito saber el porcentaje de éxitos de las mismas —continuó Valerie—, y la relación con los porcentajes registrados por otros cirujanos.

—Eso sí puedo decírselo —contestó Anselm—. He perdido un paciente en la mesa de operaciones por complicaciones anestésicas, y otro falleció por paro cardíaco al día siguiente de la intervención. Cuatro pacientes más sufrieron infarto al cabo de un año, y el resto, que yo sepa, sigue bien.

—¿Son los mismos resultados que los de otros cirujanos? Me refiero a la clase de cirujanos con similar preparación y experiencia.

Anselm se volvió y cogió de la estantería un ejemplar reciente de *Journal of Surgery*.

—Mire —dijo, abriéndolo y tendiéndoselo—, son las cifras de un amplio estudio en la clínica Mayo. El promedio no es mucho mejor —añadió sonriente.

—Estupendo —dijo Valerie—. ¿Puede darme copia del artículo?

—Naturalmente —contestó él, levantándose y yendo a recepción con la revista en la mano. Minutos después, Melanie entraba con la copia.

Valerie estuvo con Harris una hora y, a punto ya de marcharse, Anselm se hallaba, muy a su pesar, impresionado por su metódico enfoque del caso. Demostraba que no era de las que orillan las cosas o las dejan al buen albur, aun arriesgándose a molestar al patrocinado. E hizo una reflexión sobre la manera en que ella preparaba el caso y la actitud poco profesional y descuidada del abogado defensor de su anterior pleito por negligencia.

Antes de marchar, ella le manifestó que en la siguiente entrevista revisarían toda la fase hospitalaria de Denton Bracknell para, a continuación, repasar el historial, el informe de la marina y el del anestesista Burton. Tras lo cual, requeriría del doctor Delafield una detallada exposición de todo lo relativo al tratamiento.

Anselm se puso en pie y le tendió la mano en un extraño gesto conciliador.

—Gracias, abogado —dijo escuetamente; pero Valerie notó que un tono de respeto en su voz sustituía a la inflexión agresiva de antes, y ella misma sintió una punzada de simpatía por aquel cirujano que había superado graves apuros en su vida y que, a pesar de sus malas experiencias con los abogados, se esforzaba por cooperar con ella.

22

A la mañana siguiente de la visita de Valerie, Anselm fue al hospital a hacer las rondas de visita a los pacientes lleno de ánimo y dispuesto a la batalla. La entrevista con la joven le había revitalizado de algún modo y por un instante se representó mentalmente a aquella mujer de mirada viva y segura en el momento de entrar a su despacho en la clínica, andando con desenvoltura, y el modo de mirarle con aquellos ojos claros. En un primer momento sus impresiones habían sido exclusivamente físicas y le habían dejado pasmado. Pero después de decirle quién era y a qué había venido, se había desvanecido la impresión física y personal y no volvió a pensar en ella hasta que se hubo marchado. Y ahora la veía con inusitada claridad: no sólo era atractiva, sino una mujer inteligente, trabajadora, firme, una mujer capaz de constituir un inapreciable aliado. Su mente derivó de Valerie a Mariana. Al principio de su matrimonio, muy al principio, había esperado que Mariana fuese esa clase de aliado a pesar de lo que sus amigos decían. Y menudo aliado le había salido.

Caminando por el pasillo, siguió reflexionando sobre aquella extraña abstracción de Valerie como persona, y comprendió que era producto del mecanismo al que se había acostumbrado en su relación profesional con mujeres; hasta en el caso de los pacientes más interesantes, cuando las reconocía, era capaz de hacer abstracción de todo sentimiento salvo en lo relacionado con la diagnosis y el tratamiento, aunque a veces, posteriormente, al volver a reconocerlas las contemplase con ojos más humanos.

Y ahora se percataba de que, físico aparte, Valerie poseía una interesante cualidad: un aura de firme feminidad, sin nada de débil ni de sumisa. Una auténtica mujer de los noventa, pensó, tranquila, equilibrada, segura de sí misma, totalmente distinta de Mariana, sin lugar a dudas competente en su trabajo pero con un aura de imprevisible, ansia de seducción y un mal genio explosivo.

—Doctor Harris, ¿tiene un momento?

Se volvió y vio a Erica Barnes, esplendorosa y elegante, embutida en una ajustada falda roja con una blusa de seda abullonada. Inmerso en sus reflexiones, la miró un segundo y se echó a reír.

—Perdone, Erica, estaba en otra parte...

—En mi despacho tengo un paquete para usted —dijo ella, sonriéndole y preguntándose en qué o en quién estaría pensando—. Ha llegado esta mañana dc Washington.

Anselm sabía lo que contendría el paquete. Dio media vuelta y siguió a Erica, que, al compás de su paso, hacía resonar en el suelo sus altos tacones. A Anselm le gustaba Erica; la encontraba atractiva, pero por algún motivo no se le ocurría decirle nada que no fuese estrictamente del trabajo. Abrió la puerta del despacho para cederle el paso y entró tras ella.

—Tenga —dijo Erica, recogiendo del suelo un paquete con la etiqueta de FEDERAL EXPRESS. Al levantarse se acercó lo suficiente para que él pudiera oler el delicado aroma de su perfume y le entregó el paquete con gesto moroso, de manera que ambos lo tuvieron sujeto un instante. Sus ojos negros le miraron con una expresión extraña, casi de ansia—. Doctor Harris —añadió con tono formal—, me encantaría que alguna vez me permitiera invitarle a cenar.

Anselm vaciló, sorprendido, y Erica retrocedió medio paso a la expectativa.

—Es una idea estupenda, Erica —respondió, midiendo sus palabras—, y se lo agradezco. Pero, sinceramente, en estos momentos estoy muy atareado con el asunto Bracknell y sus consecuencias y no sabría estar a la altura en su compañía.

Un tenue rubor tiñó las mejillas de Erica. Quiso responder que realmente no le importaría que se pasase toda la velada sin decir palabra, que lo único que quería era intimar un poco, pero, en cambio dijo:

—Bueno, tal vez cuando todo haya pasado...

Pero aun así sabía que aquel momento no iba a llegar, y se sintió violenta y triste a la vez. No era habitual que ella diese el primer paso, y menos que le rechazasen una invitación.

Anselm cogió el paquete y salió del despacho. Ella permaneció mirando un instante la puerta cerrada y se encogió de hombros. La reacción de Harris no la pillaba totalmente de sorpresa, pero había valido la pena intentarlo; en su vida le habían sucedido cosas peores que ser rechazada por un hombre que le gustaba. Y revivió fugazmente el entierro de su marido dos años atrás, muerto de cirrosis alcohólica. Aquel día había llovido sin cesar y había arroyuelos en el barro alrededor de la tumba. Una lluvia, metáfora de su profunda desolación, que la había calado hasta los huesos.

Tomó asiento tras el escritorio y apoyó la barbilla en las manos. Mucho se había endurecido desde la muerte de Don, con la resolución de no volver a ser pobre ni a estar sola. No, Anselm Harris no era el único pez del mar; claro que no. Había muchos hombres atractivos que se considerarían más que afortunados con una sola mirada suya. Y había otras relaciones que podía iniciar, y no sólo por puro placer sino con vistas al matrimonio y a la seguridad de por vida. Sin dejar de pensar en ello, volvió a cruzar el pasillo y al llegar a los ascensores se encontró con Peter Delafield, haciéndose el remolón.

Anselm concluyó su ronda de visitas, salió por urgencias, olió el aire salado procedente del mar y decidió ir andando por la avenida Manitauk el kilómetro largo hasta su consulta. Caminaba a paso vivo a lo largo de los parterres de narcisos y primaveras y de incipientes forsitias amarilleando entre los setos. Había ya algunos audaces navegantes en el Sound con blancas velas hinchadas por la recia brisa de mayo. Contagiado por la euforia primaveral, echó a correr los últimos cuatrocientos metros, cruzándose con una pareja de tranquilos paseantes que le miraron sorprendidos, al ver su atuendo profesional, preguntándose de qué aula venía huyendo.

—La agencia de empleo no tiene a nadie para enviar la semana que viene cuando yo esté fuera —dijo Melanie con gesto compungido—. He preguntado en algunas consultas de otros doctores, pero no he podido encontrar una sustituta. Me han dicho en la agencia que tal vez tengan alguien la semana que viene.

—No se preocupe, Melanie —replicó Anselm—. En este momento no hay mucho que hacer y estoy seguro de que por una semana podré arreglármelas solo.

Se sentó al escritorio con la sensación de que las cosas no eran tan horribles como le parecían días atrás.

Había mucha gente de su parte, entre ella buen número de enfermeras del hospital, una buena abogada, y, por encima de todo, tenía bien limpia la conciencia. Él había hecho cuanto podía por Denton Bracknell y estaba convencido de que el jurado, que, en definitiva, solía estar formado por personas serias y responsables, no lo hallaría culpable. De todos modos, le constaba que en la mayoría de juicios por negligencia profesional no había jurado y casi todos se resolvían sin acudir a los tribunales, pero sabía que aquel caso era distinto, del mismo modo que lo había sido el de Andy Pannetario, aunque por otros motivos.

Lo que debía hacer a partir de ahora era preparar el juicio. Valerie era novata en aquel terreno y, aunque parecía dominar el aspecto legal, él tendría que traducirle numerosa terminología y jerga médica para que pudiera entender plenamente las técnicas y los procedimientos que salieran a colación.

Abrió el paquete de cartón que le había entregado Erica y extrajo un volumen con el escudo dorado de Estados Unidos en la portada. Tal como suponía, era el informe de la autopsia de Denton Bracknell. Estuvo dos horas leyéndolo y efectuando diversas anotaciones en párrafos que no le resultaban del todo claros. Finalmente lo cerró, se reclinó en el sillón y repasó mentalmente el cuadro general que exponía el informe y las conclusiones a que habían llegado los médicos de la marina.

No era de extrañar que los anatomopatólogos hubiesen hallado una arteriosclerosis tan generalizada en el cadáver. Había varias arterias principales obstruidas, entre ellas las hepáticas, las intestinales y las de las extremidades inferiores; patología imposible de detectar en las circunstancias de urgencia con que había ingresado, pero le chocaba que Peter, que conocía a Denton desde hacía años, no hubiese detectado la gravedad del mal. Sí, pero Peter tampoco había visto lo que sucedía en el caso de Florence Gowan, ni antes ni después de la operación quirúrgica. Y Anselm volvía a preguntarse qué le sucedería a su amigo. Estaba consternado porque Peter no le hubiese dicho lo que le preocupaba; eran muy buenos amigos desde hacía años y hasta entonces siempre se lo habían contado todo. Lo cierto es que no habían vuelto a hablar desde aquella conversación en el malecón.

Sonó el teléfono y descolgó el auricular. Era Peter.

—¿Te ha llegado el informe de la autopsia?

—Ahora mismo he terminado de leerlo —respondió Anselm, contento de que Peter hubiese llamado—. No vuelvo a comer huevos con tocino en mi vida.

—No nos favorece mucho, ¿verdad? —La voz de Peter era fría, como insinuando que no había olvidado ni perdonado sus comentarios críticos en el caso de Florence Gowan.

—No creo que cambie mucho las cosas —replicó Anselm—. Nuestro cometido era eliminar la obstrucción de las arterias de Bracknell, independientemente del grado de arteriosclerosis, porque si no lo hubiéramos hecho habría muerto de todos modos.

—Pues ahora no estoy tan seguro —dijo Peter con un tono que, de pronto, molestó a Anselm—. Cuando el abogado de Sandy lea el informe presentará testigos expertos en medicina que declararán que quirúrgicamente era una situación sin esperanza que agravamos operándole. Y quizá tengan razón; tal vez habríamos debido recurrir a la medicación con heparina para detener la coagulación y algún vasodilatador para contrarrestar la estenosis de los vasos sanguíneos.

Se hizo un largo silencio.

—Peter, este asunto hemos de enfocarlo unidos —replicó Anselm—. Optamos por esa opción en aquel momento basándonos en nuestro leal saber y entender, y hemos de defender esa opción; a pesar de que ahora, sabiendo lo que sabemos, pensemos que habríamos podido actuar de otro modo. ¿Has llamado a tu abogado?

—Sí, pero por lo visto está ocupado con otro asunto y vendrá a hablar conmigo a finales de semana. ¿Por qué lo dices?

—Porque tanto el mío como el tuyo querrán reunirse para planificar una estrategia común —respondió Anselm—. Es lógico, puesto que los dos estamos incluidos en la demanda y uno u otro adoptamos la mayor parte de las decisiones relativas al caso Bracknell.

—Se lo comentaré cuando venga —dijo Peter, sin atribuirle demasiada importancia.

—De todos modos, mi abogada me ha dicho que quiere hablar contigo —añadió Anselm.

—¿Abogada?

—Exacto. Abogada. Y me complace decirte que me parece fenomenal.

—¿Buenas piernas?

Anselm reflexionó un segundo.

—Sí, pero no es lo que más me gusta de ella.

—Mándamela —dijo Peter con repentino tono amistoso—. Me encantará contarle cuanto quiera saber.

Anselm colgó despacio. La conversación que acababa de mantener le causaba una extraña sensación de incomodidad.

23

Nada más terminar la última operación de la jornada, Lucille Heinz salió disparada, dejando que los subalternos efectuasen la limpieza rutinaria. Se cambió lo más rápido posible, se miró en el espejo del lavabo y abandonó el hospital apresuradamente. Tenía el coche en el extremo del sector de aparcamiento para personal y a él se dirigió casi a la carrera con creciente excitación.

Ante el hotel en que se alojaba Michael encontró sitio para dejar el coche y se dirigió deprisa a información no sin cierto recelo; afortunadamente nadie de los que trabajaban en el mostrador la conocían.

Sí, el señor Parrett se alojaba en el establecimiento; le dieron comunicación con la habitación mientras ella aferraba el auricular y expectante oía el sonido de la llamada. Pero nadie contestaba, pese a que mantuvieron la conexión un minuto largo.

—Aguardaré —dijo al empleado y fue a sentarse en uno de los cómodos sillones del vestíbulo.

Al cabo de unos minutos de sentirse apurada, preparando mentalmente diálogos por si entraba alguien conocido y se le acercaba, se puso a leer el periódico local, el *Glenport Today*. Hojeándolo reparó en un largo artículo con una borrosa foto en color de un equipo local de baloncesto y, finalmente, dio con una gacetilla en la página dos sobre la muerte de Denton Bracknell. Siguió pasando páginas, pensando que el diario era basura y que no era de extrañar que la gente le diera el mote de «Glenport Ayer».

Unos tres cuartos de hora más tarde entraba Michael en el vestíbulo, guapísimo con pantalones negros, camisa blanca de vestir con corbata Armani y una holgada chaqueta Harris de mezclilla. Pasó por su lado, y, cuando ya casi la dejaba atrás, ella le llamó:

—¡Michael!

Él se detuvo, la miró un instante, sonrió y se sentó en un sillón al lado del suyo.

—Oh, Lucille —dijo, dando gracias por acordarse del nombre—, espero no haberte hecho esperar mucho. No te había reconocido sin uniforme —añadió sonriente—. Vengo del hospital de hablar en persona con las relaciones públicas, una tal Erica Barnes. —Y alargando el brazo, tocó su mano.

—¿Y qué te ha contado? —inquirió Lucille, inclinándose de pronto con gesto de recelo.

—No demasiado, lamentablemente —contestó él. Su sonrisa era su mejor carta y lo sabía. Lucille sintió latir su corazón aceleradamente—. Mira, ahora voy a subir a darme una ducha y enseguida salimos, ¿de acuerdo?

Quince minutos después volvía al vestíbulo. Lucille había aprovechado la oportunidad para ir al servicio de señoras a maquillarse un poco, cosa que raramente hacía y, debido a la excitada precipitación, se había excedido, por lo que al levantarse para recibir a Michael parecía más bien un payaso de labios chillones, dos arreboles en las mejillas y unos ojos perfilados con gruesas rayas de rímel. Michael no se inmutó; por lo que a él atañía, le daba igual que pareciera el tubo de escape de un autobús de Londres. Su trabajo consistía en sonsacarle la mayor información posible y, de todos modos, no conocía a nadie en Glenport que pudiera ponerle en apuros por verle con ella.

La cogió del brazo y se dirigieron hacia la puerta de salida, sonriéndole afectuosamente, convencido de que al final de la velada, después de exprimirla como un limón, ella se lo habría contado todo.

Tras una breve caminata se sentaron a una mesa del Crossbow, un restaurante cercano al hotel que ella misma recomendó. La carta era impresionante, escrita en francés, con una cinta que cruzaba la esquina superior, y forrada con terciopelo rojo; pero Michael no tardó en comprobar que la comida distaba mucho de estar a la altura.

—Al parecer echan el resto en la carta —comentó sonriéndole, pero ella se lo comía con los ojos y no comprendió la ironía.

A la luz de las velas el maquillaje no resultaba tan chillón y ahora le parecía un pelín más atractiva que en el iluminado vestíbulo del hotel. Bueno, de todos modos él había ido a trabajar. Volvió a llenarle el vaso con el cabernet de la casa y Lucille soltó una risita.

—Precioso —dijo, alzando el vaso a la luz de la vela—. No tengo costumbre de beber —añadió, abriendo los ojos como maravillada, cual una quinceañera que prueba por primera vez el vino.

—Debe ser agradable vivir en Glenport —dijo él sonriendo—. Es una ciudad muy bonita.

—No me digas —replicó ella, torciendo el gesto y haciendo un mohín—. Lo detesto. Aquí todos se enteran de tus cosas, o están deseando saberlas. La típica Nueva Inglaterra. Bonita de ver pero un asco para vivir en ella.

—¿Y entonces por qué vives aquí? —preguntó Michael, alargando la mano para coger un cigarrillo y recordando que se habían acomodado en la sección de no fumadores por deseo expreso de Lucille. Estaba inquieto y deseando entregar el reportaje en el periódico, y pensó en cómo acabar con las formalidades e ir al grano.

Lucille se mostraba algo indecisa, y Michael notó que se retraía por un instante. Luego le dirigió una inocente mirada de soslayo y un leve temblor movió su labio. El joven tenía la impresión de asistir a una bien ensayada representación.

—Es que aquí murió mi amante —dijo ella—. Un oficial guardacostas, destinado en New London.

Diciéndose que en aquel contexto sonaba extraño la manera en que había pronunciado la palabra *amante*, él la miró con simpatía, dejó el vaso en la mesa y aguardó.

—Sí —prosiguió Lucille, con su vaso en la mano y la mirada clavada en el color rubí que adquiría el vino a la luz de la vela—. Le llamaron a medianoche. Estábamos haciendo el amor cuando sonó el teléfono. —Lo miró por encima del vaso como calibrando su reacción y, tranquilizada, prosiguió—: Tenían que capturar un alijo de droga en alta mar, interceptando un gran balandro a veinte millas de Mystic... —Una lágrima corrió por su mejilla—. Él iba al mando del grupo de abordaje, cuando en medio de aquella noche de niebla sonó un disparo.

Michael se reclinó en la silla, mirándola y tratando de mantenerse serio.

—Nunca lograron dar con el cadáver —concluyó ella.

—Qué terrible ¿Cuándo ocurrió?

—Hace años —respondió Lucille con un suspiro, pero quizá pensando en que era una respuesta algo vaga, añadió—: Hace cinco años exactamente.

—Por lo visto te ha marcado profundamente —dijo él.

Ella alargó la mano y le asió con fuerza la muñeca.

—No había podido superarlo hasta este momento —susurró mirándole a los ojos.

Michael tuvo que toser para contener la risa. Quizá fuese el cabernet, pensó, volviendo a llenar los dos vasos; pero comenzaba a ser presa de la sensación de una hilaridad distanciada, como si estuviera viendo una comedia tan mala que le provocara risa.

—Dejemos ese tema tan triste —dijo—. Lucille, ¿por qué no me cuentas todo lo que sabes de Denton Bracknell? —Se reclinó en la silla dispuesto a escucharla—. Por lo que he oído, debe de ser el paciente más importante que habéis tenido en el hospital.

Se produjo un largo silencio y Michael se preguntó si había pasado con demasiada brusquedad del fantasma del amante de Lucille al cadáver de Denton Bracknell.

Ella le dirigió una mirada de incertidumbre por si lo decía en broma pero, tranquilizada por su atenta actitud, respondió:

—Bueno, aquí todo el mundo conocía a Bracknell por su casa en la isla Carver. Allí viven muchos personajes, ¿sabes? Gente de la familia Du Pont, y de los Whitney, personas así, pero no se relacionan mucho y apenas se les ve.

Lucille hizo girar varias veces el vaso de vino y se sintió desahogada, borrándose de su mente todo pensamiento acerca de oficiales guardacostas. Estaba pasándolo muy bien. Michael era tan guapo, tan sensual... y estaba segura de que haber mencionado el detalle de que estaba en la cama con su amante le había calentado. Deseaba que aquella velada no acabase nunca, y ya se regodeaba con la idea de que lo mejor estaba por venir.

—¿Y los Bracknell qué? ¿No son tan reservados? —preguntó Michael.

—No es eso —respondió Lucille—, pero la mujer es de por aquí y la conoce todo el mundo; es como si ella fuese el vínculo, ¿me entiendes?

Michael asintió con la cabeza.

—¿Y qué hay de él? —inquirió—. No nos han dicho gran cosa en esa conferencia de prensa que dio una tal Erica Barnes. —Michael se abstuvo de mencionar que había tratado de seducirla y ella le había rechazado sonriente pero con firmeza.

—Oh, Bracknell tenía obstruida la arteria carótida —dijo Lucille, mirándole con coquetería a través de la luz de la vela—. ¿No te lo han dicho en el hospital?

—Una obstrucción, ¿en qué lado? —inquirió él.

—En el derecho —contestó ella, y bebió un buen sorbo de cabernet.

—¿Qué tal fue la operación?

—Un desastre. Como puedes suponer visto el resultado. Para empezar no deberían haberle operado... Vamos, me parece a mí, y tengo mucha experiencia en esa clase de situaciones.

—¿Por qué no? —preguntó Michael y bebió un sorbo de vino—. Con alguien tan importante como Denton Bracknell seguro que lo hacen a conciencia.

Lucille volvió a sonreír.

—Se opera a la gente por muy diversos motivos

—dijo con habla algo estropajosa—. A veces por razones clínicas, pero otras veces no.

—Háblame del cirujano, el doctor Harris.

Lucille sonrió y lo miró por encima del borde del vaso.

—Sí, te lo prometí, ¿verdad? Pero ahora no... Más tarde, si eres buen chico.

La insinuación estaba clara y Michael sintió una especie de arcada.

—Mira que elegirle para que viniera a Glenport con la historia que le precede... —prosiguió ella, mirando al plato—. No me lo explico.

—¿Qué histora? —preguntó él, brillándole los ojos—. Anda, cuéntamelo.

Ella se echó a reír; una aguda risa nerviosa que daba pena.

—Ahora no —repitió, balanceando el vaso ante los ojos de él y descubriendo con la sonrisa sus gruesos dientes—. Ahora no, Michael; más tarde hablaremos de él.

Esta vez su mirada era tan insinuante que no había la menor duda de lo que quería decir, y Michael tragó saliva. En cualquier caso, desde el momento en que le hizo pasar a la antesala de quirófanos se había hecho a la idea de que el asunto iba acabar así.

Aguardó, pero ella no soltaba palabra. Era evidente que pensaba alargarlo lo más posible para proporcionarle la información sólo cuando consiguiera lo que buscaba. Lucille se inclinó para que él pudiera mirar a placer por el escote.

—No hablemos más de esto —dijo—. Hablemos de ti. —Pestañeaba profusamente al tiempo que alargó la mano y tocó la de él—. Y después de hablar de ti hablaremos de *nosotros*.

Cuando terminaron de cenar y de regreso al hotel, Lucille se colgó del brazo de Michael Parrett, parlanchina y alegre. Comenzaba a chispear y le desabrochó la chaqueta y, juguetona, se tapó la cabeza con el faldón. Michael notó un pecho apretado contra el costado y por un instante sintió un aguijonazo de lascivia, en parte explicable por las indirectas que ella había lanzado durante la cena, pero también debía ser cosa del tercer vaso de vino.

Michael abrió la puerta del hotel.

—Bien, Lucille, procura comportarte hasta que lleguemos al ascensor —dijo riendo.

Cruzaron el vestíbulo entre risitas, pero, pese al estado de excitación, Lucille continuaba en guardia por si aparecía alguien conocido. Ella bien que cotilleaba de los demás, pero tenía un miedo casi patológico a ser el centro de conversaciones en los vestuarios del hospital.

Michael no consiguió abrir la puerta de la habitación hasta que descubrió que había que apretar simultáneamente un botón al dar la vuelta a la llave. En cuanto la puerta estuvo abierta, Lucille irrumpió presurosa, pasando por delante del pequeño cuarto de baño y del escritorio tipo mostrador para echarse en la gran cama de matrimonio, riendo, al tiempo que, intencionadamente o no, la falda se le subía casi hasta la cintura. Viendo aquellos muslos embutidos en nailon, Michael, pese a su eufórica disposición, sintió cierto aturdimiento respecto a sus ambiguos avances: por un lado, aquella mujer se hacía la virginal, la angustiada y la inexperta, y por otro se le insinuaba con vulgar zafiedad.

Se encogió de hombros. No tenía tiempo ni ganas de hacer cábalas a aquellas alturas. Lo único cierto es que sentía una necesidad sexual acuciante, tenía allí a una mujer más que dispuesta y a él le hacía falta recabar la mayor información sobre el doctor Harris antes de que se le fuera de las manos y la borrachera la tumbara. Pero reparó en que no estaba en óptimas condiciones y que el asunto iba a requerir buenos prolegómenos.

Se tumbó junto a ella y deslizó la mano entre aquellos muslos, diciéndose que, entreteniéndola así, le daría tiempo a reflexionar sobre el *modus operandi*. Notaba una compleja y extraña combinación de deseo y asco, que Lucille no contribuyó a paliar precisamente con sus ardores y jadeos; le entrelazó con las piernas al tiempo que, con una mano, intentaba quitarse las medias, echando la cabeza hacia atrás con los ojos fijos en el techo. Michael se preguntó si estaría absorta en alguna fantasía, quizá pensando en su maldito amante guardacostas o a saber qué, por hallarse demasiado borracha.

—Ayúdame —le dijo.

Michael se sentó y la liberó de aquellas medias que le atenazaban los tobillos como grilletes marrones; y, pese a su ebriedad, se dijo que por muy atractivas que le hubiesen parecido las ajustadas medias, ahora la carne blanca y fofa de aquellos muslos con celulitis resultaba bastante desagradable.

—Las luces, Michael. Apágalas —dijo mientras se desabrochaba la blusa.

—Espera a que nos desvistamos —replicó él, que quería ver en dónde se metía, por así decir; para lo cual, Lucille tenía que estar despojada de toda prenda.

Ella no le hizo caso y con gesto impaciente arrancó el botón del puño de la blusa para deshacerse de ella. Bajo la blusa apareció un sujetador de talla extra que parecía hecho con lona de vela. Sus manos comenzaron a crisparse frenéticamente en la espalda, pero no atinaba a desabrocharlo.

—Oh, Michael, haz el favor —dijo con voz agónica, volviéndose un poco y mostrando una espalda encorvada moteada de lunares marrones, en la que el sostén se mantenía cerrado por media docena de corchetes bien tensos, que, tras un momento de vacilación, él desabrochó uno por uno.

Entretanto, Lucille se retorcía en posición sedente,

y echando la mano hacia atrás le sacó del pantalón un faldón de la camisa, para, a continuación, echarle mano a la entrepierna.

Desabrochado el último corchete, Lucille se despojó de la prenda y se volvió hacia él sonriente.

«Dios mío —pensó él—, qué vieja es esta mujer.» Era estrecha de cintura, pero sus senos eran enormes, blancos, blandos y fofos, con grandes areolas marrones y pezones diminutos que apuntaban al suelo. Desde los hombros hasta los pezones se extendían unas irregulares marcas rojizas.

Ella comenzó a desabrocharle torpemente la camisa, pero era un modelo de Brooks Brothers nada barato y Michael dio un respingo, bajó de la cama y se desvistió de pie. Aunque rara vez le preocupaba su virilidad, viéndose, dudó de si iba a poder izar el pabellón; pero la obsesión de la primicia periodística en el caso Bracknell actuó de afrodisíaco. Sí, claro que podría. Volvió a echarse en la cama.

—Qué preciosidad —dijo Lucille, acariciándole el miembro—. Es una maravilla.

Michael permaneció tumbado de espaldas, resignado.

—La tienes un poco torcida —exclamó ella de pronto—. ¿Es normal?

—Desde luego que es normal... —replicó él, tratando de sentarse. No sabía si sería capaz de continuar y de repente sintió ganas de largarse de allí—. Ibas a hablarme del doctor Harris, ¿recuerdas?

—Después, cariño —respondió ella, acariciándole sin quitar ojo del preciado objeto de su atención. Se inclinó lanzando una risita—. ¿No deberíamos practicar sexo seguro, Michael? —añadió, pronunciando su nombre como si lo lamiera.

—Sí, tienes razón —contestó él—. Pero no tengo condones, así que dejemos...

—Da igual —le interrumpió ella, alzando la cabeza

con mirada extraviada—. Me da lo mismo; contigo no tengo ningún... reparo.

—No, Lucille, tienes mucha razón —replicó él, tratando de mostrarse inflexible—. No debemos correr el riesgo...

Pero ella le aplastó contra la cama con una mano. Era una mujer fuerte.

—Ahora no me hagas hablar con la boca llena —dijo con rictus pícaro—, que es de mala educación, y además no podría.

Cinco minutos más tarde, ansiando acabar de una vez, Michael la daba la vuelta y se ponía encima de ella, pero Lucille lanzó un grito contenido. Acobardado, él se apoyó en los codos y se quedó mirándola interrogante.

—Es mi espalda —dijo ella—. Tengo desviación discal y no aguanto demasiado peso. Mejor así... —añadió, poniéndose de lado y arrimándole el trasero—. Prueba así, cariño.

Michael se quedó mirando aquel inmenso culo blanco y sintió asco.

—No puedo... —musitó.

—Yo te ayudo —dijo ella, poniendo manos a la obra.

Apretando los dientes, el joven cerró los ojos pensando en Cecilia, una muchacha de cuerpo espléndido con la que había pasado no hacía mucho un fin de semana en las Bahamas, y consumó el acto puntualmente.

A continuación, sin que él insistiera, ella le relató cuanto sabía sobre el doctor Anselm Harris.

—Fue el doctor Delafield quien lo trajo aquí —dijo, cómodamente echada en brazos de él—. Porque ningún hospital le habría admitido después del pleito por negligencia profesional.

Michael hizo un gesto escéptico.

—Vaya. La mitad de los médicos de Estados Unidos han tenido un pleito por negligencia profesional.

—Pero no como aquél —espetó ella—. ¿No recuerdas, hace un año en Nueva York, un político llamado Balleterio o algo así?

Michael meneó la cabeza, pero de pronto algo se iluminó en su memoria.

—¿Te refieres a Andy Panneterio, senador por el estado de Nueva York? Dios...

—Ajá; ése. Salió en todos los medios, en la prensa, en la tele, en todo. Pues fue el doctor Anselm Harris cuando ejercía en Nueva York.

—Dios mío —dijo Michael en su susurro, imaginándose los titulares del día siguiente—. Lo recuerdo. Todos pensamos que ese médico no volvería a ejercer en su vida después de aquel desastre.

Durante los diez minutos siguientes Michael obtuvo todos los datos sobre la operación de Bracknell y los problemas durante la misma, y se enteró de que el equipo médico de Washington había recomendado a Peter y a Anselm que no lo operaran, y que lo máximo que habían logrado era embarcar a Bracknell en el helicóptero antes de que se les muriese.

Michael se levantó, se vistió y se mostró firme en que ella se marchase, pese a que Lucille le rogaba que la dejara quedarse un rato más.

—Es por el plazo de entrega —alegó—. Apenas me queda tiempo para escribir el reportaje, y cuando trabajo necesito estar solo.

—¿Nos vemos mañana? —preguntó ella una vez vestida.

—Claro —contestó Michael, pensando en no volver a verla nunca más—. Te llamaré.

—¿En qué periódico trabajas? —le preguntó, y en cuanto él se lo dijo, se apresuró a añadir—: No mencionarás mi nombre, ¿verdad? Me echarían si se enteran de que estuve hablando contigo.

—Claro que no. Ten, se te olvida la agenda.

Nada más cerrarse la puerta, Michael echó la llave y, yendo al teléfono, marcó un número y comenzó a dictar el reportaje al ordenador en la redacción del *New Coventry Herald*.

24

Bob North se sentó en la silla para visitas de la oficina del presidente del consejo de administración del hospital. En contra de lo habitual, parecía aturdido, y su pelo, que habitualmente llevaba cual casco de barniz sobre su cráneo, aparecía tieso en las sienes.

—Cierra la puerta, Bob, por Dios —dijo Tony Marino irritado, alzando la vista de los periódicos extendidos en el escritorio. Marino estaba de muy malhumor, con la comisura de los labios fruncida y la mandíbula adelantada en gesto agresivo—. ¿Has visto esto? —le tendió un periódico a su yerno.

Bob miró el titular: MÁS SOBRE LA MUERTE DE BRACKNELL; debajo, con letra más pequeña, se leía: «Se plantean interrogantes respecto al nivel de atención médica prestada a Denton Bracknell, asesor decano del presidente, que murió en un helicóptero durante el traslado al hospital de la armada en Bethesda tras haber sufrido una intervención quirúrgica en el hospital de Glenport. Más información en página 3.»

Bob volvió la página, pero Marino no le dio tiempo a leer el artículo de tres columnas.

—Y eso no es nada —dijo colérico—. Mira esto. —Golpeó con los dedos el ejemplar del *New Coventry Herald* que había debajo del *Glenport Today*.

—Mierda —murmuró Bob. El titular rezaba en grandes letras rojas: NUEVA DEMANDA CONTRA EL DOCTOR MUERTE.

—Léelo —ordenó Tony, temblándole el maxilar de cólera.

Bob lo hizo obedientemente. «El doctor Anselm Harris, cirujano del pequeño hospital de Glenport (22.500 habitantes), que operó al asesor presidencial Denton Bracknell poco antes de que falleciera, no estaba disponible hoy para responder a nuestras preguntas sobre un juicio por negligencia médica en Nueva York de hace más de un año en el que fue declarado culpable de la muerte de Andy Panneterio, un famoso político del Bronx. Ese hecho era perfectamente conocido por la dirección del hospital, según nos informa un empleado que prefiere permanecer en el anonimato, y en el hospital el sentir general es que al doctor Harris no debería habérsele concedido prerrogativa hospitalaria alguna. El doctor Harris fue...»

—Ya basta —dijo Marino apretando los dientes—. Sabía que no habríamos debido contratarle con esos antecedentes.

—Bueno, no fue culpa mía —replicó Bob—. Yo dije que no era una persona adecuada...

—¿Has sido tú quien ha contado todo eso a la prensa? —le espetó Marino.

—Qué dices... —replicó Bob indignado—. Sé que Stefan ha prohibido al personal hablar con la prensa.

—Bien, ahora que Harris nos ha metido en este avispero tenemos que hallar el medio de salir de él.

—De no haber sido por la insistencia de Peter Delafield, Harris no estaría en el hospital —murmuró Bob—. Por otra parte, quizá podamos dar la vuelta a la situación en nuestro favor, Tony. Concentrando en Harris los medios de comunicación —prosiguió con el rostro iluminado—, será él quien se lleve los palos en vez del hospital y nosotros.

—Bob —replicó Tony, mirándolo ceñudo—, eres idiota, y perdona que te lo diga. —Se puso en pie—. ¿Es que no ves que si Harris se ve en apuros nos veremos también nosotros por admitirle en la plantilla médica y consentir que operase a Bracknell? A lo mejor lo que haría falta es demostrar a todo el mundo su competencia, las excelentes operaciones que ha realizado y lo útil que su persona es para la comunidad. Al fin y al cabo, un caso como el de Bracknell podía haberle sucedido a cualquier cirujano, ¿no? Por cierto, ¿cómo es que tú no estuviste presente en la operación? Harris te hizo llamar por los altavoces varias veces, ¿no es así?

—Ya había salido del hospital.

—Tendrás que alegar un motivo mejor que ése —dijo Tony—. El abogado de Sandy Bracknell leerá estos periódicos —señaló con el dedo el diario sensacionalista y luego a North—, y cuando acabe de averiguarlo todo sobre Harris, puedes estar seguro de que se ensañará contigo. Imagino los titulares: «El jefe de cirugía hace caso omiso de la petición de ayuda de un cirujano...» ¿Te ha llegado exhorto de comparecencia?

—No, claro que no —respondió Bob—. Yo no he tenido nada que ver. ¿Por qué iban a citarme?

—Si se enteran de que no acudiste a la llamada no te escaparás. Y maldita sea, si lo descubren no les mientas, ¿entendido?

—Por supuesto que no —replicó Bob con aire ofendido.

—Ya —añadió Marino con sonrisa aviesa—. Por supuesto que no.

Sonó el teléfono y Marino cogió el auricular.

—¿Stefan? Iba a llamarle dentro de unos minutos. ¿Ha leído los periódicos? Sí, Bob está aquí. Vamos enseguida.

Tony Marino entró el primero en el despacho de Stefan. Su origen italiano potenciaba en él el respeto hacia mayores en edad y superiores, y le habría gustado que Stefan Olson se hubiese levantado al verle, pero sabía que era inútil pretenderlo. No obstante, aquella notoria falta de respeto público le seguía afectando. Bob North entró tras él y se sentó.

—Acabo de hablar con John Kestler por teléfono —dijo Olson, que también tenía los periódicos abiertos sobre el escritorio—. Está aterrado y ha vuelto a insistir en el tema de contratar a una empresa de relaciones públicas para contrarrestar la mala prensa que estamos teniendo.

—Tonterías —comentó Tony frunciendo el entrecejo—. Kestler es tan gandul e incompetente como la mitad del personal del hospital. —Le miró airado—. De todos modos tenemos otras cosas en que gastar el dinero antes que en un grupo de expertos en relaciones públicas. ¿Qué diablos está haciendo Erica Barnes? ¿No es su trabajo?

El tono intimidatorio era más fuerte de lo habitual; su cargo de presidente del consejo de administración nunca le había exigido tanto tiempo y empezaba a ponerse nervioso.

—Bueno, ¿y qué hay de esos periódicos? —inquirió, señalando el escritorio—. ¿Quién es el «empleado» que les ha soplado lo del juicio por negligencia profesional de Harris? Creí que les había dicho a todos que tuvieran la boca cerrada si no querían ser despedidos.

—No sé quién fue —respondió Olson; el ceño fruncido y su barba de dos días daban a su rostro aún más aspecto de retrato de Van Gogh—. No sabemos de quién procede la filtración pero estamos averiguándolo. Y cuando lo sepamos... —Sus puños como jamones se cerraron—. Le prometo que el o la que haya abierto la boca lo sentirá.

—¿Ha advertido que todos los periódicos citan al *New Coventry Herald*? Así pues, el periodista del *Herald* que escribió el reportaje ha de ser quien obtuvo el soplo sobre Harris. Bueno, es una pista a seguir.

—Preguntaré a Erica —respondió Olson—. Ella debe saber su nombre.

—Muy bien. Ahora ha llegado el momento de evaluar el daño causado —añadió Tony—. Díganoslo. Háganos una evaluación estratégica, como dicen en el Pentágono.

—Exacto —coincidió Bob, asintiendo con la cabeza, pese a que no tenía demasiado claro qué era una evaluación estratégica.

Olson lanzó un suspiro.

—Es demasiado pronto para saberlo. De momento, en mi opinión, la situación es la siguiente —añadió, meneando la cabeza y plantando las dos manos en la mesa—: Primero, y antes de nada, tenemos la querella judicial.

—Esos malditos abogados que buitrean junto a las ambulancias —terció Bob airado—. Seguro que acosaron por teléfono a Sandy Bracknell en cuanto se supo la noticia. —Meneó la cabeza y se alisó los pelos despeinados—. Sucede cada vez con mayor frecuencia. El año pasado tuve un paciente que...

—Cállate, Bob —dijo Marino con gélida suavidad—. Perdone, Stefan, continúe.

—A mi modo de ver, señor Marino, su principal argumento es que fuimos negligentes permitiendo que Harris trabajara en el hospital y operase sin supervisión, sobre todo teniendo en cuenta la condena anterior por negligencia profesional. —Olson lanzó un suspiro y dejó caer los hombros con cansancio—. Nos reprochan también que Bracknell no habría debido ser operado, que debimos trasladarle a un centro más importante, que no le hicimos un reconocimiento exhaustivo y que Harris no consultó con un neurólogo ni con ningún otro cirujano antes de intervenir...

—¿Y todo eso no es estrictamente problema de Harris? —inquirió Tony Marino—. El hospital nada tiene que ver con su procedimiento incorrecto de adoptar la decisión.

—Bueno, según el abogado que se ocupa de nuestro seguro, se nos hace responsables de permitir que todo eso sucediera. Harris ingresa en plantilla, provoca un desastre y básicamente es culpa nuestra.

—¿Y por qué inculpan a varias personas más? No me refiero a Harris ni a Delafield, sino a las enfermeras de la UCI y gente por el estilo.

—Parece que es el procedimiento rutinario, señor Marino. Es una maniobra de sondeo para ver si los abogados pueden obtener indicios útiles. Pero en realidad lo que les interesa son las buenas bolsas y ésas las tienen las compañías de seguros, la nuestra incluida.

—¿Y no podemos pararlo? ¿No pueden nuestros abogados hacer que la compañía de seguros llegue a un acuerdo?

—Lo intentarán —respondió Stefan—, pero todo depende del abogado de la señora Bracknell. De las posibilidades que vea de ganar el juicio, de lo que ofrezca la compañía de seguros y de las ganas que tenga de aprovechar la publicidad que le dará el caso.

—Me sorprende que Sandy Bracknell nos haya hecho esto —dijo Bob con tono dolido—. Y más teniendo en cuenta que tuvo una historia con Peter Delafield.

Olson y Marino hicieron caso omiso del comentario.

—¿Y el informe de la autopsia? ¿Y el informe de los médicos de la armada? —inquirió Marino—. Al fin y al cabo, llegamos al acuerdo con ellos de que no nos achacarían ninguna responsabilidad, ¿no?

—Sí, cierto —respondió Olson con una sonrisa—. El informe no puede tardar. El de la autopsia ha llegado ya y están haciendo copias para los abogados y para los peritos testigos. Entretanto hay otros problemas secundarios que resolver.

Bob North se encogió de hombros.

—Lo más importante es la querella. La situación, según yo la veo, es que, aparte de eso, todo lo demás será un asunto que durará una semana y después se olvidará y podremos volver a nuestro trabajo —dijo.

—No lo creo, North —repuso Olson, dominando apenas la irritación—. Las personas importantes para nosotros en la ciudad no olvidan tan fácilmente, y este asunto les viene al pelo.

—¿Se refiere a Farman? —preguntó Marino.

Olson asintió con la cabeza.

—He hablado ya por teléfono con el comité de empresa y me han dicho que los sindicatos están presionando mucho y que la dirección ha decidido seguir adelante con el centro de salud.

—¿Y a cuento de qué viene aquí ese jodido centro de salud? —replicó North con tono despectivo—. Que un médico nuestro cometiese un error no significa...

—Estaban al acecho de una cosa así —exclamó Olson con irritación—. Sabe de sobra que hace meses nos previnieron de que no estaban satisfechos con el servicio, alegando que la asistencia era muy cara.

—¡Tonterías! —le interrumpió North alzando la voz—. El hospital dispone del personal y de los servicios adecuados para esta comunidad.

—Ellos no lo ven así, North —replicó Olson, alzando también la voz, y tanto suegro como yerno lo miraron; a su rostro había enrojecido y nunca le habían visto tan a punto de perder su flema.

—North, tiene que comprenderlo —añadió, conteniéndose y volviendo a su tono habitual—. Decirles que nosotros no lo consideramos así ni pincha ni corta. Farman nos ha apoyado en el pasado, nos ha financiado cuando necesitábamos construir un pabellón o queríamos adquirir equipamiento. Siempre han canalizado sus asuntos médicos hacia los médicos locales y el hospital, y ahora, por una serie de razones, parte de las cuales conocemos, han decidido construir su propio centro médico. —Olson respiró hondo, asombrado de que tuviera que explicarle todo aquello a Bob, que resultaba el mayor perjudicado—. De todos modos, Erica Barnes ha establecido una buena relación con algunos de los sindicalistas más importantes y no abandonamos el asunto.

—Ajá. Ya lo creo que ella puede convencerlos, de un modo u otro —comentó North con una sonrisa.

—Tenemos que hacer algo positivo para que Farman no prescinda de nosotros —prosiguió Olson, pasando expresamente por alto el comentario de Bob, pero una aspereza en su tono delató que le había molestado—. Tal como van las cosas, y el señor Marino sabe que tengo razón, lo cierto es que dentro de un año habremos dejado de ser un hospital en toda regla y quedaremos relegados a la categoría de centro de socorro y simple dependencia del Centro Médico de New Coventry.

—O surgirá en escena un hospital privado que llegue a un trato con Farman para aportar sus propios médicos y personal sanitario —dijo Marino, sonriendo a North—. A lo mejor te dan un puesto en urgencias o en la lavandería, Bob.

North enrojeció.

Olson se dirigió a Tony Marino:

—Lo que tenemos que hacer, señor Marino, y lo he hablado con la dirección de Farman, es lograr que el consejo de administración autorice una inversión para poner al día nuestros laboratorios, construir un nuevo departamento de urgencias con mejores servicios y mejorar las consultas de pacientes ambulatorios para que sus trabajadores no tengan que esperar horas a ser atendidos. De todos modos, me temo que cuanto hagamos va a ser insuficiente y llega tarde.

—Los pacientes no esperan tanto en urgencias —protestó North, aún molesto—. Yo personalmente he presenciado...

—North —le interrumpió Olson—, ¿no recuerda el año pasado, cuando boicotearon el hospital dos semanas seguidas por el fallecimiento que se produjo en urgencias?

Bob se hundió en la silla. Él era el cirujano de guardia aquella noche, y su demora en hacer acto de presencia en el hospital había sido en parte la causa del desaguisado.

—¿Por qué no le decimos a Farman —terció Marino— que vamos a renovar equipamiento y todo eso que reclaman para que no sigan adelante con su proyecto?

—Porque ya lo hemos hecho antes —replicó Olson—. Es el argumento que esgrimí hace casi un año, pero el consejo de administración no lo aprobó.

Tony Marino entrechocó los puños en gesto de frustración.

—Ese maldito consejo de administración... No puedo lograr que se mueva. No entienden nada y son tan tacaños como si el dinero saliera de sus bolsillos.

—No es sólo eso —dijo Bob, viendo la oportunidad de congraciarse con su suegro—. Es un asunto clasista. No puedes conseguir nada del consejo de administración porque no eres rico de solera ni de una vieja familia con hacienda.

La cólera de Tony Marino habría debido poner de punta los pocos pelos que le quedaban a North, pero él continuó hablando alegremente, ignorante del peligro.

—A ti, Tony, te han nombrado presidente porque tienes dinero y te gusta el cargo, pero nunca obtendrás su respeto y cooperación.

—Ni la tuya, por lo visto —replicó Marino, mirándolo fijamente—. Pero ése es un problema al que voy a dar solución.

Como no quería que la disputa arreciara, Olson preguntó qué pensaban que debía hacerse respecto a Anselm Harris.

—Exacto —dijo Tony Marino, sin dejar de mirar encolerizado a Bob—. Ésa es la siguiente decisión que debemos adoptar. Hay que dilucidar si es mejor apoyar a Harris en todo o hundirle en público y despedirle.

Se hizo un silencio mientras los tres reflexionaban. La manera en que Tony Marino lo había planteado era brutal pero al menos no dejaba lugar a ambigüedades.

—El hospital ha actuado de buena fe —dijo Olson—. Cuando nos llegó su nombre para considerar su incorporación al hospital, sabíamos lo del juicio por negligencia y todo el mundo tuvo ocasión de comentarlo. Se hicieron las preguntas pertinentes y se contestaron satisfactoriamente. No podemos responsabilizarnos de todo lo que sucede en el hospital. Al fin y al cabo, Harris no es aquí el único médico que ha sido objeto de un juicio por negligencia profesional.

—Cuando llegó, examinamos minuciosamente su historial —añadió Marino, en apoyo de lo que decía— y su solicitud pasó por una serie de comités que dijeron que estaba bien cualificado y que su inculpación en aquel juicio había sido una mala suerte.

—Peter Delafield nos aminó a aceptarle —dijo Bob—. De no haber sido por la defensa que hizo de él, Harris no habría entrado en el hospital.

—La votación fue unánime —precisó Olson—. North, usted estuvo en los dos comités y votó a favor.

—Fue por presiones —replicó, alzando la voz a modo defensivo—. Igual que los demás.

—Bien, contemplemos los pros y los contras en la presente situación —dijo Marino—. ¿Cuáles serían las razones para apoyar a Harris?

—La coherencia —contestó Olson—. Nos dará buena imagen apoyar a uno de los nuestros que se halla en apuros.

—Y además demostramos que mantenemos nuestra decisión de otorgarle prerrogativas —dijo Marino—. Si admitimos que metimos la pata, nuestra posición legal se debilita, ¿verdad, Stefan?

Olson asintió con la cabeza.

—¿Algo más? —preguntó.

Nadie dijo nada.

—Razones para despedirle —dijo Marino, sacando un puro y cortando la punta antes de llevárselo a la boca y darle fuego. El mechero lanzó una llama de varios centímetros y Olson y Bob contemplaron en silencio cómo lo encendía.

—Cuando esta mañana hablé con el comité de Farman —dijo Olson midiendo las palabras—, me dijeron que los sindicatos quieren que despidamos inmediatamente a Harris. Puede que sea una estratagema, pero si nos decidimos a despedirle, podrán ver que les tomamos en serio. Si a eso añadimos algunas mejoras en el hospital, podríamos lograr disuadirles de que lleven adelante su centro médico.

—Bien pensado —dijo North—. En cualquier caso, no podemos apoyar así como así a una persona como Harris, que cuenta en su haber con una inculpación y que ha vuelto a cometer un error. Sugiero que nos traguemos el sapo de habernos equivocado, pero demostremos que somos capaces de meter en cintura a nuestros médicos y de adoptar decisiones drásticas cuando llega el caso.

Tony Marino miraba desabridamente a su yerno.

—Bob —dijo—, me resultarías más convincente si no supiera que estás mirando por tus propios intereses. Y también sé por qué hiciste caso a Peter Delafield cuando metió a Harris en el hospital.

—¿Ah, sí? ¿Por qué? —Sus esporádicos esfuerzos por llevar la contraria a su suegro le ponían en ridículo, y le mortificaba darse cuenta.

—Porque tus consultas comenzaban a disminuir y

gran parte de ellas procedían de Delafield; por lo que pensaste que si le seguías la corriente en lo de Harris, aún obtendrías parte del pastel, mientras que si le llevabas la contraría te quedabas a pico seco.

—Bah, no ha sido así ni mucho menos —replicó Bob North—. Desde que Harris llegó, Delafield no me ha enviado ningún paciente, a no ser que se tratase de alguien que yo hubiera tratado u operado antes.

—¿Pretendes hacerme llorar? —le espetó Marino—. Lo que no pareces entender es que en primer lugar hay que mirar por el hospital. Y si lo hacemos bien, dejaremos al cuerpo médico y la administración en buen lugar. Mientras que si seguimos tu ejemplo y pensamos únicamente en los ingresos y en la fama personal, nos hundimos todos.

—Sí, Tony, de acuerdo, claro; pero no acabo de ver...

—Ya sé que no lo ves —le interrumpió Marino, agotada su paciencia—. No te esfuerces. A partir de ahora limítate a hacer lo que yo te diga. —Se volvió hacia Olson—. Bien, ¿qué opina? ¿Defendemos a Harris o lo echamos?

—Hay otra cosa que afecta a la decisión que adoptemos —dijo Olson—. Ya antes del caso Bracknell la plantilla médica estaba dividida respecto a Harris. Si le despedimos puede que ello ejerza un buen efecto sobre la unidad y la moral de los médicos.

Bob North asintió varias veces con la cabeza sin decir nada, temeroso de que Tony volviera a reprenderle.

—Entonces, creo que hay que despachar a Harris, ¿no? —dijo Tony Marino, mirando a uno y otro sucesivamente.

—Yo diría que sí —contestó Olson.

—Qué duda cabe —añadió North.

—Pues bien —dijo Marino—, ahora hay que pensar en el mejor modo de darle la patada a Harris sin dejar suelto ningún cabo legal; no sea que nos encontremos con otra demanda.

—Él no planteará problemas —dijo North con plena confianza—. Lo conozco y se marchará sin rechistar.

25

Como siempre, Stefan Olson sintió alivio una vez que Tony y Bob salieron del despacho. Miró la agenda del escritorio y vio que Erica Barnes tenía hora para verle antes de reunirse con los sindicalistas de Farman.

Pensó en ella un instante. Erica desempeñaba muy bien su trabajo y realizaba mejor que él tareas relacionadas con otras personas porque era de allí, lista, mujer y guapa. Por supuesto que había sentido la tentación de establecer una relación con ella, dado que, igual que él, era soltera, pero Olson siempre había ido con cuidado de no mezclar trabajo con placer, y hasta el momento había resistido a su propia inclinación y a los esporádicos pero evidentes intentos de flirteo por parte de ella. A veces una voz interior le decía que si era listo podía hallar el modo de combinar trabajo con placer, y así sería un hombre realmente feliz; pero el caso Bracknell había desplazado tales ideas de su cabeza.

Llamaron a la puerta y entró Erica, esplendorosa con chaqueta de deporte roja, falda negra y medias oscuras.

—Los va a dejar patidifusos —le dijo—. Está impresionante.

Erica sonrió. No le decía ninguna novedad.

Estuvieron hablando unos veinte minutos sobre la entrevista que iba a sostener, y luego Erica miró el reloj.

—Bueno, me marcho —dijo—. En cuanto acabe volveré a contarle el resultado.

Sabía imprimir un ligero contoneo seductor a sus andares y así lo hizo durante el trayecto hasta la puerta.

Ocasionalmente, Erica Barnes celebraba una reunión oficiosa con su homólogo Andy McKeown de Industrias Farman a las que a veces asistían los representantes sindicales. Erica había iniciado aquellas entrevistas un año atrás a sugerencia de Olson, debido a la importancia que representaba Farman para el hospital y porque ya por entonces las relaciones se habían puesto tirantes.

Se veían en la cafetería del hospital por la tarde, cuando no había demasiado ajetreo.

Andy McKeown era subdirector de Farman Industries llevaba las relaciones públicas, y Big John Abrams era dirigente sindical. El día era frío y los dos aparecieron en la cafetería embutidos en parkas, Big John caminando pesadamente detrás del ligero Andy.

A Erica, que les esperaba en una mesa al fondo del largo salón, le pareció notar algo sombrío en su gesto, aun desde lejos.

Se acercaron a la máquina a servirse un café y se dirigieron a la mesa con la taza, sentándose uno a cada lado de ella.

Tras las bromas iniciales, Andy tomó la palabra.

—Imagino que el ventilador está esparciendo toda la mierda del asunto Bracknell, ¿no, Erica?

—Es el problema que tenemos ahora mismo —contestó ella sonriente—. Felices de vosotros que trabajáis en una buena industria sin riesgos como Farman.

Los dos se echaron a reír.

—He leído en los periódicos lo del doctor Harris —dijo Big John Abrams—. ¿Pero cómo puede ser que admitieran a un tipo así en el hospital?

—John, no te creas todo lo que lees —replicó Erica con una sonrisa forzada—. El doctor Harris ha realizado una excelente labor en el hospital y todos nos sentíamos muy satisfechos de que estuviera en plantilla. Aunque, por supuesto, ahora estamos averiguando todo lo que ha pasado, y si ha hecho algo mal se adoptarán las medidas oportunas.

—Es que tiene gracia, Erica —replicó el sindicalista—, pero en este asunto Bracknell es ese doctor Harris el que más molesta a nuestros afiliados. Y es por el hecho de que fuese expulsado de Nueva York para acabar dando asistencia médica a los de aquí, como si a nosotros nos asignaran los desechos de la profesión.

—La dirección también está molesta por ello —dijo Andy—. Y en la fábrica esta semana la gente dice: «¿Estás cansado de vivir?, pues ve a la consulta del doctor Harris.»

—Exacto —asintió pesadamente con la cabeza Big John—. Y por eso estamos por primera vez de acuerdo con la dirección, Erica. Hemos decidido apoyar su proyecto de construcción del centro médico para asistencia del personal.

—¿Ya está aprobado?

—A punto —respondió el sindicalista—. Tenemos una reunión conjunta mañana para ratificar el plan, en principio. Así podrán proseguir con el proyecto. Ya han visto un solar.

—¿Y qué creéis que van a tener vuestros afiliados en la clínica de empresa que no tengan en el hospital? —preguntó Erica.

—Mejores servicios —replicó Andy.

—Y más baratos —añadió John.

—Eso es seguirle el juego a la empresa, ¿no, John? —bromeó Erica, pero Andy y John la miraron desconcertados, pensando que de haber salido de boca de un hombre tal comentario se habría ganado un puñetazo.

—Bien, bien —prosiguió ella con cierta sorna—, no sois los únicos. Yo también tengo que seguirle el juego a la dirección.

De una sacudida, John hizo asomar un cigarrillo del paquete, pero recordó la prohibición de fumar en el hospital y volvió a introducir el Camel en la cajetilla. Andy, que había abandonado el tabaco años atrás, le dedicó una sonrisa.

—¿Habéis estado alguna vez en una clínica de empresa como la que quieren construir? —preguntó Erica.

—Sí, yo he estado en la de United Pharmaceutical en New Coventry hará un año —contestó John—. Me acompañó Andy y nos la enseñaron toda. Y me causó buena impresión.

—Ya lo creo —añadió Andy—. Todo nuevo, limpio y moderno.

—¿Y hablasteis con algún médico? —quiso saber ella, que también la había visitado.

Se hizo una pausa.

—Sí, hablamos con uno —dijo John.

—¿Y qué os pareció?

—Pues, la verdad, no me enteré muy bien de lo que dijo —respondió John, haciendo crujir la silla al reclinarse.

—Era un coreano —precisó Andy—. Parecía una persona muy agradable, ¿no crees, John?

—Sí que lo era.

—Además, tienen que ser buenos médicos, porque de lo contrario no les dejarían ejercer en Estados Unidos, ¿sabes?

—En la clínica de United Pharmaceuticals solía haber doce médicos —dijo Erica—. Los únicos que querían trabajar en ella eran médicos extranjeros. Por lo visto todas las clínicas de empresa del país tienen el mismo problema.

Erica se reclinó en la silla, dejando que asimilaran el dato.

—¿Y qué opináis sobre la circunstancia de que un accidentado llegue a esa clínica y no pueda entender al médico que le atiende ni el médico le entienda a él? ¿Y si el accidentado es tu niño o tu esposa? —Se volvió hacia Andy—. ¿Te gustaría poner a tu hijo en manos de un médico así, Andy?

Erica sabía que tocaba fibras sensibles, porque la mujer de Andy iba a dar a luz en un plazo de tres meses.

John y Andy se miraron.

—Bien, en esa clase de clínicas lo que suelen tratar son cosas fáciles —prosiguió Erica—. Apenas se presenta una complicación menor, ¿qué sucede? Si un paciente necesita más análisis o tratamiento del que pueda ofrecer vuestra clínica, ¿qué créeis que hacen?

Andy contestó tras un breve silencio:

—Supongo que os lo remiten aquí.

Erica meneó la cabeza.

—Ni mucho menos. Si Farman construye esa clínica, este hospital quedará cerrado a todos los efectos, porque la mitad de la actividad revierte a los trabajadores de vuestra empresa y a sus familias. No; para cualquier cosa que sobrepase la atención médica mínima tendréis que ir a New Coventry. Si se trata de algo grave, por ejemplo una embarazada que sufre una hemorragia, la llevarán en ambulancia. Y se tarda una buena hora. Y eso si no hay hielo o niebla en la carretera.

Los dos hombres se miraron con inquietud.

—No obstante, supongo que la empresa obtendrá la mitad de lo que se propone —añadió Erica, dando un sorbo de café y mirándolos con sus claros ojos avellana.

Andy y John le sostuvieron la mirada.

—¿Qué mitad? —inquirió John—. ¿A qué te refieres?

—La empresa obtendrá una reducción del gasto médico, qué duda cabe. Pero más vale que vosotros os hagáis a la idea de que vuestros afiliados y sus familias no van a obtener nada parecido a la calidad y dedicación de servicio que encuentran aquí.

Erica escenificó el momento de levantarse y dirigirse a la máquina a rellenar la taza de café, mientras con el rabillo del ojo les observaba discutir inclinados uno sobre otro.

Cuando volvió a la mesa, Andy formuló una pregunta.

—Has dicho que United Pharmaceutical solía emplear doce médicos en su clínica —dijo sonriente, pensando que iba a pillarla desprevenida—. ¿Significa eso que han ampliado la plantilla y ahora tienen más?

—Significa que la clínica cerró hace ocho meses —contestó Erica—, porque los empleados y sus familias se negaban a acudir a ella. Fue casi como una huelga.

Poco después concluía la entrevista. Andy y John volvieron a sus coches y estuvieron hablando seriamente casi media hora antes de abandonar el hospital.

El día siguiente de la apasionada velada con Michael Parrett, Lucille lo vivió con una fuerte sensación de satisfacción sexual y una profunda y dolorosa añoranza. Michael Parrett era el amor de su vida, estaba segura. Era un amante maravilloso, sensible, considerado, cuidadoso y enamorado de ella... Le temblaban las piernas al recordarle encima, detrás, penetrándola con ardor...

Se daba cuenta de que ahora tenía que consolidar la relación. Pero habría que hacerlo planificadamente. Un hombre con tanto magnetismo y atractivo como Michael Parrett no iba a renunciar a su libertad así como así. En el pasado, Lucille nunca había conseguido llevar un amante al altar, y siempre, una vez pasado el mal trago, había analizado las causas de su fracaso. Ahora, con suficiente experiencia y conocimiento de la psique masculina, saldría victoriosa de la prueba. No podía fracasar; el resto de su vida dependía de ello.

La secretaria de quirófanos entró en el despacho de Lucille.

—El señor Olson dice que le llame. ¿Se encuentra bien, señorita Heinz? —añadió al ver la mirada vacua, casi atolondrada de ella.

Lucille se quedó mirándola fríamente.

—Claro que me encuentro bien —replicó—. ¿Cuándo ha llamado el señor Olson?

—Hará unos diez minutos —contestó la secretaria—. ¿Quiere que le ponga con él?

—No; le llamaré desde aquí.

Había notado la actitud de la secretaria, y de inmediato había pensado si cabía la posibilidad de que la joven se hubiese enterado de su aventura con Michael. Quizá alguien les había visto en el hotel o en el restaurante.

—Haga el favor de venir a mi despacho —dijo Olson momentos después al llamarle ella—. Ahora mismo, si no le importa.

Toda clase de pensamientos se aglutinaron en su cabeza mientras se dirigía apresuradamente a las oficinas administrativas en la primera planta. Tal vez les hubiera visto alguien y Olson iba a echarle la bronca por hacer amistad con un periodista. O quizá habían descubierto todas las horas extras que había acumulado en los últimos meses, o —¡Dios, no!— puede que alguien hubiese descubierto de quién procedía la información publicada por el *New Coventry Herald*.

—Lucille, siéntese, por favor —dijo Olson, alzando la vista del escritorio. Tenía grandes ojeras y parecía cansado y diez años más viejo. Lucille tomó asiento, juntando púdicamente las rodillas. Las palmas le sudaban y entrelazó las manos con fuerza en el regazo, mirando con sus ojos claros a Olson.

—Quiero que prepare un informe completo sobre la operación de Denton Bracknell. —Alzó la mano al ver que ella se disponía a protestar—. Ya sé que es una petición poco corriente, pero necesito ese informe. Ya hay bastantes problemas con este caso, hay muchos interrogantes en el aire y quiero estar seguro de que cubrimos todas las eventualidades y que el hospital indaga en todas las fuentes de información relativas al caso.

—Señor Olson, ¿qué quiere que escriba exactamente? No estoy muy segura de la clase de informe que me pide.

—Bien, pues todo lo que sucedió: la hora de entrada y salida del paciente, su estado, cualquier problema que surgiese durante la operación, cualquier discrepancia con otros médicos, esa clase de cosas —dijo Stefan, haciendo hincapié en ciertas palabras, y Lucille lo comprendió.

—Muy bien —dijo ella, poniéndose en pie con una extraña mirada en sus ojos grises—. ¿Cuándo lo quiere, señor Olson?

—Hoy —replicó Stefan—. Redáctelo ahora que aún tendrá la memoria fresca y recuerda los detalles.

—Se lo entregaré esta tarde —dijo Lucille, decidida, conscientemente feliz porque el informe iba a ser no sólo un clavo más en el ataúd de Anselm Harris, sino un señuelo para atraer temporalmente a Michael mientras le echaba el anzuelo definitivo.

26

Al día siguiente, Valerie volvió a Glenport con ganas, por una parte, de celebrar la siguiente entrevista con Anselm, y por la otra, sin ganas de celebrarla. Aquel hombre tenía algo que la turbaba; en la primera visita le había parecido un individuo con absoluto dominio de su vida y su situación, pero estaba claro que aquella sólida base de logro profesional cedía bajo sus pies. ¿Se daba él cuenta de ello? ¿Estaba ciego al punto de no ver lo que sucedía alrededor, o simplemente fingía indiferencia para aprestarse a la defensa?

Valerie advertía ya las nubes que se cernían sobre

él; su instinto, más lo que había visto y sabía de Anselm Harris, le decían que aquel hombre era demasiado sincero, demasiado incólume para ganarse las simpatías de sus colegas, y ella sabía de qué modo trascendía una actitud así. Un médico simpático, que recibiera muchas visitas, fuese respetuoso con los colegas que recurriesen a él, con buen humor, que jugase al golf con las fuerzas vivas locales, podía salir bien librado hasta de un asesinato; y ella había oído hablar de muchos casos así. Pero, durante la entrevista, en un par de ocasiones, había tenido la impresión de que aquel hombre, bajo su apariencia, ocultaba algo; intuía un humor sutil, pero habían sido impresiones fugaces.

El tiempo era bueno y la vista sobre el río desde el puente Gold Star de New London era espectacular. A la derecha se divisaba un puñado de velas blancas avanzando despacio como una perezosa bandada de gaviotas a pocos metros del agua. Más arriba, la fantasmagórica forma gris de un submarino nuclear Trident ponía rumbo a mar abierto desde la base, arrastrado por dos remolcadores. Parecían hormigas tirando de una polilla.

Aquella distracción momentánea era agradable, pero al centrar de nuevo su atención en la monótona conducción por la interestatal 95, el caso de Harris volvió a ocupar su mente. Repasó todas las alegaciones expuestas en el sumario, cayendo en la cuenta de que las palabras *negligencia deliberada, incompetencia y mala conducta profesional* aparecían repetidamente, y por un instante sintió pena por el doctor Harris. Pero no era la primera vez que se veía en una situación así, pensó, y tal vez sí había sido negligente e incompetente. Pero ahora no se trataba de eso; su trabajo era defenderle y explicar todos sus actos de un modo que demostrase que era una persona consciente y un cirujano capaz que había hecho cuanto podía por el paciente al intervenirlo a causa de una afección irreversible e incurable.

No es que estuviera estructurando la defensa, ni intentando entender todo lo que había sucedido mientras Denton Bracknell estaba al cuidado de Harris; se limitaba a consolidar la empatía hacia su defendido, a indagar cómo funcionaba su mente y cuáles eran sus motivaciones; sin saber por qué, intuía que era lo primordial para conseguir que los hechos fuesen paulatinamente situándose en perspectiva. Por otra parte, Anselm se había puesto a la defensiva al preguntarle sobre los aspectos no profesionales de su vida, ante lo cual ella había optado por no hacerle ninguna otra pregunta que no estuviera directamente relacionada con el caso. Como le habían advertido en cierta ocasión, hacer preguntas directas es la manera más grosera y menos eficaz para obtener la respuesta que se requiere.

La velocidad del tráfico se redujo de pronto y durante quince minutos se vio a la zaga de un autobús escolar lleno de quinceañeros, chicos que apiñados contra la ventanilla trasera daban gritos inaudibles, saltos, y hacían muecas. Uno de ellos le dirigió un obsceno gesto con el dedo medio, pero en cuanto ella sacó la mano por la ventanilla y se lo devolvió con energía, desaparecieron todos de su vista.

Terminada la distracción, Valerie se preguntó si estaba obviando la parte de mayor envergadura, la médica, para recrearse con la fácil, como era adquirir el conocimiento de la personalidad del cliente. Ya se había percatado de que el caso Bracknell era muy complejo y que le iba a llevar mucho tiempo organizar el plan idóneo de defensa.

Su pensamiento volvió a Ralph Stern y se echó a reír al recordar la cara que había puesto al verse obligado a celebrar su trabajo precisamente cuando tanta animosidad tenía por echarla a la calle. Se rió al recordarlo, pero sus puños se cerraron, consciente de que podía deshacerse de aquel gordinflón fofo y dejarle fácilmente fuera de juego. Se dio cuenta de que su mente comenzaba a desviarse del objetivo marcado. «Vamos, muchacha —se dijo—, piensa en lo que te traes entre manos; hay mucho en juego, y no sólo por el cliente.»

Pero por algún motivo su mente no cedía y, cuando quiso darse cuenta, se encontraba en la salida a Glenport en una curva cerrada que desembocaba en la carretera de dos carriles que llevaba al centro de la ciudad.

Al entrar en la consulta vio que no estaba la recepcionista y pulsó el timbre; momentos después se abría la puerta del despacho y aparecía Anselm. Valerie tuvo la fugaz impresión de que se alegraba de verla.

—Lo siento —le dijo, sonriendo—. La madre de Melanie está enferma y no he podido encontrar a nadie que la sustituya. Pase. ¿Café?

—Sí, gracias.

Harris fue a prepararlo y poco después regresaba con dos tazas. Le dijo que había recibido una copia del informe del almirante Ellis, complementando al informe de la autopsia que había llegado la víspera. Sacó los documentos de un cajón del escritorio y los puso junto a los demás papeles. El informe del almirante estaba encuadernado y llevaba un sello rojo de CONFIDENCIAL en la portada. A Valerie se le antojó temible, cual si el éxito o el fracaso de la vista ante los tribunales dependiese del contenido del mismo.

—Bien —dijo en tono enérgico—. Luego lo examinaremos. Ahora vamos a repasar el ingreso del señor Bracknell en el hospital; dígame cómo se produjo y todos los detalles que recuerde hasta que usted traspasó la responsabilidad a los médicos de la marina.

La reconstrucción llevó más tiempo del esperado. Valerie tomó un cúmulo de notas, y quería saber todos los detalles del incidente en el pasillo y quién estaba encargado del servicio en aquel momento.

Después cambió la orientación de las preguntas.

—¿Cree que a Bracknell le dio la misma atención que a cualquier persona en las mismas condiciones? —inquirió; y prosiguió al contestar Anselm afirmativamente—. Van a insistir sobre el hecho de que no le trasladó inmediatamente. Que usted sepa, ¿le habrían atendido de otra manera en el Centro Médico de New Coventry o en el hospital de la marina en Bethesda?

Anselm había reflexionado al respecto.

—No —contestó—. No lo creo. Naturalmente, los médicos de la armada dirán que sí, alegando que ellos disponen de mejor personal y de equipamiento más moderno, pero básicamente las pruebas habrían sido las mismas, habrían llegado a las mismas conclusiones y se habría hecho la operación; estoy seguro. Lo que sucede es que las cosas siempre se ven distintas en retrospectiva.

Valerie alzó la vista, inquisitiva.

—Sí, es un recurso facilón —añadió él, sonriendo—. Muy útil pero desgraciadamente sólo aplicable con posterioridad.

Ella le sonrió a su vez y sintió una simpatía inesperada por Anselm, y se preguntó si ella sería capaz de mostrar aquella clase de humor al ver amenazado su medio de subsistencia.

A continuación cogió el informe de Lucille Heinz.

—¿Es un procedimiento normal? —inquirió—. ¿Redacta siempre un informe la encargada del quirófano?

—Es la primera vez que veo que se haga. Imagino que habrá sido por tratarse de un caso que tanto ha trascendido fuera del hospital.

—No es muy favorable, ¿verdad? —dijo ella después de leer las hojas mecanografiadas.

—No, Lucille Heinz me detesta por motivos en los que no voy a entrar ahora. Estoy seguro de que se ha alegrado de tener semejante oportunidad.

Valerie miró a Anselm; se sentía incómoda con

aquellas abismales diferencias de opinión que recogía del ámbito hospitalario a propósito de cómo se había atendido a Bracknell. Echó una ojeada al informe del doctor Burton, que también había leído.

—De hecho —dijo, dando unos golpecitos en los documentos—, estos dos informes son igual de desfavorables, ¿no le parece?

Anselm asintió con la cabeza.

Valerie frunció el ceño.

—¿El personal del hospital le estima? El director debe haber pedido esos informes a sabiendas de que serían accesibles a los abogados de la demandante. —Hizo una pausa, tratando de imaginarse qué sucedía tras los ojos grises de Anselm Harris—. ¿No habrá algún motivo para que se coaliguen contra usted?

—Es posible —contestó Anselm; no creía que fuera el momento de entrar en elucubraciones—. Hay motivos por los que el hospital puede desear deshacerse de mí, pero no creo que tengan relación con este caso.

Valerie rebuscó entre los papeles, previniéndose contra la posible tirantez que iba a producirse.

—Doctor Harris, en algún momento habrá que hablar del anterior juicio por negligencia. Creo que podríamos hacerlo ahora, si no le importa.

—De acuerdo —respondió Anselm—. Los periódicos ya se han ensañado lo suyo.

—Supongo que sabrá que, oficialmente, no se sabe nada de ese juicio. Si llegamos a una vista con jurado, el abogado de la demandante ni siquiera podrá mencionarlo a menos que cometamos un error y sea admitido como prueba. El problema está en que los miembros del jurado también leen los periódicos y, aunque se les advierte que no tomen en consideración pruebas de esa naturaleza, suele ser preferible plantearlo abiertamente, y más si podemos hacer una refutación o al menos exponerlo desde distinta perspectiva.

Anselm miraba hablar a Valerie y se la imaginaba exponiendo su caso ante el tribunal. Vestía una blusa blanca de seda y una falda beige de gabardina fina, con un cinturón azul oscuro de discreto reborde dorado en complemento con sus medias y zapatos negros. Un conjunto bastante sencillo y seguramente no demasiado costoso; pero tenía clase y acentuaba su atractivo. Por primera vez le distraía su aspecto físico, y tuvo que hacer un esfuerzo para concentrarse en lo que le decía.

—¿Quiere que se lo cuente? De acuerdo, se lo explicaré todo tal como sucedió.

Se reclinó en la silla. Había reflexionado tanto sobre aquel caso que se había curado del primer impacto emocional, aunque todavía a veces se le crispaba el estómago al pensar en la historia.

—Una noche que estaba de guardia en urgencias del hospital de Queen's —comenzó— se produjo un gran revuelto en la puerta y entró aquel invididuo con un numeroso cortejo. Era un senador del estado llamado Andy Panneterio, de unos sesenta años y muy importante a nivel local, supuestamente vinculado a diversas bandas mafiosas. Conocía a casi todos los de urgencias por su propio nombre. Bien, su chófer, a quien llamaban Em, de Emilio, le había estampado la portezuela del coche sin querer en la pierna y, aunque no era una herida aparatosa, tenía mal aspecto; había algo de marmorización y los reflejos del tobillo estaban disminuidos. Le dije a Panneterio que era preciso hacerle unas pruebas para aplicarle el tratamiento adecuado, pero él había bebido unas copas, estaba muy parlanchín y se negó rotundamente; sólo consintió en que se le aplicara un apósito en la herida. Bien, le caí simpático y él indicó a uno de sus muchachos que metiera algo en un sobre para mí; resultó que eran seis billetes de cincuenta dólares. Cuando se marchaban, y yo persistía en que se quedara para hacer las pruebas y ponerle un tratamiento, devolví el dinero a Em y le dije que se lo entregara a su jefe cuando llegasen a casa.

»Al día siguiente me llama un tal Joe diciéndome que Andy tiene la pierna hinchada y enrojecida, y yo le digo que lo traiga inmediatamente a urgencias; pero no ocurrió así.

»Un día más tarde, Em, el chófer de Panneterio, se presenta en urgencias. Estaba vivo pero con conmoción cerebral y el rostro enrojecido. A continuación recibo una llamada del médico jefe de urgencias del Beth Israel de Manhattan. Panneterio había ingresado con coma diabético y la pierna ya gangrenosa. El médico estaba furioso y me preguntaba por qué había consentido que aquel paciente abandonara el hospital cuando su estado de gravedad era tan evidente, y me requirió una copia del historial.

Anselm hizo una pausa y miró a Valerie. Le interesaba mucho que entendiese lo que en realidad había sucedido y no lo que la prensa había contado. Ella permanecía sentada, mirándole, escuchándole atenta y haciendo anotaciones, sin interrumpirle.

—La ficha, en principio, no aparecía en el archivo; la encontraron al día siguiente, pero no pasó por mis manos. Panneterio murió y unos días después me demandaron por negligencia profesional por no haberle ingresado, no haber diagnosticado diabetes, no advertir que tenía una pierna pregangrenosa y una docena de cosas más.

—¿Quién fue el abogado de la viuda?

—Un maleante, un tipo que trabajaba exclusivamente para peces gordos de la mafia. No quisieron llegar a conciliación y cuando se celebró el juicio, demostraron que el historial de Panneterio había sido manipulado, implicándome a mí en ello. Además, presentaron dos enfermeras que testificaron haber visto cómo me embolsaba el dinero y le decía a Panneterio que sólo necesitaba un apósito en la pierna —añadió con sonrisa triste—. Una de aquellas enfermeras ni siquiera estaba en el hospital el día en que ingresó Panneterio.

—¿Recuerda el nombre del abogado?

Anselm se lo dijo y ella lo anotó.

—¿Y su abogado no presentó testigos, por ejemplo, las enfermeras de urgencias que le vieron atender a Panneterio?

Anselm se echó a reír.

—¡Pero qué dice! Será que no conoce Queen's; allí a ninguna enfermera que quiera conservar su bonita cara y el empleo se le ocurriría testificar en contra de la viuda de Andy Panneterio. Y mi abogado... —añadió, cerrando los puños—, era un borracho. Se le olía el aliento a cien metros. Además, se había hecho a la idea de que no iba a ganar el caso, y no lo intentó. Ni siquiera trató de impugnar el historial manipulado. —Echaba chispas por los ojos pensando en la rabia y la frustración—. Y después me enteré de que también estaba a sueldo de la mafia.

Valerie seguía tomando notas y no dijo nada más sobre aquel juicio, pero preguntó:

—Doctor Harris, ¿ha tenido alguna otra demanda por negligencia profesional?

—No. Me citaron en otra hace varios años, pero después borraron mi nombre y, de todos modos, no se llegó a juicio.

A continuación Valerie se puso a revisar puntos del historial de Bracknell. Alzó la vista del bloc que apoyaba en la rodidlla, esforzándose por aparentar dominio y seguridad; lo cierto era que casi todo lo que Anselm había mencionado y gran parte de la terminología médica del informe lo había asimilado.

—En primer lugar, como ya le he dicho, no estoy muy al corriente de cierta terminología médica. Tendrá que ayudarme cuando me atasque, ¿de acuerdo?

Anselm sonrió, pensando en que era preferible tratar con una abogada ignorante que con un imbécil o un borracho, o las dos cosas en el caso de O'Conell. La ignorancia tiene remedio.

—Mientras trasladaban a Denton Bracknell desde la isla Carver, fue el doctor Delafield quien indicó el tratamiento, ¿no?

—Sí. Pero yo no sé qué les dijo a los del barco. Tendrá que verificarlo con él.

—Lo haré. Cuando Bracknell ingresó en el hospital, lo hizo como paciente del doctor Delafield, ¿no es así?

—Sí, yo no le atendí hasta...

—Ya llegaremos a ello —dijo Valerie—. Así pues, ¿fue el doctor Delafield quien rellenó el formulario de ingreso, las prescripciones y decidió a quién consultar?

Anselm dio unos golpecitos sobre el historial.

—Sí; ahí figura todo.

—Bien, si un internista pide a un cirujano que examine a un paciente, ¿significa eso que le traspasa la entera responsabilidad?

—No, si únicamente le pide su opinión.

—¿Y cuando el cirujano aconseja una intervención quirúrgica?

—En ese caso se suele trasladar al paciente al servicio del cirujano y éste mantiene en servicio al internista.

—Cuando dice «en servicio», ¿quiere decir que el primer médico comparte la responsabilidad y adopta decisiones a medias con el cirujano respecto al cuidado del paciente?

—Exacto. Generalmente el internista adopta decisiones en lo relativo a su propia especialidad, como es la medicación, tratamiento de problemas subsidiarios y cosas así. Mientras que el cirujano se responsabiliza de los problemas relacionados con la especialidad de cirugía.

Anselm sabía hacia dónde se encaminaban las preguntas.

—Ya —comentó Valerie, anotando algo en el bloc amarillo, hizo una pausa y miró a Anselm. Tenía ojos verde claro y él se recreó en ellos—. He leído sus anotaciones y me ha dado la impresión de que hasta el momento en que se adoptó la decisión, usted se mostraba reticente a operar.

Anselm se reclinó en la silla y entrelazó las manos detrás de la cabeza. La sonrió y de pronto ella advirtió un algo en él vulnerable, de chiquillo.

—Así es —contestó—. Eso no tiene vuelta de hoja. Pero fui yo en último extremo quien decidió operar. Nadie me obligó a punta de pistola.

Mirándolo, Valerie se preguntó si se percataba plenamente de los diversos factores de presión que habían influido en su decisión respecto a Bracknell. Pero su instinto le decía que no era el momento de tratar el tema; se iba dando cuenta de que Anselm Harris era más complicado de lo que parecía y ella había pensado. Tendría que ir con cuidado; incluso en aquel momento le daba la impresión de que un comentario poco atinado o una pregunta indiscreta podía destruir la buena relación que se estaba creando entre ellos.

Además, ella siempre había pensado que los cirujanos eran una especie de técnicos; se figuraba que era el médico quien descubría el mal del paciente y luego, si era el único remedio, ponía un bisturí en manos del cirujano y le indicaba lo que tenía que hacer. De alguna manera eso era lo que parecía haber sucedido en el caso de Bracknell, pese a que Anselm no había recogido el cable que ella le tendía; por lo visto había decidido asumir plena responsabilidad no sólo por la operación sino por las decisiones que la habían precedido. Bueno, eso también lo vería más adelante.

—Bien, ahora hablemos de lo que dicen los médicos de la marina —dijo Valerie, cogiendo el informe encuadernado y hojeándolo. El texto estaba dividido con precisión militar en secciones: un preámbulo, el estado de Bracknell al llegar al hospital de Glenport, los factores determinantes en la decisión de trasladarle, los acontecimientos en el helicóptero camino de Bethesda y, finalmente, el análisis del modo en que se había atendido el caso, primero en manos de los doctores Delafield y Harris y luego a través de los especialistas de la marina.

—Empecemos con el prólogo —dijo Valerie.

En las primeras diez páginas del informe el almirante Ellis explicaba las circunstancias en que a él y a su equipo se les había ordenado ver al paciente, más una transcripción verbal de la conversación telefónica mantenida con el director del hospital, Stefan Olson, los doctores Delafield y Harris, y las instrucciones que él había recibido de la Casa Blanca para trasladar a Denton Bracknell a un establecimiento hospitalario de la marina si era médicamente aconsejable.

—Dice que en su primera conversación con usted, el almirante Ellis desaconsejó expresamente efectuar ninguna operación quirúrgica —comentó Valerie, dando golpecitos en la página.

—Eso es —respondió Anselm—. Esa primera vez que hablamos yo estaba totalmente de acuerdo. Fue antes de que Bracknell sufriera un segundo ataque, circunstancia en que el doctor Delafield y yo pensamos que tenía otro trombo cerebral.

Se hizo una pausa durante la cual él observó el rostro interrogante de Valerie.

—Eso significa que se estaba formando un coágulo que obstruía el flujo sanguíneo al cerebro.

Incómoda por haber mostrado tan a las claras su ignorancia, Valerie bajó los ojos y un tenue rubor tiñó sus pómulos.

—¿Así que usted pensó que el conjunto de afecciones había cambiado desde la primera conversación con el almirante Ellis? —preguntó ella, tratando de sobreponerse.

—Claro. Puede verificar la hora. De todos modos, en honor a la verdad, tanto el doctor Delafield como yo nos tomamos la recomendación del almirante Ellis con ciertas reservas.

Valerie alzó la vista y vio que Anselm estaba serio, aunque creyó atisbar una chispa burlona en sus ojos.

—¿Y por qué? —La sorprendía, pues le parecía propio que cualquier médico escuchase atentamente lo que tuviera que decir un almirante encargado de un prestigioso hospital militar.

—El almirante Ellis mencionó al principio de la conversación que su especialidad era la pediatría —añadió Anselm.

La boca de Valerie esbozó una leve sonrisa mientras anotaba algo.

—Entonces, es de suponer que seguía los consejos de... —miró el archivo— el neurólogo Neville Sachs y el neurocirujano Simon Faber, ¿no cree?

—Creo que ellos aparecieron después —dijo Anselm—. Además, en el prólogo no se les menciona a ninguno de los dos y, como se dice en el ejército, si no está escrito no ha sucedido.

Valerie alzó la vista al oír su tono. Si había tenido dudas acerca de su dureza, ahora se desvanecían.

La siguiente sección del informe detallaba el estado del paciente a su llegada al hospital de Glenport, junto con una lista de las pruebas y procedimientos clínicos que le habían aplicado.

Después de hablar de ello un rato, Anselm convino en que todos los aspectos importantes del informe eran correctos.

Y tras repasarlo de cabo a rabo, Valerie lo cerró y pensó que no tenía sentido edulcorar las palabras.

—Está claro que creen que el paciente Bracknell no fue tratado correctamente en el hospital de Glenport —dijo.

—Claro que no —replicó Anselm—. Ese informe se ha redactado para que la marina quede bien y al margen de problemas. De hecho —Anselm se inclinó y miró fijamente a Valerie—, aunque Denton Bracknell hubiera sido trasladado directamente de la isla Carver a Bethesda, no me cabe duda de que habría acabado igual.

Valerie tomó una nota rápida, preguntándose qué partido podría sacar Norm Hartman de tal afirmación. Consultó el reloj.

—Tengo que irme —dijo, reordenando los papeles y guardándolos en la cartera—. No volveré hasta dentro de unos días. Voy a establecer las declaraciones y trataré de hablar con posibles peritos testigos a su favor. En la próxima entrevista quisiera repasar el informe de la autopsia y algo más detalladamente las alegaciones del doctor Burton y la señorita Heinz. —Se puso en pie y le tendió la mano—. Creo que de momento vamos bien, doctor Harris. Ya le llamaré.

De nuevo en la interestatal 95 en dirección sur, Valerie comenzó a cantar al unísono con la radio. Por algún motivo aún indefinido trabajar en aquel caso comenzaba realmente a complacerla.

27

A la mañana siguiente, Stefan Olson llamó a Anselm a su despacho para una reunión conjunta con John Kestler. Stefan estaba serio y Kestler tenía cara de encontrarse incómodo.

—Doctor Harris, ¿ha hablado con la señora Bracknell? —preguntó Kestler—. Nos interesa mucho a todos mantener una buena relación con ella.

—Mi abogada me ha aconsejado que no hable con ella ni con nadie del caso, de momento —contestó Anselm, algo sorprendido—. Usted y mi abogada deben de haber ido a distintas facultades.

Olson asintió con la cabeza a Anselm desde detrás del escritorio.

—Ya. Naturalmente, el hospital está en una situación un poco distinta. Le he enviado un ramo de flores y una nota de pésame manuscrita. Quiero estar seguro de que le consta nuestro pesar y que hicimos cuanto pudimos por su marido.

—Y en cuanto a su pregunta —dijo Anselm—, no, no he hablado con ella. Pero estoy seguro de que no es ése el motivo de la reunión.

—Exacto, no lo es. —Kestler era un hombre grueso de movimientos lentos, con mandíbula prominente y rostro cansino de párpados caídos. Llevaba cuarenta años ejerciendo la abogacía tranquila y lucrativamente en Glenport, básicamente en asuntos inmobiliarios. No se sentía cómodo en aquella situación y sabía que sólo acababa de empezar. Se volvió hacia Olson, consciente de que no daba la talla—. Stefan, será mejor que lo lleve usted a partir de aquí. Yo soy un viejo abogado pueblerino y este asunto escapa a mis posibilidades.

—No sé adónde quieren ir a parar —dijo Anselm—. Hicimos cuanto pudimos por Bracknell, pero el mal estaba demasiado avanzado para que pudiera salvarse. Habrá un juicio en el que todos perderemos mucho tiempo y dinero, pero cuando todo acabe las cosas volverán a la normalidad, ¿no es así?

—Lo dudo —dijo Olson—. Por cierto, doctor Harris —añadió—, supongo que habrá recibido copia del exhorto de comparecencia.

—Sí, y también he hablado con la abogada que me han asignado. ¿Podemos empezar a discutir lo que sea?

—De acuerdo —dijo Olson, que se sentía exhausto—. Nuestros abogados se pondrán en contacto con los de usted dentro de unos días para hablar de la defensa.

John carraspeó. Se notaba que a él le habían asignado lanzar la primera andanada.

—Doctor Harris, el *New Coventry Herald* publica un artículo sobre usted no precisamente muy halagador —dijo, mirando a un punto por encima de la cabeza de Anselm—. Estoy seguro de que lo ha leído. En algún momento probablemente tendremos que hacer mención de ese juicio anterior por negligencia médica y señalar que lo sabíamos y lo tuvimos en consideración cuando se le dio el cargo aquí.

—Por mí, adelante —dijo Anselm sin preocuparse—. No es ningún secreto y es cosa del pasado.

—¿Quién habrá dado esa información a la prensa? —terció Olson—. El artículo dice que la fuente de información fue un empleado del hospital. ¿Sabe de alguien que le tenga inquina, doctor Harris?

Anselm se encogió de hombros.

—No sé quién lo habrá revelado. Podría haber sido cualquier persona. Aquí no gozo precisamente de una simpatía generalizada.

Olson esbozó una sonrisa aviesa y John Kestler, que le observaba, sonrió también.

—He hablado antes con Andy McKeown, vicepresidente de Farman y encargado de relaciones públicas —añadió Olson, levantándose y paseándose por detrás del escritorio—. Por lo visto los representantes sindicales han leído el artículo sobre usted y solicitaron una reunión conjunta con el comité ejecutivo de la empresa, y como resultado del mismo Farman dice que están dispuestos a aplazar la construcción del centro médico, pero con una condición.

—¿Cuál? —preguntó John Kestler siguiendo el guión.

—Que el doctor Harris pierda inmediatamente sus prerrogativas en el hospital.

Se produjo un pesado silencio.

—¿Y eso por qué? —quiso saber Anselm.

—Porque piensan que si usted se marcha servirá de ejemplo para que los otros médicos mejoren la asistencia que dan a sus pacientes. Lo siento, doctor Harris, es lo que me ha dicho McKeown.

—¿Y si nos negamos? —inquirió Kestler, fingiendo no entenderlo.

—Seguirán adelante con su proyecto de clínica, prescindiendo de nosotros —respondió Olson.

Ahora los dos miraban a Harris.

Stefan Olson lanzó un suspiro.

—Doctor Harris, estoy seguro de que sabe los problemas que estamos teniendo con Farman Industries —dijo, apoyando la palma de las manos en la mesa—. Farman representa casi la mitad de nuestra actividad y no podemos permitirnos el lujo de perderla.

—Sabe perfectamente que no puede privarme por las buenas de mis prerrogativas médicas en el hospital —replicó Anselm—. Inténtelo y se encontrará con otra demanda, más un auto judicial obligándole a reponerme en el cargo, y tan rápido que no le habrá dado tiempo a llamar a su abogado.

Olson volvió a suspirar.

—Lo que dice Farman Industries, doctor Harris, es que no tiene confianza en nuestro equipo médico, y en usted en particular. Supongo que no están tan convencidos de su proyecto de clínica, y no quieren dar su brazo a torcer sin alguna clase de concesión simbólica.

—Y dadas las circunstancias, me temo que usted se ha convertido para nosotros en una especie de lastre, doctor Harris. Lo siento —apostilló Kestler, mirando el suelo.

Olson miró a Anselm con cierta compasión, pero no por ello omitió lo que tenía que comunicarle:

—Doctor Harris, al parecer tendremos que elegir entre conservar el hospital y mantenerle a usted en la plantilla.

Se produjo un largo silencio.

—Puede dimitir voluntariamente —añadió Kestler, sin dejar de mirar el suelo—. De todos modos, me han dicho que aquí ya no tiene nada que hacer, así que casi le da lo mismo.

—Podría tal vez acogerse a un permiso indefinido o a una excedencia —dijo Olson, más considerado; él sentía simpatía por Anselm y deseaba hacérselo lo más llevadero posible, pero el asunto estaba decidido—. Luego, cuando todo se haya calmado, dentro de seis meses, por ejemplo, podemos considerar su reingreso.

Anselm se reclinó en la silla y les miró a los dos.

—Si piensan que voy a prestarme voluntariamente a su «concesión simbólica» con Farman Industries, están muy equivocados. Ni voy a dimitir, ni voy a solicitar permiso ni una excedencia, y si quieren privarme de las prerrogativas más vale que se busquen otros argumentos.

—Si ésa es su última palabra, doctor Harris —dijo Olson con sequedad—, nos deja pocas opciones.

—¿Por qué no se va a casa y se lo piensa, doctor Harris? —añadió Kestler—. Si reflexiona, creo que comprenderá que marcharse voluntariamente del hospital, en este momento, es la mejor solución para todos, usted incluido.

—Le redactaremos una buena carta de recomendación —añadió Olson—. Seguramente se da cuenta de lo difícil que resultará continuar aquí. Le conviene hacer borrón y cuenta nueva.

—Hemos hablado antes del asunto con el presidente del consejo de administración, el señor Marino —dijo Kestler, alzando la vista para mirarle—, y nos sugirió que le ofreciésemos a usted un sustancial incentivo económico si acepta marcharse. —Meneó los pies, incómodo—. Para hacer frente a los gastos de mudanza, pérdida de honorarios, costes de instalarse en otro lugar, etcétera.

—Además —añadió Olson, como si acabara de ocurrírsele—, si colabora, haremos cuanto podamos por apoyarle en la demanda de la señora Bracknell. Por el contrario, si nos lo pone difícil, nos veremos obligados a adoptar la actitud de testigos adversos en el juicio.

Anselm se irguió en la silla.

—Ni hablar —replicó—. Entré en plantilla por mis méritos. Todos ustedes sabían lo de la demanda de Nueva York, y en ese momento consideraron que había actuado correctamente en aquel caso. Ahora sienten pánico y quieren que me vaya. Les sugiero que reflexionen algo más respecto a la situación. Si me despiden ahora los que parecerán incompetentes serán ustedes, no yo.

Anselm se puso en pie y sin más palabras salió del despacho.

Stefan Olson lanzó un suspiro, alargó la mano hacia el teléfono y marcó el número del despacho de Tony Marino en el hospital. Minutos después entraba éste acompañado de Bob North y tomaban asiento.

Cuando Olson les contó el resultado de la entrevista con Harris, North comentó:

—Bien, si no quiere marcharse voluntariamente, pondremos en marcha el plan dos. Hablaré con Erica Barnes —añadió sonriente—. Por lo que sé de su situación financiera, seguro que no se negará a colaborar.

—Tendremos que actuar con rapidez —dijo Stefan—. Cuanto más tiempo siga Harris en el hospital mayor riesgo corremos.

—Más vale que usted y John Kestler revisen minuciosamente el reglamento del hospital —dijo Marino a Olson—. Si vamos a darle la patada a Harris, hay que hacerlo ciñéndose al texto, siguiendo el proceso pertinente y todo lo demás, o nos encontraremos con un conflicto peor. Harris podría buscarse un buen abogado que nos empapelase jurídicamente para el resto de nuestros días.

28

Erica llegó al hospital por la mañana con más de una hora de retraso porque su viejo Volkswagen se había negado una vez más a arrancar. A veces sentía que la vida la agobiaba de un modo insoportable, y aquél era uno de esos días. Su marido le había dejado muchas deudas y los problemas crónicos de transporte repercutían en su trabajo. Los amigos insistían en que se buscase un empleo en New Coventry o en Hartford; con su tipo y su personalidad no tendría problema, decían, pero Erica sabía que el mercado laboral no era tan fácil como ellos creían. De todos modos, su familia vivía cerca de Glenport y ella no quería mudarse.

Mientras salía del aparcamiento recordó que hacía exactamente dos años de la muerte de Don. La aflicción le había durado dos meses largos hasta que una fría tarde de domingo amontonó en el césped su ropa, los palos de golf, las fotografías y otros recuerdos, todas las pertenencias del difunto y cuanto le recordaba a él, y, vertiendo encima una lata de gasolina, le había prendido fuego.

Aún bailaban en su cabeza las llamas cuando vio a Bob North haciéndose el remolón frente a su despacho, como esperándola.

Erica le dirigió una discreta sonrisa mientras abría la puerta y pensó si iría a delatarla por llegar tarde.

Pero la sonrisa de North daba a entender que se traía algo distinto entre manos y aunque ella, desde luego, no le tenía miedo, se situó prudentemente tras el pequeño escritorio mientras él cerraba la puerta. Pero seguro que Bob venía a hablar de algo... y no es que él no fuese a intentar sacar provecho propio de lo que fuera a la menor oportunidad, pero aquel día venía a algo concreto.

—¿Qué tal su Volskwagen, Erica? Me han dicho que te está dando la lata —dijo con tono simpático.

—Me trae al hospital y me lleva a casa casi siempre —respondió ella, mirándole y preguntándose qué querría.

—Tal vez deberías vender tu casita y comprarte un apartamento cerca del hospital —sugirió él.

—Este año no —replicó Erica con una sonrisa forzada. Sabía que Bob estaba bromeando, porque él conocía bien el mercado inmobiliario y no podía ignorar que con su casita en Waterbank no sacaría ni para la entrada de un apartamento, y eso sin contar la hipoteca.

—He estado hablando con Tony y Stefan —prosiguió Bob, reclinándose en la silla y sin dejar de mirarla—. Están impresionados por cómo te las arreglaste con los periodistas cuando el desastre de Bracknell.

—Estupendo —dijo ella—. Diles que se aceptan aumentos de sueldo.

—Yo te podría conseguir algo bastante mejor que un aumento de sueldo —dijo Bob—. En un futuro inmediato podría haber un empleo permanente de relaciones públicas en el hospital.

Erica pestañeó muy a su pesar.

—Además, Tony mencionó que podría conseguirte un coche nuevo en muy buenas condiciones, sin entrada.

—¿Y el apartamento qué? —replicó Erica con sonrisa sarcástica—. ¿También entra? ¿Y quién vendría un par de veces por semana a pasárselo bien un rato? ¿Tony? ¿Tú? ¿Los dos? ¿Y cómo os gustaría que os recibiera? ¿Con uniforme de criada francesa? No, gracias, doctor North, no se moleste —añadió, sacudiendo la cabeza y echándose a reír.

—Oh, no —replicó Bob, fingiéndose horrorizado—. No se trata de eso, en absoluto. —Adoptó un gesto de preocupada gravedad y se inclinó—. Mira, Erica, el hospital se encuentra en una situación más que difícil por el caso de Bracknell. Por culpa del doctor Harris, quiero decir.

Bob se rascó la nuca para poner de relieve su preocupación, y Erica sintió que crecía en ella su antiguo odio hacia él por el modo en que había arruinado la vida de su amiga Hermita. Y North pasó a explicar su propuesta:

—Mira, Erica, el doctor Harris tiene ya un juicio por negligencia médica, que sepamos —dijo—, y dudamos si hay otros que nos ha ocultado. Y necesitamos saberlo para que el hospital pueda defenderse debidamente.

—¿Y por qué no se lo preguntáis? —inquirió Erica con tono ingenuo y tratando de imaginarse qué pretendía Bob—. El doctor Harris es una persona muy decente y seguro que os lo diría.

—Bueno, no queremos ponerle en un brete —replicó Bob desviando la mirada—. Sabes que cuando un médico asume su cargo en el hospital tiene que declarar cualquier demanda por negligencia profesional que haya tenido o tenga pendiente.

—¿Y qué tiene que ver todo eso conmigo? —inquirió Erica.

—Pues el caso es que va a estar dos semanas por lo menos sin secretaria —respondió Bob—. Ella misma llamó a la mía por si sabía de alguien que pudiera sustituirla. Y dado que tú trabajas aquí a tiempo parcial, y tú y el doctor Harris ya os conocéis, quizá podrías ayudarle en el despacho parte de la jornada.

—¿Y fisgar en sus archivos a ver si hay papeles de otras demandas? —replicó Erica echando chispas por los ojos.

—En el empleo de relaciones públicas se gana treinta mil dólares al año —dijo Bob—. Tendrías despacho, secretaria y, desde luego, seguro médico, fondo de pensiones y los beneficios de rigor —añadió Bob sonriente—. Y plus para el coche.

Erica apretó los labios y pensó rápidamente en la hipoteca, el Volkswagen, en el modo en que Anselm le había hablado cuando el traslado de Bracknell y en su rechazo la víspera a la invitación a cenar.

—¿Qué duración tendría el contrato?

—Tres años renovables —respondió Bob sin vacilación.

—¿Y el coche?

—El que tú quieras, dentro de lo razonable. Sin entrada, con cinco años para pagarlo sin intereses.

—Quiero un Le Baron descapotable, amarillo, con compact disc y asientos de cuero —dijo Erica.

Después de la entrevista con Stefan Olson y John Kestler, Anselm regresó a su oficina con un nudo de indignación en el pecho. No sabía si llamar a Valerie Morse o buscar otro abogado. Al fin y al cabo, Valerie era la designada por la compañía de seguros para defenderle exclusivamente en el caso de la demanda por negligencia, y su problema actual con el hospital era algo totalmente distinto... Tenía la mano ya sobre el teléfono cuando éste sonó.

—Doctor Harris —dijo con voz vacilante—, me han dicho en el hospital que buscaba a alguien para un trabajo temporal en su despacho. Yo he trabajado antes en la consulta de un médico y me agradaría ayudarle. Esta semana tengo ocupados los miércoles y los viernes por la mañana en el hospital, pero podría trabajar con usted el resto de días, si le viene bien.

Anselm no salía de su asombro.

—Gracias, Erica, es muy amable... —dijo, casi a punto de rehusar la oferta, pero no quería volver a ofenderla y, realmente, era un detalle solícito de su parte—. La agencia de empleo me va a enviar a alguien el lunes —añadió—, pero hasta entonces sí que necesitaría ayuda. ¿Le parece bien ganar lo que le pago a Melanie? ¿Cuándo puede venir?

—De acuerdo en lo primero —respondió Erica—. Estaré allí en veinte minutos.

Nada más llegar, tan elegante y atractiva como siempre, Anselm dedicó una hora a enseñarle el sitio de las cosas en la oficina y cómo se organizaban los historiales y el archivo. A continuación entró en su despacho y llamó a Valerie en New Coventry, pero estaba en una reunión. Le dejó recado de que llamase y se sentó al escritorio. Entretanto no le faltaban cosas que hacer para defender su situación en el hospital, tal como llamar a la asociación médica local y, desde luego, a su organización profesional, el Colegio Americano de Cirujanos, que contaba con asesoría jurídica para información y defensa de sus afiliados.

Un minuto después entraba Erica en el despacho con una taza de café para él.

—Es gracioso —dijo—, me gusta hacer de secretaria suya, pero no lo haría como trabajo. —Nada más dejar la taza en el escritorio sonó el timbre de la puerta de entrada.

Erica salió del despacho y regresó momentos después.

—Es la señora Gowan para el reconocimiento postoperatorio —dijo—. Y la acompaña Neil. Tiene un aspecto estupendo.

La señora Gowan se había salvado y tenía tan buen aspecto como cualquier enferma de su condición. Vestía una almidonada blusa a cuadros blancos y negros con cuello y manga larga, y pantalones negros.

Anselm la examinó, comprobando que el proceso de cicatrización de la herida era lento, pero aparte de aquello el estado general de la mujer era excelente.

—Tiene usted a muchas personas de su parte, doctor Harris —dijo ella cuando Anselm la ayudaba a bajar de la camilla—. Para empezar, todos los que han sido pacientes suyos. Yo he enviado una carta al señor

Olson, y sé que hay otros pacientes de usted que también lo han hecho.

—Gracias, señora Gowan, muy amable por haberse molestado —dijo Anselm—. Seguro que habrá leído los periódicos. El señor Bracknell padecía una afección muy grave y nosotros hicimos cuanto pudimos. Había cierta posibilidad de salvarle con una operación y tuvimos que arriesgarnos. Es la clase de riesgos que hay que afrontar —añadió sonriéndole—. Dígaselo a sus amistades.

—Es lo que Neil y yo hacemos con todo el mundo —dijo Florence con tono indignado—. Yo les digo: ¿es que no me veis? De no haber sido por el doctor Harris estaría muerta en vez de hablando con vosotros. Neil también hace cuanto puede en favor suyo, que le conste.

Neil Gowan, que estaba en la sala de espera, se puso en pie al salir Anselm, le estrechó la mano emocionado y las lágrimas afloraron a sus ojos.

—Lo siento de verdad —dijo—. Entra un buen médico como usted en el hospital y se le cruza semejante adversidad. Estoy convencido de que son otros médicos los que tienen la mayor parte de culpa...

Anselm le interrumpió amablemente y minutos después les acompañaba hasta la puerta. Les contempló caminar despacio hacia la calle.

Faltaban unos minutos para las cinco y Erica se preparaba ya para marchar.

—Me voy —dijo—. Nos veremos mañana por la mañana. ¿Traigo unos donuts?

—Buena idea. No olvide las llaves de la consulta. Están colgadas junto al botiquín. Y gracias de nuevo.

Erica regresó al hospital, con la esperanza de que la recarga de urgencia de la batería que le habían hecho al Volkswagen le permitiese arrancar; no necesitaba más que llegar hasta la agencia de distribución de Tony Marino, a unos tres kilómetros en Shore Road. Ya había hablado con el jefe de ventas y le tenían preparado el coche nuevo.

El transbordador de la isla Carver se aproximaba al muelle dejando atrás una gran estela blanca de burbujas. La hilera de neumáticos de tractor colgados del muelle crujió y cedió levemente cuando la popa tomó contacto con ellos, y un minuto después quedaba amarrado y comenzaban a salir los coches uno tras otro como huevos surgiendo por una boca.

Sandy Bracknell, que aguardaba al volante de su coche en la fila de los que esperaban subir a bordo, reconocía alguno de los coches que desembarcaban, recordando su último viaje en el transbordador con Denton. Pensó en la casa y en lo que iba a hacer con ella, y, acto seguido, repasó punto por punto la entrevista que había tenido días antes con Norm Hartman.

El coche que iba delante de ella en la cola comenzó a avanzar y una mano desde el barco la hizo señas; metió la marcha y el coche botó sobre el resalte metálico, las ruedas golpearon la amplia cubierta del transbordador y fue a aparcarlo detrás de un minibús lleno de niños. Niños. Contempló cómo se rebullían en el interior provocando un leve balanceo a la par que veía apearse dos niñas muy bien vestidas, la más pequeña de unos cinco años y con trajecito rosa y la otra con un vestido azul con puños y cuello blanco. Muy formalitas, cogidas de la mano, caminaron entre los coches hasta el extremo de la pasarela metálica y desaparecieron camino de la cubierta de pasajeros.

Mirando a aquellas niñas, Sandy sintió un vacío muy particular en su ser, una tirantez en la piel del rostro y una turbación interior que no duró más que un instante pero la dejó emocionalmente tensa y vacía. Era la misma sensación de otras veces al contemplar niños, sobre todo pequeñines, y más aun a partir de que supo que Denton no podría tener hijos. Para él, la decepción había sido terrible; cuando el urólogo, a la vista de aquel semen escaso e ineficaz, reiteró la infertilidad con un pesimista meneo de la cabeza, él se había dejado vencer por la depresión y la mala conciencia, pese a que ella había hecho cuanto podía por animarle.

Se apeó y se situó en la cola para adquirir el pasaje. El empleado era un joven alto y moreno, bien parecido, al que conocía de un par de ocasiones.

—Hola, señora Bracknell —dijo con voz suave y agradable con peculiar parecido a la de James Stewart, mostrándose algo indeciso—. Hemos sentido mucho lo de su marido.

—Gracias, Fred —respondió ella—. La gente ha sido muy amable —añadió, esforzándose por mostrarse sociable, aunque, de todos modos, aquel Fred le caía bien—. ¿Sigues en la universidad?

—Sí, es el último curso —contestó Fred y le sonrió—. Después puedo optar por el paro total.

Sandy sonrió y regresó al coche, sintiendo una mezcla de placer porque la gente se interesara amablemente por ella y de fastidio por no poder ir a ningún sitio en Glenport sin que la reconocieran, y no digamos en la isla. «Bien —pensó—, ya me queda menos.» Ahora que Denton había muerto pronto la olvidarían y recuperaría su condición de mujer corriente y anónima. Eso esperaba.

En la casa todo estaba artificialmente silencioso, como si el mismo edificio supiese que Denton no iba a volver. Vagó por las habitaciones, sintiendo olor a cerrado y humedad, como si las ventanas hubiesen pasado mucho tiempo cerradas; pero sabía que Rose había ido varias veces a quitar el polvo y echar un vistazo.

Allí estaba su cuadro inacabado, el de la sirena. Lo

estuvo mirando como si no fuese obra suya, parte de ella, su creadora. Tal vez sí lo había sido, pensó, pasando al dormitorio. Rose había hecho la cama y lo había limpiado. Permaneció de pie frente a la coqueta, tocando viejos objetos familiares con la punta de los dedos, abrió la cómoda y sacó del último cajón un cofre de cuero; lo abrió, cogió unas fotos y las estuvo mirando unos minutos, casi hipnotizada al revivir aquellos días felices. Luego suspiró, volvió a guardarlos y cerró el cofre. Ya vendrían tiempos mejores, estaba segura. Había decidido vender la casa, volver a tierra firme y después... Bueno, después ya se vería.

Lucille comenzaba a sentirse nerviosa. Llevaba sin saber nada de Michael desde el día de su cita y él no le había dejado el número de teléfono. Pero sabía en qué periódico trabajaba y lo averiguó a través de información de New Coventry. No estaba; y la telefonista no sabía cuándo iba a volver, pero le dijo que le pasaría recado. Una hora después, tras la quinta llamada, la ponía en comunicación con el jefe de Michael, quien le dijo muy secamente que al señor Parrett ya le habían dejado los mensajes y que por favor no volviera a llamarle. Pero ella no podía contenerse y seguía marcando el número, con la esperanza de sorprenderle en el momento de entrar en la sala de redacción o como se llamase. La que contestaba el teléfono era cada vez más cortante.

«Esa guarra —pensó Lucille— debe de estar enamorada de Michael y es puro resentimiento al olerse que le hago la competencia.» Bien, ya vería ella. Y Lucille se imaginaba entrando en la enorme sala de redacción llena de escritorios con afanosos periodistas tocados con gorras de béisbol, y el jefe con el puro en la boca, al fondo, en un despacho con mamparas de cristal. Ella lo imaginaba como Lou Grant. Michael avanzaba con ella de la mano y, al pasar entre las mesas, la iba presentando a todos hasta llegar a la puerta del director y...

—El señor Olson al teléfono —dijo la secretaria, asomando la cabeza—. Está con el abogado del hospital y quieren verla.

—Dígale que bajo enseguida —replicó Lucille, sorprendida. ¿Qué querrían? Tal vez no les convencía su informe. Sabía que lo había redactado en un arrebato, vertiendo en él opiniones que su formación y conocimientos no le permitían sostener. Además, no podía quitarse a Michael de la cabeza y eso había entorpecido su concentración.

Abrió el cajón del escritorio, cogió el informe y se puso a releerlo. Concluida la lectura se sonrió; aunque la interpretación era cuestionable, los hechos, tal como ella los había presenciado, no tenían vuelta de hoja. Estaba escrito con minuciosidad y mucha mala leche, y Anselm Harris no iba a salir bien parado. Se disponía a abandonar el despacho cuando sonó el teléfono. Descolgó con ansia el auricular.

—Oh, Dios, Michael —dijo al oír su voz—. He estado todo el día intentando hablar contigo.

—Eso me han dicho. Y ayer y anteayer. ¿Qué quieres?

La dureza de su voz la amedrentó.

—Más que nada oír tu voz —dijo con el mejor tono de seducción de que era capaz.

—¿Sólo eso? —replicó él con tono de incredulidad—. Pensé que se había producido alguna novedad en el caso Bracknell...

—Tengo algo para ti —respondió ella zalamera—. Una copia de mi informe sobre la operación de Bracknell.

—Estupendo —dijo Michael, esta vez con voz entusiasta—. Mételo en un sobre con la anotación «personal» y me lo mandas aquí. —Y le dictó la dirección del periódico—. Lucille, ahora estoy muy ocupado; así que no llames si no tienes algo importante que contarme, ¿entendido?

Ella iba a decir que lamentaba haberle molestado cuando él colgó.

Enfiló el pasillo camino de los ascensores, sonriendo. Le habría gustado preguntarle a Michael cuándo podían volver a verse, pero no había habido tiempo. ¡Pobre Michael! Le había notado agobiado; debía de ser un trabajo horrible aquello de entregar los artículos en un plazo determinado y tratar con la fiera del director... De nuevo tuvo la visión de Lou Grant con la camisa remangada, vociferando a Michael, y sintió rabia... Le haría ver lo solidaria y comprensiva que era ella y cómo estaba incondicionalmente de parte suya. Pues sólo cuando él comprendiera que con ella iba a estar realmente a gusto, en paz y feliz, se consolidaría para siempre su relación.

En el ascensor decidió que nada más terminar la entrevista con Stefan Olson volvería a llamarle para explicárselo bien. Por su voz había notado que su relación le preocupaba; mayor motivo aún para decirle todo aquello. Y sonrió, pensando en el alivio que supondría para él que ella despejase sus dudas.

Anselm Harris montó en el ascensor al parar en la planta siguiente y Lucille clavó la mirada en una esquina de la cabina, por encima de su cabeza, con una sonrisita. Pensó en el informe y en cómo contribuir a que le despidieran de Glenport, y con maligno placer recordó la ocasión en que la había humillado en el cuarto de instrumental. «Donde las dan las toman —pensó—, y quien ríe el último ríe mejor.»

Y así iban las cosas: cada vez mejor. Ahora habían convocado una reunión en el despacho de Stefan Olson y allí estaban el señor Kestler, abogado del hospital, Tony Marino y Bob North, haciéndole un montón de preguntas acerca de la actitud general de Anselm en cirugía. Querían saber si los problemas del doctor Harris en el quirófano, en el caso del señor Bracknell, constituían un incidente aislado o eran algo habitual. Y Lucille les relató encantada las repetidas contrariedades que sufrían con él, aunque sus explicaciones fueron más bien imprecisas cuando le dijeron que citase casos concretos.

—Es que estamos dando un repaso a la situación —adujo Olson cuando ella quiso saber por qué lo preguntaban.

29

Al salir del ascensor Anselm oyó su nombre por el altavoz y cogió el teléfono más próximo. Era la secretaria del quirófano y parecía desesperada. Franz Abruzzo, el jefe de cirugía, estaba a punto de iniciar una operación y no había podido encontrar ayudante. ¿Podía hacerlo él? Anselm aceptó. En la última media hora había oído llamar varias veces a Bob North y a otro cirujano y se imaginaba que ambos tendrían otras cosas más urgentes que atender.

Cuando Abruzzo llegó a Glenport era el único cirujano de la localidad y enseguida se hizo conocido de todos. Era un hombre sobrio, que seguía teniendo un viejo modelo de coche, trabajaba muchas horas y prescindía de las consultas privadas. Atendía en urgencias, donde practicaba también pequeñas intervenciones quirúrgicas por las tardes. Carente de intereses al margen de su profesión, Abruzzo había hecho algunas torpes inversiones, perdiendo mucho dinero, y ahora seguía operando porque necesitaba los ingresos, aunque era evidente que iba perdiendo habilidad quirúrgica. Pero se lo toleraban a causa de sus largos años de servicio, aunque hacía un año que Olson le había pedido que no hiciese ninguna operación sin un cirujano por ayudante.

Frank estaba ya en esterilización cuando Anselm entró. Era un viejo alto y nada encorvado; apoyaba el vientre en el borde del lavabo de acero inoxidable y la piel de los brazos se le veía fláccida mientras se frotaba las manos.

—Buenas tardes, doctor Harris —dijo lacónicamente sin mirar a Anselm.

—Hola —contestó éste, volviéndose hacia el otro lavabo, dispuesto a esterilizarse.

—Hay nuevo capitán de equipo para la próxima temporada —dijo Frank tras una pausa. Anselm sabía que Abruzzo, ex alumno de Yale, era un incondicional del equipo de fútbol de su universidad—. Un tal Drummond —prosiguió—. ¿Sabe a quién me refiero? —preguntó, mirando inquisitivo a Anselm, quien negó con la cabeza—. Es muy mayor para ese puesto. Bueno, no mayor, sino... —Pareció perder el hilo de la conversación y se quedó mirando a Anselm—. ¿De qué estaba hablando?

—Acaba de decirme algo sobre un capitán de equipo —contestó Anselm, y luego, mirando por la vidriera al anestesista que estaba ajustando la mascarilla al paciente preguntó—: ¿Qué operación va a realizar?

Frank siguió mirándole con cierta extrañeza, con evidente esfuerzo por centrarse.

—Ah, sí. A Juniper Manson, la hija del anciano Jerry Manson. ¿Le conoce usted? Se dedica a la construcción. Hace años se lesionó un testículo y tuve que extirpárselo. —Frank se echó a reír con senil cacareo y dejó caer el cepillo enjabonado en el lavabo. Contraviniendo el reglamento, que estipulaba que había que coger un nuevo cepillo estéril en casos así, el cirujano lo recogió y volvió a frotarse con él—. ¿Y sabe lo que me dijo? Me refiero a Jerry Manson, cuando le expliqué que iba a perder un testículo. —Estuvo a punto de dejar caer de nuevo el cepillo, pero logró sujetarlo—. Pues me dijo: «Bueno, si sólo me queda uno, ¿quiere decir que no podré engendrar mellizos?» —Y volvió a soltar una risotada cascada.

—¿Y a la hija de qué va a operarla?

—¿A Juniper? De vesícula. Tiene un montón de piedras pequeñas y sufre muchas molestias.

A través de la vidriera, Anselm vio cómo el encargado de esterilización colocaba una gran talla sobre la paciente, una joven obesa con señales rojizas del sujetador en los pechos.

La enfermera de esterilización situó el borde de la talla sobre la pantalla de éter y se volvió hacia la ventana como instando a Anselm con la mirada a que dijera si estaban listos para empezar, a lo que Anselm asintió con una inclinación de la cabeza.

En el quirófano, pasando hacia el rincón por detrás del anestesista, la enfermera de instrumental disponía ampollas de líquido intravenoso y otros medicamentos para la encargada de esterilización y el anestesista. Pero hasta el propio Anselm notaba la tensión allí dentro; todo el mundo sabía que el personal de cirugía detestaba trabajar con Frank Abruzzo.

Frank cerró el grifo con la rodilla y se apartó del lavabo con las manos alzadas, chorreando jabón por los codos.

Un minuto más tarde, Anselm entraba tras sus pasos en el quirófano. Frank ya se había puesto la bata y se embutía los guantes; justo en el momento de llegar Harris, hizo un brusco movimiento al ponerse el segundo guante, lo rasgó y hubo que cambiarlo. Todos notaron que estaba nervioso, como solía suceder siempre que operaba. El personal veía a aquel hombre de facultades mermadas y también estaba tenso y nervioso; sabían perfectamente que tarde o temprano Abruzzo tendría un accidente, y como decía uno de los ayudantes, trabajar con él era como vivir en San Francisco esperando el gran terremoto.

La enfermera de esterilización había preparado a la paciente para el habitual procedimiento de colecistomía. Aquel día Frank parecía más tenso que de costumbre; gesticulaba con brusquedad y a destiempo, unas gotitas de sudor le perlaban ya la frente y estaba contagiando su nerviosismo a los demás.

—¿Preparados? —inquirió, mirando por encima de la repartición de anestesia a Philip Burton, el que había ayudado a Anselm en la operación de Denton Bracknell. Philip asintió con la cabeza y por un instante su mirada se posó en Anselm de un modo extraño, como pidiendo disculpas.

Anselm comprobó el aparato de succionar y el estilete del electrocauterio. A Frank le tembló ligeramente la mano al coger el bisturí que le tendía el encargado de esterilización. No era la primera vez que Anselm lo advertía, pero en esta ocasión le pareció más acentuado.

—¿Se siente bien, Frank? —preguntó en voz lo bastante baja para que sólo él le oyera.

—Sí, claro que sí. ¿Por qué lo dice? —replicó él a la defensiva. Ahora el sudor le resbalaba ya por las sienes.

—Muy bien —añadió Anselm—. Quería estar seguro.

Frank había extirpado cientos, quizá miles, de vesículas, y efectuaba los movimientos de la intervención de un modo mecánico, automático, igual que el ciclista mantiene el equilibrio sin pensar en ello.

Todo se desarrollaba de una manera rutinaria hasta que efectuó la incisión de la membrana peritoneal que separa los músculos abdominales de la cavidad abdominal propiamente dicha.

Para ayudarle a descubrir la vesícula, Anselm situó la hoja plana del separador por debajo del hígado y apartó suavemente los tejidos que ocultaban la vesícula bajo la parte inferior de éste; la víscera le pareció anormal al desplazarla, y pidió al encargado de esterilización que le sostuviera un instante el separador para efectuar una palpación. El color del hígado, en lugar del marrón habitual, era grisáceo y Anselm notó un gran bulto en el centro, un segundo en otra zona y otro en la superficie.

Frank le miraba con gesto molesto.

—¿Quiere separarlo un poco, doctor Harris, por favor? —pidió con brusquedad.

Anselm puso la mano sobre el lóbulo y apretó dejando visible el bulto, un tumor blancuzco de superficie rugosa.

Frank lo miró un instante.

—¿Continuamos con la operación, si no le importa? —dijo.

—¿Es que va usted a extirpar la vesícula? —preguntó Anselm con gesto de incredulidad.

—Para eso estamos aquí —replicó Frank—. Prosigamos.

—Frank —dijo Anselm sin alterarse—, ¿qué cree que es esto? —Señaló con el hemóstato la zona rugosa del hígado.

—No sé, tal vez una especie de... Bueno, la vesícula tiene piedras y eso sí lo sabemos —contestó, señalando la placa radiográfica en la pantalla.

—Frank, eso es un cáncer metastatizado —explicó Anselm, sorprendido por la obstinación de Abruzzo en no reconocer su error—. ¿No cree que deberíamos intentar la localización del foco originario?

—Hemos venido a extirpar una vesícula llena de piedras —replicó Abruzzo con obcecación.

—No me cabe duda, Frank —dijo Anselm—, pero en este momento el principal problema es otro. Hay también un cáncer. —Deslizó la mano por debajo del estómago, y, efectivamente, allí había una gran masa en la parte media del páncreas—. Mire qué enorme —añadió—. Pálpelo; aquí en el centro del páncreas.

Y con suavidad guió la mano del viejo, que ahora ya temblaba a ojos vistas, para que palpase correctamente aquella tumoración.

Con una extraña sensación de temor, Anselm miró el rostro de Abruzzo, en el que ahora se reflejaba una mezcla de aturdimiento y miedo, y comprendió que el anciano no podía percibir ni entender lo que palpaba y que se encontraba desconcertado ante la nueva situación. Había centrado todos sus esfuerzos en extirpar una vesícula biliar y era incapaz de afrontar un problema distinto. La vida parecía ir abandonando aquel rostro, y Anselm vio azorado cómo los ojos dejaban escapar dos gruesas lágrimas que resbalaban hasta la mascarilla de papel.

—No sé qué hacer —dijo el anciano con un ronco susurro—. Tendrá que seguir usted, doctor Harris... Es mi última operación y la última vez que vengo al quirófano. Excúseme...

Frank Abruzzo dejó el bisturí en la talla, dio media vuelta y abandonó el quirófano.

El encargado miró a Anselm.

—Haremos una biopsia y cerraremos —dijo éste—. Es inoperable.

A través de los cristales vio la figura de Frank embutida en la bata caminando hacia el vestuario por última vez.

30

—No puedo creer que no se avenga a considerar un incentivo económico —dijo Tony Marino—. ¿Ni siquiera ha preguntado cuánto le ofrecemos?

Él y Olson, junto con Bob North y John Kestler, estaban en el despacho de dirección; Lucille ya había salido, y el ambiente era como el de un castillo asediado.

—Qué va. Se habría negado aunque le hubiésemos ofrecido Fort Knox —replicó Stefan—. Es más duro de lo que yo pensaba.

—He hablado de esto con un facultativo del Centro Médico de New Coventry —dijo Bob—. Y lo que hacen cuando quieren deshacerse de alguien es revisar todos los casos que han pasado por sus manos.

—¿Qué quiere decir? —preguntó Kestler.

—Pues que si se revisan todos los casos de cualquier médico de hospital, y más si es cirujano, siempre aparecen cosas que, vistas en retrospectiva, constituyen errores —contestó Bob North—. Análisis omitidos, diagnósticos equivocados y cosas por el estilo. Si descubrimos unas cuantas cosas así, podemos poner a Harris rápidamente en evidencia.

—¿Pero cuánto tardaríamos? —inquirió Tony Marino, reclinándose en el sillón y sacando un puro.

—Unos días, creo —dijo Olson—. Pero primero hay que tener un comunicado del comité deontológico que se haga eco del descontento por la manera en que Harris trata a los pacientes, algo no muy preciso pero que sirva de punto de partida para iniciar las averiguaciones.

—Eso está hecho —dijo Bob North—. Yo soy presidente del comité de deontología y puedo convocar una reunión urgente. Sé cómo se hacen esas cosas. Basta con lanzar la acusación contra alguien y nadie querrá comprometerse en su defensa. —Miró el reloj—. Diré a mi secretaria que convoque a los miembros del comité. Si nos reunimos esta tarde a las cinco y media, no habrá ya nadie por aquí que pueda fisgar.

—Asegúrate de que se toman actas —comentó John Kestler—. En realidad, será mejor que asista yo para hacerlo todo como es debido en el aspecto legal.

—Muy bien —dijo Bob North—. En la sala de conferencias pequeña a las cinco y media.

—Llamaré a los de Farman —terció Olson— para comunicarles oficiosamente que estamos tomando medidas.

—Muy bien —dijo Marino—. Así verán que somos serios y nos preocupamos por no perderlos como clientes.

—¿Se avisa a los medios de comunicación? —inquirió Bob North con ojos brillantes—. Así, a lo mejor con la noticia nos los quitamos de encima de momento.

—Bob, maldita sea, nada de eso —repuso Marino tajante—. ¿Qué podemos decirles cuando ni siquiera hemos comenzado la revisión? Si alguien pregunta algo que Erica diga que el hospital está indagando el caso Bracknell en todos sus aspectos y punto, ¿entendido?

—Con ello nos apuntaremos un tanto ante la comisión conjunta de hospitales —dijo Stefan—, porque una de las cosas que nos reprochaban era nuestra incuria para mantener la disciplina entre los médicos.

—Ya no podrán alegarlo una vez ajustemos las cuentas a Harris —repuso North sonriente.

—¿Y qué más nos reprochaba la comisión? —preguntó Kestler—. No podemos arriesgarnos a que nos retiren la acreditación.

—Una de sus exigencias es que ampliemos las rampas de urgencias —contestó Olson—. Nos han amenazado con empapelarnos sólo por eso.

Tony Marino hizo un gesto despectivo como vetando el tema.

—Bueno —dijo—, que los arquitectos echen un vistazo a urgencias y preparen un presupuesto.

—Gracias, señor Marino —dijo Olson—. Por algo se empieza.

—Volvamos a lo de Harris.

—Exacto —dijo Bob North—. A propósito de él, espero que mañana Erica Barnes pueda informarnos de algo.

—¿No deberíamos pensar en otro enfoque, por si

acaso? —preguntó Marino a Olson—. De momento tenemos las demandas anteriores en que ha estado implicado y la revisión ante posibles casos de negligencia profesional. ¿Qué más?

—El doctor Harris cuenta con bastantes partidarios en la ciudad —dijo Olson—. He recibido varias cartas en defensa suya. —Hizo una pausa—. Pero la semana que viene *Today* publicará un artículo sobre la delincuencia y los vagabundos de Bank Street, argumentando que la clínica gratuita de Harris fomenta la concentración de maleantes en la ciudad.

—No sé cómo reaccionarán las enfermeras si echamos a Harris —musitó Tony Marino; de su puro, sin que se diera cuenta, cayó una gruesa ceniza que se deshizo en el suelo—. Me han dicho que cuenta con el respaldo del sindicato de enfermeras.

—Las enfemeras no tienen por qué meter las narices en esto —dijo Bob North—. Su sindicato no hace más que entrometerse en cosas que no le conciernen o tratar de sacar más dinero al hospital. Antes las enfermeras adoraban a los pacientes, trabajaban por el placer de ayudar a la gente y no pensaban en convenios, horas extras ni cuánto cobraban.

—Sí, claro —dijo Marino, echando una nube de humo en dirección a su yerno—. Te gustaría que fuesen desinteresadas, abnegadas y totalmente ajenas a los incentivos económicos, ¿verdad? Igual que tú.

Bob elevó los ojos al techo.

—Empezaremos por Harris —dijo Olson—. Cuando en el archivo hayan localizado todos sus historiales, los repartiremos entre los miembros del comité para que los traigan repasados y no haya necesidad de revisarlos uno por uno en la reunión.

—Estupendo —dijo Marino—. Y una vez tengamos la munición sabremos si queremos disparar.

—Muy bien dicho —dijo Bob, sonriendo a su suegro. Sabía que se hallaba en precaria situación frente a él y quería suavizar las cosas.

—A efectos administrativos —añadió John Kestler al cabo de una tensa pausa—, hay que asegurarse de que la decisión es de fecha posterior a la reunión de esta tarde del comité, ¿entendido?

Llamaron a la puerta y apareció Frank Abruzzo, más pálido de lo habitual.

—Siento llegar tarde —dijo.

—¿Te encuentras bien, Frank? —preguntó Tony Marino—. Siéntate. Hemos estado hablando del método para poner a Harris de patitas en la calle. ¿Alguna sugerencia?

Abruzzo apoyó las manos en el respaldo de la silla, sin tomar asiento.

—Lo estuve buscando —dijo en dirección a Bob North— para que me ayudara a operar pero no respondió a las llamadas por los altavoces; así que me procuré otro ayudante. Y el único que se tomó la molestia de acudir fue Anselm Harris. —Abruzzo hizo una pausa y miró a todos con sus ojos enrojecidos—. Y me ha ayudado en muy graves circunstancias —añadió—. Así que no cuenten conmigo para perjudicarle.

Dicho lo cual, abandonó el despacho seguido por la mirada atónita de los reunidos.

—¿Qué habrá pasado? —exclamó Bob North—. Es la primera vez que le oigo hablar bien de Harris.

—¿Por qué no respondiste a las llamadas? —inquirió Tony. North se encogió de hombros.

—Frank es un loco senil que no debería seguir operando. Ya es hora de que le ajustemos cuentas a él también —dijo.

Tony Marino levantó su corpachón del sillón con un gruñido.

—Mañana a la misma hora —dijo—. Y así todos los días hasta que la situación se solucione.

31

Valerie decidió quedarse en New Coventry para realizar en el ordenador un estudio de casos similares en la jurisprudencia, y planificar la mejor estrategia defensiva. Habló con varias personas de la facultad de medicina de la ciudad y bregó por que un cirujano vascular revisara el caso con intención de hacerle testificar a favor de Anselm.

—Lo siento mucho, abogada —dijo él—. Ya he revisado el caso a petición del abogado de la demandante y voy a declarar en contra del doctor Harris.

Comenzaba a temerse que le habían confiado un caso perdido, pero se negaba a aceptar la idea. De entrada, no hay casos perdidos, y existían muchos ejemplos en los archivos judiciales de casos en apariencia desesperados que al final se habían convertido en resonantes victorias. Lo único que había que hacer era encontrar la clave, el hecho o la circunstancia que diese un giro total al asunto.

Pero concluida la jornada, seguía sin encontrar la clave y empezaba a darse por vencida.

Decidió ir a ver a su hermano Patrick, que aquel día daba una de sus fiestas; por lo que se detuvo en una vinatería a comprar una botella de Tokay 5 húngaro, el vino para postres preferido del joven. A juzgar por el ruido que salía del apartamento, la fiesta debía estar en su apogeo.

Al abrir la puerta, la música era tan ensordecedora que Valerie sintió el retumbar de los bajos a través de la suela de los zapatos. Estaba lleno de gente, en su mayoría mujeres jóvenes, el humo era como una neblina y todo eran exclamaciones y carcajadas. Al primer paso le dio un acceso de tos.

Patrick estaba junto a la ventana en su silla de ruedas, bebiendo una lata de cerveza, y una joven preciosa, haciendo mohínes con sus labios de carmín subido, le preguntaba cómo había tenido la desgracia de quedarse paralítico. Un brillo cruzó los ojos de Patrick.

—Es que intentaba chupármela —contestó muy serio— y de pronto sentí un horrible chasquido en el cuello.

La joven abrió unos ojos como platos, farfulló unas palabras ininteligibles y se alejó dispuesta a divulgar la sorprendente respuesta de Patrick.

—Eres terrible —dijo Valerie.

—¡Lo he dicho a ver si ella se prestaba voluntaria a hacérmelo a partir de ahora! —contestó él a gritos para que se le oyera por encima de la música.

Valerie advirtió que su hermano no tenía muy buen aspecto; había perdido peso y, a pesar de la tenue luz, le notaba el semblante pálido, casi cerúleo. Una nube de humo dulzón llegó hasta ellos y Valerie volvió a toser.

—El ruido de esta fiesta se oye a medio kilómetro —dijo—. Si los vecinos llaman a la policía vais a acabar todos en comisaría.

—Los vecinos están todos aquí —replicó Patrick—. Al menos los que viven en el radio acústico.

La música estaba tan fuerte que hacía daño, y Valerie se acercó al estéreo para bajar el volumen; después volvió con su hermano.

—Gracias por darme la pista de Elliot Naughton —le dijo—. Me ha salvado el pellejo. —Y le relató lo sucedido, entre risas de él, complacido por la habilidad de su hermana para salir de situaciones apuradas.

—¿Y qué había hecho ese Stern? —preguntó.

—Pues en cierta ocasión en que Elliot trabajaba en la embajada americana en Londres, le llamaron de una comisaría donde tenían detenido a un americano que decía ser familiar del embajador...

En ese momento se acercó Dixie con un vestido de lentejuelas corto y muy ceñido para obsequiarles con una gran sonrisa y ofrecerles un porro encendido. Patrick dio una profunda calada y se lo devolvió. La joven se lo tendió a Valerie.

—Quizá más tarde, Dixie. Ahora no, gracias —dijo ella, que ya se sentía un poco colocada por lo que había respirado.

Dixie se alejó y dijo algo a otra chica, que se volvió a mirar a Valerie. Las amigas de Patrick eran muy celosas.

—¿Por dónde iba? —dijo Valerie—. Ah, sí. Bien, el detenido era Ralph Stern y le habían sorprendido en Hyde Park con los pantalones bajados, haciendo guarrerías con un jovencito. Los ingleses son muy estrictos en ese aspecto y estaban decididos a aplicarle la ley a rajatabla. Pero resultó que, efectivamente, Ralph era pariente del embajador, primo lejano o algo así, y los ingleses se contentaron con embarcarle en un avión al día siguiente, deportado a Estados Unidos.

Patrick echó la cabeza hacia atrás y soltó una carcajada.

—No me extraña que se desinflara en la reunión —dijo—. Si la noticia se divulga, ese Ralphie ya puede irse despidiendo de cualquier veleidad política.

—Claro. Pero lo divertido es que podría haber negado todo, dado que los ingleses enviaron el expediente de expulsión a la embajada, donde lo hicieron trizas. Por lo tanto no consta en ningún sitio que haya estado detenido bajo ningún cargo.

—Apostaría algo a que él lo verificará —comentó Patrick—. Así que ve con cuidado porque volverá a recurrir a cualquier cosa para despacharte. —Hizo rodar un poco la silla adelante y atrás, sonriendo—. Bueno, la ventaja es que no tienes que temer ningún acoso sexual. —Trataba de localizar a Dixie—. Lo peor de estar en silla de ruedas es que no puedes mirar por encima de las cabezas.

Valerie, en un arrebato de solidaridad fraterna, le preguntó si necesitaba algo.

—Sólo dinero —respondió él con toda desfachatez.

Valerie no quería discutir con él en la fiesta, pero, mirando en derredor, pensó que era ella quien pagaba sus juergas.

—Patrick, ¿has encontrado trabajo?

—No es tan fácil —contestó él, encogiéndose de hombros. Luego su expresión se tornó tensa, como si se le hubiese desprendido una máscara—. Mira, Valerie, llevo dos semanas con espasmos musculares y sufro dolores continuos en la espalda y las piernas... Me gustaría trabajar; siempre he querido hacerlo, pero no puedo concentrarme por esos dolores. Así que no me des la lata, ¿de acuerdo?

—Lo siento, Patrick. ¿Has vuelto a ver a los médicos de traumatología vertebral?

—¿A esos mamones? Ni hablar. Aún estoy buscando a alguien que les ponga una demanda.

Valerie adoptó una súbita decisión.

—Actualmente llevo un caso de negligencia profesional en Glenport —dijo—. La defensa de un médico. Es un cirujano muy simpático, ya verás. Le mencionaré lo de tus espasmos.

—¿Abogada defensora de un médico? —inquirió Patrick sin dar crédito a lo que oía—. ¿Tú, Valerie Morse, campeona de los pobres, defensora de los oprimidos, etcétera, etcétera? ¿Te has pasado al enemigo?

—Qué dices. Él es un buen médico que se ha visto envuelto en una situación de cuidado. Es el que atendió a Denton Bracknell.

Patrick abrió los ojos como platos.

—¿Ese que sale en los periódicos? ¿El Doctor Muerte? Por Dios, Valerie...

—Voy a decirle que venga a verte —prosiguió ella,

sin tener la menor idea de cómo lo conseguiría—. Así juzgarás por ti mismo.

Dixie volvió y se situó junto a la silla de ruedas de Patrick, de cara a Valerie, sonriendo algo ebria.

—Me preocupa tu hermano —dijo—. Tiene muchos dolores en la espalda y las piernas.

Detrás de ella, Patrick deslizó la mano entre sus muslos y la muchacha comenzó a mover el cuerpo de cintura para abajo despacio pero rítmicamente, abriendo anhelante los labios y sin dejar de mirar a su interlocutora.

—Sólo la espalda y las piernas —añadió susurrante—; el resto le funciona perfectamente.

Cuando Anselm llegó a la consulta a la mañana siguiente, se encontró con un Le Baron amarillo descapotable aparcado a la entrada, y él dejó al lado su viejo deportivo. Se abrió la puerta y apareció Erica.

—¡Guau! —exclamó él, apeándose del Triumph, que parecía aún más ajado y baqueteado al lado del reluciente Le Baron—, ¿es suyo?

—Sí, ¿verdad que es precioso? —respondió Erica, bajando la escalinata con el bolso colgado en bandolera—. Mi tía Dorothy murió hace unos meses y lo que heredé me ha llegado para la entrada.

—Es una maravilla. Espero que me invite alguna vez a dar un paseo.

—Cuando quiera —dijo Erica—. Voy al hospital. Le he dejado preparados los historiales para las consultas y he hecho algunas recetas, pero tendrá que revisarlas porque no domino bien los códigos del Medicare.

—No se preocupe —replicó Anselm—. Si deja aquí el coche le dará tono a la consulta.

—Ah, por cierto, mañana no vendré —dijo ella por encima del hombro antes de subir al coche.

Erica fue pensativa durante el lento recorrido hasta el hospital. El cielo estaba azul, ráfagas de viento frío soplaban desde el Sound y los cerezos comenzaban a florecer. Tenía un coche nuevo y le habían prometido un empleo fijo, pero una voz interior la decía que iba hacer algo terrible a un hombre que le gustaba y que a ella no le había causado ningún mal.

Media hora después, en la sala de reuniones del hospital, Erica se ponía en pie y anunciaba que había encontrado documentación sobre otro juicio por negligencia profesional en el que se había visto implicado Anselm Harris; le entregó a Olson las fotocopias, quien a su vez se las pasó a John Kestler.

—No puedo decir que apruebe esta manera de proceder —musitó éste, leyendo el documento—. De todos, esto no es mucho que digamos —añadió, pasando las hojas y resumiendo el contenido para los presentes: Frank Abruzzo, sentado junto a Bob North; Tony Marino, presidiendo, y Stefan Olson, situado a su izquierda—. Se trata de un caso de hace cinco años visto en Nueva York. Harris ayudó a un ginecólogo a practicar una histerectomía y cuando él ya había abandonado el quirófano, el ginecólogo insertó un catéter inadecuado en la vejiga de la paciente. Ése fue el motivo de la demanda. Pero el nombre de Harris fue borrado, a ver... cuatro días después, y, de todos modos, retiraron la demanda.

—No importa —dijo Bob North excitado—. Harris figura en ella y en su solicitud de ingreso en el hospital no lo hizo constar, y eso es fraude. Creo que le tenemos cogido, ¿verdad, Stefan?

—Supongo que técnicamente sí —contestó Olson—. ¿Qué piensa usted, John?

—Técnicamente sí, desde luego —respondió Kestler tras una pausa—. Pero moralmente...

—Estamos hablando de hechos —dijo Bob North.

Abruzzo, que hasta entonces no había pronunciado palabra, se puso en pie.

—Esto es deplorable —dijo—. Es posible que Harris cometiese algún error en el caso Bracknell, pero esto se está convirtiendo en una caza de brujas —añadió, mirándolos con ojos enrojecidos y como dispuesto a añadir algo más, pero cambió de idea y abandonó el despacho sin más.

En Olson el apuro era evidente, pero los demás ni se inmutaron.

—Viejo loco —murmuró North cuando se hubo cerrado la puerta—. Él también está al caer.

Poco después concluía la reunión y Erica fue a su despacho del hospital, reconcomida por un profundo odio hacia Bob North, pero no muy satisfecha consigo misma, por lo que decidió dar un paseo por la ciudad en su coche nuevo, y eso la hizo sentirse mejor.

32

A la mañana siguiente Anselm fue a la consulta, hizo unas llamadas telefónicas y cogió el montón de recetas que Erica había preparado la víspera. Le fastidiaba aquel trabajo y esperaba que quien enviase la agencia de colocación supiera rellenar bien los formularios. Mientras los repasaba, en un rincón de su mente el fantasma siniestro del caso Bracknell seguía atormentándole. Tenía que haber una manera de salir de aquel enredo, pensó con creciente desesperación, algún modo de demostrar claramente que él había hecho su trabajo lo mejor posible. ¿Qué podía hacer para poner en claro que él no tenía la culpa del trágico desenlace? Recordó un dicho a propósito de la diferencia entre americanos y japoneses. Cuando algo sale mal, los americanos dicen: «¿A quién se le puede echar la culpa?», y los japoneses: «¿Cómo se puede arreglar?» Anselm, por su educación en un ambiente militar, no era un admirador de los japoneses, pero era indudable que en eso tenían razón.

Acabó de revisar las recetas y consultó el reloj. Valerie llegaría hacia las once; faltaban menos de tres horas y eso le complacía. Apoyó los codos en el escritorio y estuvo pensando en ella y en las mujeres que había habido en su vida. Antes de conocer a Mariana, sus relaciones habían sido placenteras, pero no muy profundas, y en cuanto a Mariana... Al conocerla se había dado cuenta de la gran capacidad de amar que poseía, pero Mariana era incapaz de aceptar aquel amor que él quería darle. Además, estaban sus arrebatos de furia, sus impulsos inexplicables y aquella vena suya de maldad. Y sus aventuras. Se encogió de hombros. Lo pasado, pasado; con alivio, centró sus pensamientos en Valerie y se percató, no sin sorpresa, de que desde la última entrevista había pensado bastante en ella, lo que se le antojó algo absurdo. No sabía nada de aquella mujer, y a pesar de que deducía que no estaba casada, seguramente tendría relaciones estables con alguien, incluso era posible que viviese con algún hombre. Sin saber por qué, la última hipótesis le molestaba y se echó a reír. Por Dios, pensó, aquella mujer estaba contratada para ocuparse de su caso, y no por él sino por la compañía de seguros. Trabajaba para la aseguradora y nada más, no para él. Pero era evidente que Valerie hacía más de lo estrictamente necesario, y que detrás de su seriedad profesional había algo más auténtico, más cálido y un sentido del humor que podría resultar estimulante si llegaban a intimar. Permanecía sentado, feliz de pensar cosas agradables, y se preguntó si Valerie pensaría alguna vez en él como persona, al margen del caso. Y, si lo hacía, el hecho de que fuera por segunda vez demandado por negligencia profesional, ¿no influiría en que ella le despreciase por su fracaso, por su mala actuación, o la indujera al menos a rechazar de plano cualquier idea de entablar con él una relación personal? De pronto tuvo una visión física de ella muy clara y, efectivamente, era muy guapa. Pensó cómo sería el tacto de sus pechos y acabó preguntándose qué sentiría haciendo el amor con ella...

Sonó el teléfono. La enfermera de la B3 quería saber cuándo iba a llegar porque Juniper Manson quería verle. Dos minutos después, Anselm se ponía en camino a paso atlético y sin esfuerzo por el paseo bordeado de árboles, disfrutando de la brisa salobre que llenaba sus pulmones, sintiéndose feliz y optimista sin saber bien por qué, aunque al mismo tiempo preocupado por aquellos cambios de humor que experimentaba.

Tal como esperaba, Juniper no mejoraba tras la operación. Anselm había vivido aquella situación muchas veces; los pacientes de cáncer avanzado no diagnosticado tendían a sufrir una aceleración de la dolencia después de una intervención quirúrgica menor exploratoria. La literatura médica sobre aquella clase de casos era escasa y él había pensado muchas veces en escribir un trabajo sobre el tema, pero por un motivo u otro siempre le faltaba tiempo para hacerlo.

Los oncólogos habían examinado a Juniper unos días antes, optando por iniciar un tratamiento de quimioterapia endovenosa. Al entrar, Juniper estaba pálida y miraba apática un recipiente en forma de riñón que tenía a su lado para accesos de vómito.

Anselm se sentó en una silla junto a ella y le cogió la mano. Al ingresar en el hospital, Juniper era bastante obesa, pero ahora estaba demacrada y con ojos hundidos, y la piel formaba bolsas en su cuerpo otrora rechoncho.

—¿Cómo se siente? —preguntó mirándola a los

ojos. Casi todos los enfermos contestaban «muy bien» o «bien» automáticamente, pero eran los ojos los que decían la verdad.

Juniper fue más sincera.

—Estoy fatal —musitó—. Esta mañana he vomitado seis veces. Doctor, ¿qué me pasa? Le he preguntado al oncólogo, al doctor Leonard, y me ha dicho que no me preocupe, que me pondré bien. Pero nunca se queda un rato ni me dice nada concreto. No estoy nada bien, ¿verdad, doctor Harris? ¿A que no eran piedras como decía el doctor Abruzzo?

Anselm lanzó un profundo suspiro.

—No, Juniper, no eran piedras —le respondió, a sabiendas de que el tumor estaba demasiado avanzado, sin que hubiera esperanzas de mejoría y menos aún de curación. Le quedaban pocas semanas de vida.

—¿Qué me están poniendo, doctor Harris? —preguntó, señalando el botellín conectado a la cánula intravenosa—. Me dijeron que me causaría molestias, pero se quedaron cortos. Me siento tan mal que quisiera morir. Y fíjese —añadió, alzando la mano y arrancándose un mechón de pelo con un leve tirón; las lágrimas afloraron a sus ojos—. Yo, que tenía un pelo tan bonito, doctor Harris... Mi peluquero me decía que me lo dejase crecer para vendérselo. ¡Ahora se lo doy gratis! —exclamó, arrojando el mechón al suelo. Su cuero cabelludo brillaba bajo el escaso pelo; dos días más de quimioterapia y se quedaría calva.

Anselm le estrechó afectuosamente la mano.

—¿Hasta qué extremo quiere saberlo, Juniper? —dijo, consciente de que muchas personas preferían ignorar el diagnóstico y no eran capaces de asumir la mala noticia.

—Usted dígame la verdad —respondió ella, retirando la mano—. Por favor —añadió, sonriendo con esfuerzo—. Y con palabras que yo entienda.

Anselm revisó mentalmente cuanto sabía acerca de ella. Juniper se había casado joven para separarse de un marido que le daba malos tratos al cabo de un año; estaba divorciada, no tenía hijos y vivía con unos familiares en una gran casa a medio camino entre Glenport y Mystic. Como trabajo, ayudaba a su padre llevando la contabilidad y se encargaba de la casa. Más o menos. No era mucho, pensó, no mucho a qué referirse para una vida que tocaba a su fin.

—En realidad he llevado una buena vida —dijo ella, como si le leyera el pensamiento—. Una vida estupenda —añadió con voz cansada y respiración fatigosa que sólo le permitía decir frases breves—. Aunque nada del otro mundo. De pequeña me encontré un gatito junto a un seto y mi madre me dijo que podía quedármelo... Le hice una casita con un caja de zapatos... y un cojín.

Sus manos estaban pálidas y casi inertes sobre las sábanas, como las de una muerta.

—Siempre he pensado que un animal de compañía era mejor que un hermanito. Yo quería llamarle Charlie, pero papá se enfadó mucho porque... Bueno, ya conoce a Charlie Manson... Dijo que no era un nombre adecuado para un gato; así que le pusimos *Ginger*. Era un encanto. Plantaba sus patitas en el borde de la caja y se quedaba mirándome... con aquellos ojazos tan serios y sus orejitas tan peludas...

Juniper tenía ahora los ojos cerrados, pero los abrió de pronto, como si despertara de un sueño.

—Explíqueme qué tengo —pidió.

Anselm volvió a coger la mano y se la estrechó un instante en silencio.

—Tiene un tumor —dijo finalmente, procurando que sus palabras no sonasen como una sentencia de muerte—. No esperábamos eso, pero fue lo que encontramos. En el páncreas y en el hígado.

—¿Eso quiere decir cáncer?
—Sí, una clase de cáncer —contestó él. El resultado de la muestra biópsica recogida al final de la operación había confirmado una variedad de tumor anaplásico particularmente maligno.
—Lo sabía —dijo ella—. Lo sabía por el modo en que las enfermeras y todos te hablan y te miran, como si una ya no fuese un ser humano.
Anselm no dijo nada y se limitó a mantenerle apretada la mano.
—No tardaré en morir, ¿verdad? —dijo al cabo de un rato con tono inexpresivo.
Anselm carraspeó y Juniper sonrió. No hacía falta que contestase.
—No quiero que me sigan poniendo eso —dijo, alzando la vista hacia la botella colgada de la pértiga—. Quítemelo, por favor. Y quisiera irme a casa mañana, si puede darme de alta.
Mientras Anselm desconectaba la botella, Juniper, que había vuelto a cerrar los ojos, dijo:
—Gracias por su sinceridad, doctor Harris. Es lo mejor que ha podido hacer por mí. ¿Hará el favor de hablar con mi padre? Está en la sala de visitas.
Anselm salió de la habitación, habló largo y tendido con el padre y después fue al mostrador a firmar el alta de la desahuciada.

Con una opresión en el pecho, Anselm salía por la planta baja cuando oyó que le llamaban por el altavoz.
Se detuvo en la floristería que había junto a la entrada principal y dos mujeres con reflejos azules en el pelo interrumpieron su conversación y se quedaron mirándolo. Él pidió para usar el teléfono y ellas no dejaron de mirarle mientras descolgaba el auricular y marcaba.

—Ah, sí, doctor Harris —dijo la secretaria de dirección—. El señor Olson dice si podría usted pasar por su despacho, si tiene un momento.

—Por supuesto —respondió Anselm—. Estoy en la planta baja.

Colgó, sonrió a las dos mujeres para darles las gracias y salió de la tienda, sintiendo sus miradas clavadas en la espalda mientras enfilaba el pasillo.

Bob North estaba repantigado en el despacho de Stefan leyendo un informe cuando entró Anselm, y no se molestó en levantar la vista.

—Siéntese, por favor, doctor Harris. Gracias por venir —añadió con gesto turbado.

Anselm tuvo la corazonada de que aquel hombre iba a hacer algo en contra de su voluntad.

—Hemos estado revisando su posición en el hospital, doctor Harris —prosiguió Stefan, con las manos entrelazadas sobre la mesa— y han salido a la luz una serie de cosas. En su solicitud de ingreso dice usted que el único juicio que tuvo por negligencia profesional fue el celebrado en Nueva York por el caso del político Andy Panneterio, ¿no es así?

Anselm asintió con la cabeza sin dejar de mirarle.

—Bien, hemos comprobado que no respondió debidamente a esa pregunta —repuso Stefan enfatizando las palabras—. Pero, lamentablemente, no se trata sólo de eso. Hace unos días tuvo lugar una reunión del comité deontológico del hospital. —Miró a Bob North—. Doctor North, ¿querría decirle al doctor Harris lo que resultó de dicha reunión?

Bob meneó la cabeza sin alzar la vista.

Olson lanzó un suspiro.

—Mire, doctor Harris, como sabe, el comité ha recibido una queja de uno de nuestros médicos respecto a su actuación en el caso Bracknell, y se adoptó el acuerdo de revisar el caso así como todos los casos quirúrgicos de que usted se ha encargado desde su incorporación al hospital.

—¿Todos mis casos? —inquirió Anselm sin dar crédito a sus oídos—. Pues van a tener un buen suplemento de horas extra a fin de mes.

Olson hizo caso omiso del comentario; le fastidiaba que Bob North no le echara una mano, pues habían acordado compartir la ingrata tarea.

—El comité se volvió a reunir esta tarde —prosiguió—, revisó todos los informes de los casos y ha emitido una resolución.

—¿De verdad? —repuso Anselm sin dejar de sonreír con cinismo.

—Esta mañana ha habido una reunión extraordinaria del consejo ejecutivo del hospital —continuó Olson, pasando por alto la ironía; tenía que soltar un discurso y cuanto antes mejor—. Y, teniendo en consideración la resolución del comité y el contenido del informe de los médicos de la marina acerca de su actuación en el caso Bracknell...

—Al grano —dijo Anselm, tajante—. Está dando más vueltas que una bailarina.

Bob North contuvo la risa.

—...ha resuelto privarle de sus prerrogativas profesionales en el hospital a partir del día de la fecha —concluyó Stefan con la sensación de un juez que dicta una sentencia a sabiendas del error del jurado—. Lo siento. Hace tiempo que se le ofreció la oportunidad de dimitir y usted no quiso aceptarla, pese a que con ello se habría evitado el revuelo publicitario que probablemente se producirá.

North alzó finalmente la vista y dirigió una sonrisa a Anselm; una sonrisa displicente, agresiva y triunfante.

—¿Ha consultado los estatutos? —preguntó Anselm a Olson.

—Sí, por supuesto —replicó éste, sorprendido. Si había alguien en el hospital que los conociera bien, era él.

—Pues recordará que establecen motivos muy concretos por los que se puede privar a un médico de sus prerrogativas hospitalarias. Y no se puede hacer sin escuchar su alegación previa, ¿me equivoco?

—Sí que se puede —replicó Bob North alzando la voz—. Se puede hacer con carácter de urgencia para evitar riesgo a los pacientes. Y así se ha hecho.

—Claro que cabe la posibilidad de recurso —se apresuró a decir Stefan—. Y podrá hacerlo a través de abogado.

—Entretanto —añadió Bob—, a partir de hoy no podrá utilizar los servicios del hospital, ingresar ni tratar pacientes, ni entrar en el edificio sin permiso de la administración.

Olson, atribulado, hizo un esfuerzo por poner fin a aquello.

—Le agradecería que concluyese el papeleo más importante lo antes posible, doctor Harris —dijo—. Las altas, anotaciones postoperatorias y esa clase de cosas. ¿Cree que habrá acabado a finales de esta semana?

—Estoy al día —respondió Anselm—. Sólo tengo una paciente que deja mañana del hospital y ésa es la única alta que no tengo hecha.

—En tal caso, doctor Harris, tiene permiso para utilizar los servicios del hospital estrictamente para esa tarea —añadió Olson.

Anselm vio el gesto de triunfo de North y reprimió las ganas de asestarle un puñetazo.

—Lo siento, pero comprenderá que tendremos que hacer un comunicado —prosiguió Olson—. Normalmente no lo haríamos, pero debido a la publicidad que ha levantado el caso Bracknell...

—Claro, háganlo. Pero le diré una cosa —repuso Anselm, dando un paso hacia el escritorio, con el rostro a unos centímetros del director—. Están incurriendo en un necio y grave error jurídico. Este hospital se encuentra en apuros, y si creen que van a solventarlos deshaciéndose de mí, es que no están en su sano juicio.

—No nos culpe a nosotros —terció Bob North con una sonrisa sarcástica—. Comprenda que no hemos sido Stefan y yo, sino una decisión del comité; no nuestra. A nosotros, personalmente, usted nos cae bien.

CUARTA PARTE

33

Norman Hartman, el abogado de Sandy Bracknell, era un viejo zorro, y lo que él ignorase en la práctica de ganar juicios por negligencia médica probablemente no merecía la pena. Norm consultó el reloj. Tenía dos reuniones muy importantes aquella mañana; una con Stefan Olson y el abogado del hospital, y otra con Peter Delafield, como su representante legal. Y antes de eso había quedado en verse con Jasmine Wu, la enfermera jefa de la UCI que estaba de servicio el día del ingreso de Bracknell. La técnica de Norman consistía en pedir la comparencia ante el tribunal de todos los relacionados con el caso por remoto que fuese el vínculo, y luego irles solicitando una entrevista previa. Sus colegas denominaban a estas entrevistas «excursiones de pesca.» Algunos entrevistados reticentes se negaban a hablar con él sin que estuviera presente su abogado, pero, en general, como él siempre se mostraba muy amable y no era nada agresivo, casi nadie desconfiaba por hablar con él.

Norm dio una serie de instrucciones a la secretaria y echó a correr escaleras abajo hasta el coche. Solía tardar casi una hora exacta en llegar a Glenport desde su despacho de Hartford, y como no iban a compensarle el viaje, o no se resarciría al menos hasta después de haber ganado el juicio, no quería perder tiempo.

Sentía una especie de euforia al cruzar la calle para subir al coche. Estaba metido de lleno en el caso más importante de su carrera, el que, de tener éxito, le haría rico para el resto de sus días y hasta le permitiría retirarse. Abrigaba pocas dudas acerca del desenlace. En Connecticut, los tribunales en los últimos años habían estado sentenciando con severidad a los médicos acusados de negligencia, y aquel caso era como tantos otros en los que él había intervenido. Tenía ya apalabrados unos cuantos peritos médicos y expertos en cirugía de todo el país para que testificaran en contra de Anselm Harris, y el alegato que estaba ideando iba a ser irrebatible. Una de las tareas más difíciles sería lograr que testificasen los médicos de la marina, pero a eso también le estaban buscando solución.

Habría mucha publicidad y cuanto más hubiera mejor para él, pues sabía manejar a la prensa, y en televisión dominaba el plano. Él sabía siempre lo que había que decir en los breves momentos en que aparecía en pantalla al salir del tribunal. Modesto, de proverbial imparcialidad y sin engolamientos, siempre dedicaba algún elogio para el adversario. Este caso le situaría en cabeza de los abogados especializados en negligencia profesional del estado de Connecticut, y estaba situando cuidadosamente las piezas para los ulteriores artículos en revistas y programas de televisión; había iniciado ya charlas confidenciales de sobremesa sobre aquel caso con algunas amistades de los medios de comunicación.

Se reclinó en el lujoso asiento de piel para deleitarse con la conducción. Tras dejar atrás el lento tráfico de Hartford, entró en la carretera 2, una autopista moderna y amplia, que, como de costumbre, estaba desierta una vez pasado Glastonbury. Había muy buena visibilidad. Norman miró el retrovisor y pisó a fondo el acelerador. El potente BMW dio un fuerte envite y la aguja alcanzó enseguida los ciento cincuenta. Los prados y los árboles desfilaban a toda velocidad y Norman soltó una carcajada arrebatado por la emoción y el placer de la velocidad. Daba gusto vivir bien y estar sano, y con la perspectiva de aquel caso de varios millones de dólares a punto de caramelo, su cuenta bancaria iba a acusar una buena subida.

Tras unos minutos de velocidad vertiginosa, aminoró y cubrió el resto del viaje hasta Glenport a marcha moderada. No se esforzó demasiado en pensar qué iba a preguntarle a Jasmine Wu; aquella clase de entrevistas eran ya para él casi una rutina. Las otras entrevistas sí iban a ser más peliagudas, y aún seguía elucubrando respecto a todas las derivaciones en el momento de aparcar el coche en el sector de visitantes del hospital.

Norm no era bien parecido, pero en un santiamén era capaz de adoptar una expresión de franqueza que en sus primeros años de abogado había ensayado asiduamente ante el espejo. Ahora ya le salía con toda naturalidad; era el anzuelo con que siempre tentaba a los acusados, aunque, por otra parte, era tan amable y compasivo como el que más.

Aguardó a Jasmine en la puerta de la cafetería, donde habían quedado en reunirse durante el rato libre que tenía por la mañana la enfermera. Cuando llegó aquella mujer bajita, más empequeñecida aun al lado de sus compañeras, miró a aquel hombre de traje oscuro con recelo, pero él la saludó tan amistosamente que su reticencia desapareció de inmediato.

—Tenga, espero que sean de los que le gustan —dijo él, poniendo un plato de donuts entre los dos—. Y perdone que le robe un poco del tiempo que dedica a los enfermos; de verdad.

La sonrisa de Norm era tan acogedora y sincera que Jasmine se sintió halagada y le sonrió tímidamente.

Norm se sentó y cogió un donut.

—Ya sé que no debería comerlo —dijo, dedicándole una nueva sonrisa—, pero aunque no volviera a probar un donut en mi vida nunca tendría el tipo de usted.

Jasmine soltó una carcajada. La idea de aquel hombre tan alto con una cinturita como la suya le pareció muy graciosa.

—A ver si adivino cuántos hijos tiene —añadió Norm, mirando su anillo de casada—. Uno.

—No; tres —replicó Jasmine. Y, algo indecisa, sacó de la cartera una foto que le tendió sin dejar de observarle.

Norm dijo estar fascinado por lo guapos e inteligentes que parecían los niños y con ello se la ganó del todo. Le devolvió la foto.

—Fue una lástima lo del señor Bracknell —le dijo al cabo de un rato con tono compungido—. Una tragedia para todos; para el paciente, para su esposa, incluso para el médico que, lamento decirlo, causó el problema. Seguro que sabrá —añadió con tono confidencial e inclinándose hacia ella— que en el hospital donde trabajó anteriormente tuvo un grave incidente. Es una vergüenza que le permitieran trabajar aquí. —Hizo una pausa y miró en derredor la destartalada cafetería—. Ha hundido la buena reputación de este buen hospital.

Jasmine farfulló algo relativo a que el doctor Harris siempre se había portado bien con ella, pero era evidente que el tal Norm Hartman estaba apenado e indignado por lo sucedido, y parecía sinceramente contrariado por el hecho de que Anselm Harris fuera el causante del bochorno y el desprestigio del hospital e incluso de toda la comunidad.

Luego le preguntó por su intervención en aquel caso que, como ya sabía él, había sido mínima. Mientras la escuchaba con atención, Jasmine le contó nerviosamente cómo había llegado Bracknell a la UCI, los repentinos espasmos que había sufrido y cómo ella había dado la alerta para proceder a la reanimación.

—Vaya, ahora veo que me habían explicado mal la historia —comentó él, sonriendo—. Es usted una persona de gran importancia en el hospital, porque su rápida intervención le salvó la vida. Debe de sentirse muy orgullosa por su intervención en el caso, y espero que la dirección sepa reconocer sus méritos, Jasmine —añadió—. Tengo que decirle que tras esta conversación estoy pensando seriamente en retirar su nombre de la lista de implicados en el caso. Lo que podría hacer —nueva pausa, sin apartar sus vivaces ojos de ella—, porque es usted una joven muy atractiva, es llamarla a comparecer como testigo de la demandante... Le pagaríamos cualquier gasto por ausencia del trabajo y traslados, por supuesto —concluyó como si le estuviera haciendo un gran favor.

Ella dijo que no le importaría declarar si él lo consideraba conveniente.

Norm sonrió, pero por su expresión Jasmine se percató de que seguía preocupado por algo.

—Jasmine, creo que es como si nos conociésemos, por lo que voy a hacerle una pregunta más bien personal —dijo, inclinándose de nuevo en actitud confidencial—. ¿Usted cómo cree que está considerado el doctor Harris en el hospital?

—Muy bien —respondió ella, quitándose un peso de encima al ver que la pregunta no era tan personal—. A las enfermeras les gusta trabajar con él, pero claro, con este caso ha habido toda clase de comentarios... A algunos no les gusta, pero no son... —No quería acusar a nadie, pero había algo en aquel hombre que le infundía confianza—. No siempre se lleva bien con los otros médicos —añadió—. Y algunos le tienen envidia. El doctor North, por ejemplo —dijo mirando al suelo—. Y es sabido que a la encargada de quirófanos le cae mal.

—La señorita Heinz, ¿no es cierto? —inquirió Norm, que estaba al quite, tomando nota mentalmente de entrevistarse con el doctor North y la señorita Heinz.

Consultó el reloj.

—Jasmine, sé que está muy atareada. ¿Sabe algo más acerca del doctor Harris que pueda haber... bueno, molestado a alguien en el hospital? No sé, quizá algo personal...

Pero esta vez no logró su objetivo, aunque era una pregunta que solía dar resultado, y a veces sobradamente, para dar un giro completo al caso. Pero, por supuesto, el doctor Harris sólo llevaba un año en Glenport y seguramente la circunstancia no daba lugar a que la gente le conociera mucho al margen de su competencia profesional.

Jasmine tenía que volver a su trabajo y Norm, satisfecho, se dirigió hacia las oficinas de administración. Alto pero anodino, ahora no era más que un hombre de aspecto inofensivo que pasaba inadvertido. Mentalmente iba estructurando la entrevista que iba a mantener con Stefan Olson, Peter Delafield y sus respectivos asesores jurídicos. A diferencia de la reunión con Jasmine, aquélla tendría influencia decisiva en la estrategia general del caso.

34

Quizá fuese a causa de las presiones que sufría, el caso es que cuando Anselm llegó quince minutos tarde a la cita en la consulta, Valerie se mostró un poco seca con él.

Ella había llegado cinco minutos antes y se había fijado en el nuevo coche de la entrada. Erica la hizo pasar y le preparó un café. Valerie se sentó y hojeó una revista mientras observaba de reojo a Erica con cierta curiosidad. No tenía aspecto de secretaria, y se preguntó si sería una novia de Anselm que sustituía a Melanie.

Cuando llegó él se pusieron a trabajar, comentando minuciosamente el informe de la marina, para a continuación revisar paso a paso lo que ella denominaba «la cadena de mando»: quiénes habían dado las órdenes y adoptado las decisiones en relación con el tratamiento de Bracknell.

Horas más tarde hacían un alto y tomaban un café.

—¿Ahora tiene nueva secretaria? —preguntó Valerie una vez Erica hubo salido y cerrado la puerta.

—¿Erica? No. Trabaja en el hospital, pero ha sido muy amable prestándose a ayudarme esta semana.

Valerie se había fijado en la manera en que Erica miraba a Anselm pero no acababa de entender la relación. No existía entre ellos un vínculo romántico, a juzgar por el lenguaje corporal, pero se notaba que a Erica le gustaba Anselm; circunstancia que explicaba por qué estaba allí. Pero a Valerie le pareció captar algo frío, casi calculador en su actitud.

Buscó en su cartera y sacó una carpeta. Tenía cosas en que pensar más importantes que los apaños laborales de Anselm.

—He intentado encontrar testigos periciales para que declaren en su favor —dijo abriendo la carpeta—. He repasado la lista de los principales especialistas en Coventry, Boston y Hartford.

—¿Y a quién ha elegido?

—A nadie, de momento. Quiero hacer una lista de miembros de la Asociación de Cirujanos Vasculares.

Anselm dejó la taza y fue a la librería.

—Aquí tiene el anuario. En él figuran todos —dijo, tendiéndole un pequeño volumen azul.

—¿Se encuentra bien? —preguntó ella, mirándole—. Esta mañana está muy... tranquilo.

—Soy un hombre muy tranquilo —respondió él,

percatándose de que estaba casi rozándola. Se le hizo un nudo en el estómago y pensó si era el momento de decirle que le habían privado de sus prerrogativas en el hospital. Pero decidió no hacerlo; se lo diría después. Se apartó un poco. Había otras cosas en que pensar.

Volvieron al trabajo, analizando los extremos del informe del doctor Burton.

Una hora más tarde, Anselm consultó el reloj.

—Lo siento, pero tengo que ir al centro —dijo.

Valerie le miró sorprendida.

—¿No puede ir más tarde? Mañana tiene que declarar y quiero que preparemos juntos la comparecencia.

—Lo siento, pero me esperan —añadió él, contemplándola y sonriendo—. ¿Quiere acompañarme? Le aseguro que será interesante.

—¿De qué se trata? —Valerie no sabía si era buena idea ir con él, pero sentía curiosidad.

Anselm se levantó.

—Confíe en mí —dijo—. Es que atiendo semanalmente a gente de la calle en clínica gratuita en un local del centro que me presta el farmacéutico Neil Gowan.

Diez minutos después se iban por la avenida Manitauk en el Triumph azul con la capota bajada y el maletín médico en el hueco de detrás del asiento. No había nubes y el aire fresco les hacía sentirse como un par de niños que van de excursión. El viento alborotaba el pelo de Valerie y Anselm la miraba con el rabillo del ojo. Ahora que no estaba sumida en el trabajo parecía tener una belleza distinta, una sonrisa más abierta y una libertad expresiva que revelaba una capacidad para relajarse y disfrutar que antes sólo había intuido en ella. Y pensó que ojalá la hubiera conocido en otras circunstancias.

Llegaron al centro y encontraron aparcamiento en un extremo de Main Street, cerca de la estación del ferrocarril y del terminal del transbordador.

Había ya cuatro hombres y dos mujeres esperando

delante del local, apoyados contra la pared y sentados junto a sus escasas pertenencias. Mientras Anselm abría el local, Valerie advirtió que el escaparate estaba tan sucio que apenas se veía el interior.

Uno de los hombres se levantó del bordillo de la acera y se aproximó. Valerie contuvo el impulso de apartarse; era delgado, demacrado y con barba crecida y ojos vidriosos, y hedía a orina y alcohol.

Al abrir Anselm, ella vio que dentro no había más que una mesa y un par de sillas, y el suelo estaba lleno de polvo.

—Siéntate, Mal —dijo Anselm al hombre que le había seguido al interior y que casi se derrumbó en una de las sillas, con los brazos colgando, rozando el suelo con sus nudillos enrojecidos.

Valerie, que aún no se había hecho cargo del todo de la situación, retrocedió instintivamente por repugnancia hacia aquel desecho humano al que habría evitado de habérselo cruzado en la calle. Se sentía incómoda y casi le daba miedo dirigirle la palabra, y por primera vez comprendió hasta qué extremo la gente corriente rehúye a personas como aquel Mal. Con el rabillo del ojo advirtió que Anselm observaba sus reacciones.

—Bien, Mal, súbete el pantalón y veamos esa pierna.

Mal no se movió.

—Valerie —dijo Anselm—, si se sienta en la otra silla y le apoya la pierna en su rodilla, podré echarle un vistazo. —Le tendió una toalla quirúrgica verde para que no se manchara la falda.

Valerie vaciló, pensando en que si lo hacía tendría que llevar el traje a que lo limpiaran en seco. Anselm aguardaba, mirándola, y ella se daba cuenta de que estaba sometiéndola a una prueba. Le había hablado de su colaboración en Ayuda Legal, y ahora él quería comprobar si su deseo de ayudar a la gente pobre era auténtico y no le daba reparo mancharse las manos.

Valerie arrimó la silla y se agachó para asir la pierna del vagabundo, que calzaba unos zapatos viejos y destrozados y no llevaba calcetines; sus tobillos ennegrecidos parecían huesos recubiertos de piel reseca.

Y sujetó aquella pierna, pero el hombre, asustado y habituado a responder a agresiones de golfos, alzó la cabeza y le soltó un puntapié que dio en la silla y casi la tira al suelo.

—Tranquilo, Mal —dijo Anselm, estirando el brazo para sujetarla. Valerie recobró el equilibrio y se bajó presurosa la falda, que se le había subido hasta los muslos. Tenía unas piernas estupendas, pensó Anselm recordando la pregunta de Peter.

—Voy a levantarte la pierna para examinarla —dijo al vagabundo, asiéndole por el tobillo y colocándoselo sobre la rodilla de Valerie, para subirle la astrosa pernera.

Poco faltó para que ella vomitara: una gran úlcera de contornos rojizos supuraba y humedecía la toalla. Anselm limpió la herida con agua oxigenada, que dejó oír un leve siseo y formó espuma blanca en la zona infectada; luego le aplicó una capa de pomada marrón y cubrió la úlcera con un apósito de gasa, que sujetó a la piel con esparadrapo.

Valerie nunca había visto nada igual, y dirigió la mirada hacia la puerta entreabierta. Habían entrado cuatro personas que esperaban turno apoyadas contra la pared. Una joven estaba sentada en el suelo con un niño entre los brazos. Ninguno prestaba atención a Mal y se limitaban a estar allí, inmóviles, mirando al vacío.

—Bueno, Mal, ya está —dijo Anselm con tono animado, bajándole la pernera—. El siguiente.

—¿Por qué no le envía al hospital? —inquirió Valerie en voz baja—. ¿No va a decirle cómo tiene que cuidarse esa... cosa horrorosa?

—Él no iría nunca al hospital —contestó Anselm—. En primer lugar, se pone muy nervioso si se ve en un sitio lleno de gente. Y en cuanto a cómo cuidárselo, me extrañaría mucho que la próxima vez que venga conserve aún el vendaje.

Por la luna del escaparate a espaldas de Valerie, Anselm vio un coche de policía que daba despacio la vuelta a la esquina y se detenía en la acera de enfrente. Lo ocupaban dos agentes y el sol arrebató un destello fugaz de las gafas oscuras del que iba al volante.

La joven se levantó del sitio en que estaba y se acercó andando despacio con sus pies descalzos cargada con el niño.

—Hola, Helen —dijo Anselm en cuanto se hubo sentado—. ¿Qué tal el niño?

El pequeño tenía los ojos acuosos y hundidos.

—Ha tenido mucha diarrea, pero ahora está bien —contestó ella, desabrochándose el único botón de la blusa. Tenía unos senos grandes y colgantes con venas azules en el parte superior. Encima del pezón derecho había una zona enrojecida e inflamada.

—¡Caray! —exclamó Anselm—. ¿Cuándo ha sido eso?

—Hace cinco días —contestó la joven con voz exangüe y un acento que Valerie identificó como de la zona de Boston—. El niño está hambriento y a veces muerde.

Anselm pensó un instante. En aquello no podía intervenir sin una instalación adecuada, y allí ni siquiera había agua corriente; pero sabía también que Helen jamás pasaría por su consulta y preferiría morir antes que acudir al hospital.

—Es un absceso —dijo—. No me convence hacerlo aquí, pero hay que sajar.

Helen se encogió de hombros y Valerie sintió que se le encogía el estómago. ¿Iba Anselm realmente a practicar allí una intervención quirúrgica a la mujer? Otra que acompañaba a la joven se acercó y cogió al niño, que no protestó.

La operación fue rápida. Anselm sacó un par de guantes de goma, situó otra toalla verde bajo los pechos de Helen, cogió una jeringuilla e inyectó una dosis de xilocaína en el absceso. El dolor debió de ser atroz, y Valerie no pudo contener una mueca de repeluz, pero Helen no se inmutó. Luego, con un montón de gasas en una mano y en la otra el bisturí, Anselm hendió la punta en la cabeza del absceso. Valerie cerró los ojos con fuerza. Cuando Anselm extrajo el bisturí brotó un chorro de pus verdoso mezclado con sangre. Aplicó la compresa sobre la incisión pero se empapó enseguida y el pus comenzó a gotear en la toalla.

Entretanto, a la cercana estación llegaba un tren, acompañado del estruendo y sonar de campanas al bajarse las barreras; de él descendió una docena de personas, en su mayoría hombres con maletines, que pasó por delante de la tienda. Ninguno de ellos miró al interior ni a los que esperaban fuera; a Valerie le indignó aquella indiferencia.

Los policías se apearon del coche, cruzaron la calle y entraron en el local, quedándose apoyados contra la puerta, mirando la escena.

—Déme más compresas —dijo Anselm, que no podía alcanzarlas sin dejar de ejercer presión en el pecho de la joven. Valerie cogió el paquete y se lo tendió, estupefacta aún de haberle visto hacer aquello allí...

—¿No debería haberlo hecho en condiciones de esterilidad? —preguntó—. Se le va a infectar.

—Ya está infectada —replicó Anselm, cogiendo una sonda de goma con un hemostato curvado en su extremo—. Por eso he sajado el absceso y por eso hay pus. Por favor, abra el paquete sin tocar su contenido, que está estéril. —Introdujo la sonda en el orificio del absceso—. Si no le pongo una sonda la piel se cerraría al cabo de unos días y el absceso volvería a reproducirse.

Durante toda la intervención el rostro inexpresivo de Helen no había mostrado ni dolor ni angustia alguna.

—Qué hay, doctor —dijo uno de los policías, un joven bien parecido con bigotito, que parecía sentirse incómodo.

—Hola, David —contestó Anselm—. ¿Vienes a echarnos una mano?

—Nada de eso —terció el compañero, un hombre más bajo y fornido, de pelo negro corto y mirada fría—. Doctor, no puede usted hacer eso aquí. Este local no tiene permiso de sanidad. Está contraviniendo el orden público.

—Éste es el único lugar en que esta gente puede conseguir asistencia médica —replicó Anselm con calma—. Claro que preferiría hacerlo en un sitio como es debido. Pero bien sabe que esta gente no iría al hospital.

—Doctor, lo siento de veras, pero tiene que marcharse de aquí —dijo David—. A menos que nos enseñe un permiso que le autorice para utilizar este local. Es una ordenanza municipal y hay que cumplirla.

—Aún me queda por atender a ésos —replicó Anselm mirando a las seis personas de la cola.

El otro policía, que obviamente tenía poco aguante, dio un paso adelante, pero David le retuvo con la mano.

—Por favor, doctor, recoja sus cosas y deje el local; si no, tendremos que detenerle.

—De eso nada —terció Valerie—. No estamos molestando a nadie. ¿Se ha recibido alguna queja de algún ciudadano? ¿Quién les envía?

Los agentes la miraron como si no la hubieran visto hasta ese momento.

—¿Quién es? —preguntó David.

—La señorita Valerie Morse —dijo Anselm—. La abogada Morse.

—Joder —exclamó el segundo policía—, no se puede dar un paso en la ciudad sin tropezarse con un abogado.

—Mire, doctor —añadió David—, por esta vez que le sirva de aviso. Nos vamos al coche y cuando volvamos dentro de media hora no esté usted aquí, ¿de acuerdo?

—Acabaré en unos veinte minutos —dijo Anselm—. Gracias por la visita. Si alguna vez tiene un absceso en la tetilla ya sabe dónde acudir.

David sonrió, pero su compañero le miró furibundo.

Quince minutos después Anselm había terminado de atender a los pacientes; el último, un joven delgado con lesiones purpúreas en la cara y una tos tan fuerte que apenas podía andar. El que le acompañaba no parecía estar mejor. Valerie no había visto jamás a nadie tan enfermo.

—Está muy mal —dijo Anselm cuando se hubieron marchado—, pero no puedo hacer nada por él, y lo sabe. Vive con su amigo en un tramo de alcantarilla fuera de servicio del Watertown Mall.

—¿Qué tiene en la cara? —inquirió Valerie.

—Sarcoma de Kaposi —contestó Anselm—. Deben de quedarle una o dos semanas —dijo con voz pausada, pero Valerie notaba su frustración ante aquel caso de un desahuciado.

Anselm metió los apósitos usados y otros residuos en una bolsa de plástico, la cerró y se la dio a Valerie para que la llevase hasta el coche, y él cargó con el maletín de instrumental.

—Me debe una limpieza de falda —dijo ella al subir al Triumph.

—Considérelo como su contribución personal al sufrimiento de los marginados —replicó él.

Eran casi las cuatro y hacía una tarde espléndida. La temperatura era muy agradable, no había una sola nube y una ligera brisa movía las hojas de los árboles. El día ideal para pasear en un coche descapotable como aquél. En todo el camino de vuelta a la consulta no intercambiaron palabra; el motor hacía mucho ruido y habría sido difícil la conversación. Además, Valerie callaba porque era la primera vez que veía actuar a Anselm, diagnosticando, tomando decisiones e incluso operando, con una serena eficiencia y una humanidad que suponían un giro radical en la opinión que se había formado de él. Estaba atónita e impresionada; y de qué manera. La sorprendía la fuerza de los sentimientos que estaba alimentando hacia él, y comprendió que debía tener cuidado. Anselm Harris era un cliente, y los abogados no se implican emocionalmente con sus clientes.

—Gracias por ayudarme en la consulta —dijo él cuando se apeaban del coche—. Y gracias también por espantar a los polis.

Su tono la hizo mirarlo intensamente. Estaba sacando el pesado maletín de la trasera del coche y parecía haber cambiado; parecía presa de una profunda tristeza que hubiese desplazado a su aplomo y eficacia de poco antes. Y sintió un impulso casi irreprimible de abrazarle y consolarle.

Cuando Anselm entró en la oficina, cargado con el pesado maletín y seguido de Valerie, sonaba el teléfono y fue a cogerlo. Para su sorpresa, era Frank Abruzzo.

—Esa Erica Barnes —dijo Frank con su tono malhumorado—, ¿no trabaja a tiempo parcial en su consulta?

—Así es —contestó Anselm, sorprendido.

—Creo que debe saber que le ha vendido —dijo Frank—. Dio parte al comité de una demanda en Nueva York por negligencia profesional en la que figuraba su nombre. Una querella que no prosperó. Debió coger el expediente de su archivo.

Anselm estaba estupefacto. Después de colgar, se sentó en el sillón y se echó a reír. ¿Qué otra cosa podía hacer?

Valerie le miraba desde el umbral, perpleja.

—¿Preparo café?

Anselm alzó la vista.

—No —replicó—. Tengo una idea mejor. ¿Qué tal si cogemos el coche, paramos en la tienda de la esquina, nos compramos una botella de vino y vamos de paseo por el río hasta Mystic?

35

Algo flotaba en el aire entre Valerie y Anselm nada más arrancar; algo intenso aguzado por el cielo azul y los pujantes indicios de primavera que había por doquier. Para Anselm era una especie de tregua, un claro entre nubes, en el que poder olvidarse del hospital, de Bracknell, de todo.

Valerie sentía lo mismo: cuando cruzaban velozmente el largo puente del río Thames, atrás quedaban las incertidumbres de su empleo, Ralph Stern, Patrick, e incluso el caso de Anselm Harris.

Llegando a Mystic, en una carretera que cruzaba un marjal en el que proliferaban los juncos entre las matas grises de hierba de la anterior estación, Anselm frenó de repente y se detuvo en el herboso arcén.

—¿La ha visto? —preguntó.

Valerie, que acaba de sufrir una sacudida contra el cinturón de seguridad, no tenía idea de lo que hablaba y negó con la cabeza.

—Una garza real —dijo él con ojos brillantes—. Azul; una preciosidad. No abra la puerta, salte por encima y despacio.

Anselm bajó con cautela seguido de Valerie que, afortunadamente, no llevaba falda estrecha.

Cruzaron por debajo de una alambrada y avanzaron sin hacer ruido entre matas de juncos y lavandas, rodeando matorrales de pimenteros silvestres hacia el lugar en que Anselm había visto el ave. Valerie, que iba tras sus pasos, tropezó en una rama y estuvo a punto de caer, pero él se volvió y la sujetó por la mano. Siguieron avanzando unos minutos, despacio, con apenas visibilidad a unos pasos por delante. A Valerie le vino a la imaginación que se perdían, que se hundían en arenas movedizas y desaparecían, pero ella sabía afirmar bien el pie y poseía una habilidad innata para caminar sin hacer ruido. A sus espaldas, por la lejana autopista, pasó rugiendo un remolque plataforma, súbita nota incongruente. Llegaron a un pequeño claro y Anselm se detuvo a escuchar. Lo único audible era el zumbido sordo de los insectos y a lo lejos el rumor del tráfico. Valerie sentía tan cerca la presencia física de él, que su cuerpo acusó una excitación y una tensión crecientes.

Él le apretó la mano.

—¡Mire! —le musitó al oído.

Dirigió la vista hacia donde él decía y, entre unas ramitas de abedul, vio los reflejos azules y blancos del cielo en un charco e inmediatamente después la figura esbelta y alargada de una enorme garza real, bordeada por el halo brillante del sol, inmóvil sobre una sola pata delgada en el borde del charco, a la espera.

Anselm se agachó entre las altas hierbas y tiró suavemente de ella para quedar ocultos a la vista del ave.

—Qué grande —murmuró ella. Era, efectivamente, una garza de más de un metro.

De pronto, la zancuda hizo un movimiento y emprendió el vuelo con el impulso de sus largas patas, aleteando ruidosa y torpemente en la primera fase de elevación. Rebasó la arboleda y por encima de sus cabezas vieron pasar aquella fugaz forma gris-azulada, parecida a un pterodáctilo prehistórico, batiendo las alas con las patas colgando y emitiendo un fuerte graznido cual protesta por haber sido molestada, para, enseguida, desaparecer tras unos alisos.

Anselm rodeaba a Valerie con sus brazos.

—Es la segunda garza azul que veo este año —le susurró suavemente al oído—. Pero ésta la recordaré toda mi vida.

El sentimiento mutuo era demasiado fuerte para resistirlo. El suelo era blando y acogedor y se tumbaron; olía a primavera y a turba marina, y estuvieron quietos un rato, asidos con fuerza de la mano, incapaces de unirse para satisfacer el deseo que crecía en ambos, pero disfrutando de aquel estrecho contacto corporal y conscientes de compartir la pasión que les embargaba. Con delicadeza, Anselm le desabotonó la blusa y Valerie notó en sus pechos la caricia de la brisa. Poco después estaban desnudos, libres y sin trabas, riéndose y tocándose con sorpresa y deleite, hasta que la pasión volvió a arrebatarles y se unieron íntimamente.

Permanecieron allí casi una hora, entre juncos y bajo las espigas de heno danzando sobre sus cabezas, con el olor de la tierra y la sensación de primavera como una oleada que borraba todo lo demás.

36

Ya hacía frío y oscurecía cuando llegaron a Glenport. La capota del Triumph no se sujetaba en el enganche y Valerie tuvo que apoyar su peso en ella para que no la abriera el viento.

—Mañana tienes una citación con Norm Hartman —dijo ella, castañeándole los dientes, cuando se detuvieron delante de la consulta—. Lo siento, pero sigues siendo mi cliente y tengo que asegurarme de que vas preparado.

—Ya he pasado por ello —replicó Anselm— y sé lo que tengo que decir.

—Exacto. Pero lo que a mí me interesa es lo que no debes decir —replicó Valerie—. Hace mucho frío para seguir discutiendo, así que haz el favor de ceder sin que nos peleemos.

—De acuerdo —respondió Anselm—. Pero no nos quedemos aquí; vamos a mi casa, pedimos una pizza y estaremos cómodos y con un baño caliente.

Giró en redondo el coche y tres minutos después entraban en el garaje de su casa.

Diez minutos más tarde estaban tomando un baño caliente.

—La primera regla —dijo Valerie, retirándose hacia el extremo de la bañera y manteniéndose de cuello para abajo pudorosamente cubierta por la humeante superficie— consiste en decir lo menos posible. No dar voluntariamente nunca información, por trivial que sea. —Miró a Anselm, que había seguido su ejemplo y estaba sumergido hasta la cabeza—. Y recuerda que todo cuanto digas lo revisará minuciosamente un equipo jurídico cuyo objetivo es destrozarte.

—Una cosa que me preocupa, Valerie —dijo él—, es tu cinismo. ¿Dónde queda tu creencia en la bondad última de los hombres? O de las mujeres —añadió para no parecer machista.

—Estoy hablando de abogados —replicó ella—. Y, como habrás advertido, la mayoría no somos siquiera humanos. —Su pie rozó la pierna de Anselm y eso le hizo perder el hilo.

—¿Cuál es la segunda regla? —inquirió Anselm.

—La segunda consiste en cumplir siempre la primera.

—¿Hay una tercera?

—Sí. La tercera es decir la verdad. Si no recuerdas algo hay que manifestarlo y no inventar. No hay que permitir que te induzcan a afirmar cosas que no habrías dicho normalmente. Estás en tu derecho en negarte a contestar, pero tal vez después el juez insista y te lo requiera. Es mejor contestar de un modo vago que no decir nada, porque la falta de respuesta llama la atención sobre la pregunta...

—Dios mío, Valerie, me has dicho muchas reglas y no he tomado nota. ¿Puedes repetírmelas?

Antes de que pudiera responder, Anselm conectó el hidromasaje y comenzaron a formarse ruidosas burbujas hasta que la superficie del agua pareció un caldero hirviendo. Valerie lanzó un suspiro. Con aquel ruido era imposible hablar y, en cualquier caso, ya no sentía ningún fervor pedagógico. Se abrazaron en medio de la bañera y se levantaron abrazados, tensos de deseo.

Transcurridos unos minutos, Anselm miró por encima del hombro de ella y vio al recadero que traía la pizza, apoyado en la cancela trasera, con la caja en las manos, mirándoles boquiabierto.

Veinte minutos después, sentados en la cocina y envueltos en sendos albornoces, con la caja de la pizza vacía entre ambos, Valerie advirtió que Anselm miraba el reloj.

—¿Tienes que irte? —preguntó—. Imagino que serán tus rondas de visita en el hospital.

Anselm meneó la cabeza.

—Pues no. Han decidido que era un peligro para los pacientes y me han retirado las prerrogativas médicas. Así que, salvo unos cuantos pacientes ambulatorios que tengo en mi consulta, estoy sin trabajo.

Valerie no salía de su asombro.

—¿Quiénes «han decidido»? ¿Te han concedido una entrevista?

—Lo han decidido el director del hospital y el jefe de cirugía a través del comité de deontología quirúrgica y el comité ejecutivo —contestó Anselm, tratando de no mostrarse afectado.

—¿Tienes abogado? Aparte de mí, me refiero.

—No, no tengo. Iba a pedirte que lo fueses tú.

—Pero ¿el hospital no tiene abogado?

Valerie sabía perfectamente que hasta el hospital más minúsculo tenía abogado, y la pregunta estaba de más; pero quería insistir en ello.

—Sí. En realidad, el abogado estuvo presente en la primera reunión de hará una semana, cuando quisieron que dimitiera por propia voluntad.

Valerie reflexionó un instante. No quería verse implicada en asuntos jurídicos que no estuvieran directamente relacionados con el juicio por negligencia, pero si el hospital mostraba tan a las claras su falta de confianza en él, la posibilidad de que Anselm ganase el juicio podía resultar seriamente afectada.

—¿Tienes copia de los estatutos del hospital? —inquirió.

—La tengo en la mesilla —respondió él con picardía, pero a ella no le hizo gracia—. Tengo copia en el estudio —añadió levantándose—. Voy por ella.

Subió un tramo de escalera hasta el cuarto que utilizaba como despacho, seguido por Valerie, que sentía curiosidad por ver el sitio en que trabajaba en casa.

Mientras Anselm rebuscaba en un cajón del escritorio, Valerie echó un vistazo a la pieza. Se notaba que había sido dormitorio por el ventanal que daba al patio delantero y a la calle; un escritorio con un teclado de ordenador ocupaba casi toda la pared opuesta, junto a una librería baja llena de revistas y libros de medicina. En la pared, encima del escritorio, había varias fotos de su época de estudiante, una de ellas con un grupo de atletismo, en la que un jovencito Anselm la miraba con descaro; en una columna estéreo de un rincón parpadeaba una lucecita roja. Valerie se acercó a la librería y miró las dos fotos enmarcadas que había encima de ella. Una era el retrato de un piloto de la fuerza aérea bastante bien parecido y de unos treinta y tantos años, con el casco en la mano y de pie ante el reactor, y la otra también de él, con una mujer de aspecto tristón pero buen tipo, los dos de pie ante la escalinata de una casa, entrecerrando los ojos por el sol.

—Son mis padres —dijo él, tendiéndole un librillo azul—. Los estatutos; última edición.

Valerie hojeó el índice y buscó la sección: prerrogativas de hospital, anulación de.

—Anselm, ¿tenías algún paciente en el hospital en el momento de la rescisión de tus prerrogativas?

—No. Tenía una paciente, Juniper Manson, pero ya había rellenado el formulario de alta. Nadie más.

—Entonces, no creo que tengan derecho a anular las prerrogativas alegando urgencia —dijo ella—. Está bien claro en la sección tres —añadió, mostrándole el párrafo—. Dice que sólo pueden anularse para proteger los intereses de pacientes que se considere sometidos a riesgo.

—Por si llegas borracho al quirófano —añadió Anselm—. Lo sé. Yo les he dicho que actuaban en contra de la ley. No sé cómo su abogado, John Kestler, no les ha prevenido.

Valerie dejó escapar una especie de bufido.

—Le conozco de hablar con él —dijo—. John Kestler es especialista en asuntos inmobiliarios, y las sutilezas de este caso le escapan. —Hizo una pausa para reflexionar, sin estar muy segura de si no iba a cometer un error—. Voy a presentar recurso —dijo—, y en un par de días habrás recuperado tus prerrogativas, previa entrevista con la dirección.

Anselm enarcó las cejas.

—¿Seguro que no crees que es mejor que lo lleve otro abogado? No quiero que tengas problemas con la agencia de seguros de quien tienes que cobrar.

—No te preocupes por eso —dijo ella, decidiendo sobre la marcha—. Puede que esto juege a favor nuestro. Con el recurso, en el hospital se darán cuenta de que no pueden hacer contigo lo que quieran. Además, si le damos publicidad, aparecerá como una represalia por su parte y eso no les interesa en absoluto.

Valerie lanzó un profundo suspiro y se le movieron de entusiasmo las comisuras de los labios. Se le acababa de ocurrir una idea, pero pensó que no era el momento de hablarlo con Anselm; más adelante.

Comenzaban a sentir frío y volvieron al baño caliente y a hacer de nuevo el amor.

Poco después, Valerie partía para New Coventry con el librito azul de los estatutos del hospital. Ya en el coche, la sensación cálida y de excitación amorosa cedió a un sentimiento de incertidumbre y preocupación. El código deontológico de la abogacía no era tan estricto como el médico, pero sabía que estaba muy mal visto que los letrados entablaran relaciones íntimas con sus clientes. No sólo era transgredir la ética, sino una situación peligrosa que podía derivar en serios problemas. «Vuelve atrás —le decía la tranquila voz de la razón—. Sal de esa situación con Anselm. ¿Y si pierdes el caso? ¿Sentirá lo mismo por ti?»

Cuando entraba en la interestatal 95 se dio cuenta, contenta y recelosa a la vez, de que quizá era demasiado tarde para preocuparse de ello.

37

Como preparación parcial del caso, Valerie estaba comentando la estrategia general de defensa con el especialista de la firma, Dexter Milne. Habían llegado al punto de cómo tratar el anterior juicio de Anselm por negligencia profesional.

—Yo procuraría dejarlo al margen —dijo Dexter—. Tienes que evitar que lo admitan como prueba, y no te va a ser fácil, porque Norm hará todo lo que pueda para que lo acepten. Ya sé que piensas que tu defendido fue un chivo expiatorio en ese caso, pero si lo admiten como prueba el juez no te consentirá que lo reabras. Tu defendido fue condenado y punto.

Dexter se disponía a marcharse. Valerie le había notado a disguso durante la conversación, y ahora la miraba preocupado.

—Valerie, ¿te das cuenta de que esto te desborda? Vamos, que es un caso de cuidado. El experto que presentas como testigo... Todos los abogados de la especialidad de negligencia profesional le conocen como «el medicastro». Claro, tú no podías saberlo. Además, no esperes ninguna ayuda de los médicos de la marina. Tengo la impresión de que ya estarán asesorándoles los abogados más expertos de Washington.

Valerie lanzó un suspiro.

—¿Sabes, Dexter? —dijo—, aún no entiendo por qué Andrew me encomendó este caso. No es mi especialidad; y aunque ya tuviera pensado hacerme trabajar en él, es a ti a quien habría debido encargártelo.

Dexter se mordió el labio inferior sin saber si continuar.

—Escucha, Valerie, lo que sucedió fue lo siguiente. Como sabes, Ralph Stern quería deshacerse de ti a toda costa y, como es lógico, Andrew no iba a dejarle en mal lugar. Por eso la solución que buscó fue encomendarte un caso imposible. Si lo pierdes, pueden despedirte por no haberlo llevado bien, y si, contra toda expectativa, lo ganas... —Dexter esbozó una débil sonrisa—. Bueno, Andrew le dijo a Ralph que si lo ganabas se demostraría que eres una abogada de primera y tendría que tragarse su bilis y considerarse afortunado por tenerte en la firma.

—¿Cómo sabes eso? ¿O son simples suposiciones?

—Nada de suposiciones. Andrew me dijo que estudiara el caso antes de dártelo; yo lo miré, hice varias llamadas telefónicas y le di mi opinión de que no había la mínima esperanza de ganarlo.

Se miraron en silencio.

—Lo lamento, Valerie, en serio —añadió él.

Valerie volvió a su despacho sintiéndose el blanco de todos los disparos; pero también el caso del doctor Kasper se consideraba imposible. Tenía que haber un modo de llevar adelante la defensa de Anselm Harris a pesar de todos los factores en contra. Debía haber algo, algo que los dos hubiesen pasado por alto sin percatarse de que era la clave del caso. Desde luego iba a tener que dedicar todo su tiempo y todas sus energías, y eso sin contar la consulta de las referencias jurisprudenciales; pero tenía de sobra las dos primeras cosas y la tercera no se le daba mal.

Poco después, mientras repasaba la transcripción de la primera declaración de Anselm, decidió alquilar un apartamento pequeño en Glenport por una o dos semanas; así se ahorraría las dos horas de camino diarias y le sería más fácil hablar con las distintas personas implicadas en el caso. Y le quedaría más tiempo para estar con Anselm.

Aquella noche, al acostarse le echó de menos y, conforme iba apoderándose de ella el sueño, se llevó la mano a la entrepierna y comenzó a recrearse lujuriosamente en una fantasía hasta alcanzar el orgasmo y quedarse dormida.

—Te acompaño —dijo Anselm—. No quisiera que a Peter le pillara de sorpresa.

Anselm y Valerie no se habían visto mucho desde su primera excursión y ambos vivían bajo la impresión de que aquella tarde había sido un breve sueño al que no sabían muy bien cómo regresar.

—Sorpresa no será —replicó Valerie—. La entrevista está convenida.

La consulta de Peter estaba un par de manzanas más abajo en la calle, y el corto paseo en pleno ambiente primaveral con los castaños floridos de las aceras les hizo recordar que no todo en la vida eran exhortos, comparecencias y declaraciones.

Su consulta era más grande y moderna que la de Anselm. Y más concurrida. Había pacientes esperando análisis de sangre y radiografías y otros sentados en cómodos sillones en la sala de espera, y enfermeras con bata blanca cruzaban silenciosamente el suelo alfombrado. Reinaba un ambiente casi de lujo.

Peter estaba en el despacho, les dijo la secretaria Denise Beckwith, una mujer de mediana edad de brazos musculosos y cortos. Llevaba un holgado vestido marrón y un gran broche de plata con un ónice con pendientes a juego.

—Doctor Harris —dijo, sonriéndole—, me alegro de verle. Y usted debe de ser la señorita... —añadió, hojeando el dietario— la señorita Morse.

—Exacto, es mi abogada. Denise es una buena amiga —añadió volviéndose hacia Valerie.

—El doctor Harris me operó el año pasado —comentó ella a Valerie—. Es el mejor cirujano de Glenport.

Valerie advirtió que se expresaba como a la defensiva, como esperando que ella fuese a contradecirla.

Peter salió del despacho y Valerie vio a un hombre alto y bien parecido, seguro de sí mismo y con un traje blanco impecable.

Anselm hizo las presentaciones y se demoró en charlar un instante con Denise Beckwith.

Valerie pasó con Peter al despacho, una habitación espléndida con muebles cromados y de cuero, grandes ventanas, un gran David Hockney enmarcado detrás del escritorio y una gruesa alfombra china sobre la moqueta blanca. En un extremo se erguía una figura larga surrealista de tiras de metal brillante, posiblemente representando a una maternidad. Era mucho más lujoso de lo que Valerie había imaginado.

Sacó del bolso una grabadora portátil.

—No se trata de una declaración formal, doctor Delafield —dijo—. Sólo voy a hacerle algunas preguntas sobre el caso Bracknell, si no le importa.

—Claro que no —respondió Peter, reclinándose cómodamente—. Adelante, por favor.

El pensamiento de Valerie voló hacia Anselm, sometido a la fuerte presión de defender su vida profesional, y el contraste con Delafield le pareció injusto.

—Supongo que sabrá que yo también soy demandado, igual que el hospital —dijo Peter.

—Sí —respondió Valerie—. He leído la citación. No me extraña; los abogados de la parte demandante incluyen a todos los relacionados en esta clase de pleitos, y luego retiran la acusación si comprueban que es infundada. —«No será ése el caso contigo —pensó—, estás tan implicado como el doctor Harris y quizá más.»

Mientras hablaba trataba de hacerse una idea de aquel hombre tranquilo, contenido, en apariencia tan al corriente de todo, aparte de que irradiaba una especie de aura de sólida confianza en sí mismo. Peter Delafield era la clase de hombre capaz de enamorar desesperadamene a las mujeres, y no le pasó desapercibido a Valerie el interés que ella misma despertaba en él.

—Bien, empecemos... —dijo, poniendo la grabadora en el cristal del escritorio y conectándola—. Diga su nombre para quedar identificado en la grabación, doctor Delafield, por favor... Bien, gracias. Ahora le agradecería que recordara los acontecimientos del catorce de abril del año en curso. Explíqueme, por favor, la relación que tenía por aquellas fechas con Denton Bracknell.

—Bueno, era paciente mío —respondió Peter, mirándola con perplejidad contenida—. Nos conocíamos desde hacía un par de años y creo que confiaba en mí en cuanto médico. No tenía en mucho aprecio a los facultativos del gobierno en Washington, o al menos es lo que me dijo. En cualquier caso, como era un personaje políticamente importante, yo tenía que atenderle con sumo interés y hacerle un chequeo completo más o menos cada seis meses. Este invierno contrajo una bronquitis acompañada de algunos trastornos de presión sanguínea, y hacía algún tiempo que padecía algo de esclerosis arterial pero sin consecuencias —le sonrió, con evidente intención de algo ajeno al tema.

—Así pues, que usted sepa, ¿hasta ese momento gozaba de buena salud? —inquirió ella, mirando el contador de la grabadora para comprobar que funcionaba.

—Eso es. La primera noticia que tuve de que estuviera enfermo fue cuando la señora Bracknell llamó desde isla Carver. Por lo visto, Denton acababa de volver de Washington quejándose de cefalea y se había acostado. Y cuando dos horas más tarde ella fue a ver cómo seguía no pudo despertarlo, llamó al servicio de bomberos de la isla y ellos le trajeron en la lancha de Alec Ponting porque había mucha niebla para trasladarle en helicóptero.

Valerie tamborileó con el lápiz sobre su bloc, pero hasta entonces lo único que había anotado era el nombre de Peter.

—¿El señor Bracknell estaba tomando alguna medicación? —La tarde de la víspera, con ayuda de Dexter Milne, había tomado notas sobre las preguntas que tenía que hacer, y buscó la lista—. ¿Para la tensión, por ejemplo?

Peter meneó la cabeza.

—No. Le prescribí un tratamiento de diez días a base de Ceclor para la bronquitis, pero eso fue varias semanas antes, en enero. Espere que se lo confirme... —añadió consultando el historial que tenía delante; Valerie advirtió que detrás del historial clínico de Denton Bracknell, unido por un clip, estaba el de su esposa, y que ambos eran poco voluminosos, de lo que se deducía que los dos estarían bastante bien de salud—. Sí, no tomaba nada más —dijo Peter, cerrando el historial.

La siguiente pregunta que hizo Valerie se refería al estado de Bracknell al ser reconocido en el muelle antes de ingresar en el hospital.

—¿Hasta qué extremo consultó con el doctor Harris? —inquirió.

—Cuando supe lo que había sucedido, le pedí que no se marchara —contestó Peter—. Por lo que me explicaron, intuí que podía haber sufrido una apoplejía y ésta se debe a veces a un coágulo que se desplaza por el torrente sanguíneo hasta el cerebro.

Gracias al asesoramiento de Dexter y Anselm, Valerie estaba bien versada en las tendencias viajeras de los coágulos. Asintió con la cabeza.

—Una vez en el hospital, ¿confirmó usted esa diagnosis? —inquirió.

Peter hizo mención de la prueba de ultrasonidos que les había servido para confirmar una obstrucción parcial de la carótida que irriga el cerebro.

—En el informe de la marina se afirma que el equipo de ultrasonidos del hospital no es de último modelo —comentó ella—. A decir verdad, lo califican de obsoleto.

Peter se rebulló en el asiento tranquilamente.

—Desde luego no es el último modelo, eso nadie lo discute. Pero es lo bastante adecuado para facilitarnos la información requerida.

Apoyó las manos en la superficie de vidrio del escritorio y dirigió un guiño a Valerie antes de hablar en dirección a la grabadora.

—Que en el hospital de Bethesda de la marina tengan los aparatos más modernos con lo último en pitidos y zumbidos no significa necesariamente que hagan mejor medicina.

Valerie sonrió. Desde luego aquel Peter Delafield era muy simpático.

—Después de pedirle consulta al doctor Harris respecto al señor Bracknell, ¿consideró él que había que operar?

—No, al principio no; ni yo tampoco. En aquel momento se trataba de saber si el señor Bracknell aguantaría el traslado a otro hospital, tal como el Centro Médico de New Coventry o el de Bethesda. Traslado que ambos descartamos.

—Y luego, al confirmar la prueba la presencia del trombo y sufrir el paciente una recaída súbita, ¿cambió de idea y decidió que había que operar?

Valerie había preparado cuidadosamente aquella pregunta, pero a Peter no le pilló de sorpresa, y su leve actitud burlona desapareció. La miró fijamente.

—Yo no tomé la decisión, abogada. Yo no soy más que un internista. Como estoy seguro de que no ignora, la decisión de operar debe tomarla el cirujano del caso y sólo él.

—Por supuesto —comentó ella, rebuscando entre sus papeles—. Pero ¿no es correcto afirmar que, habida cuenta de los nuevos datos sobre el estado del paciente, y sabiendo como sabía la causa del mal del señor Bracknell, usted le aconsejase o animara a intervenir quirúrgicamente?

Peter se pensó la respuesta.

—Comentamos los datos y nos mostramos de acuerdo en cuanto a la causa del mal de Bracknell —respondió al cabo—. Y yo básicamente coincidí con él en lo que había que hacer —añadió con énfasis, puntuando sus palabras con golpecitos de los dedos en la mesa—. Pero el doctor Harris era el único que tenía que decidir si el método a seguir era quirúrgicamente factible y adecuado.

Valerie comprendió que en aquel extremo no iba a ir mucho más allá con Peter; era inútil intentar que asumiera la responsabilidad de haber adoptado la decisión crucial de operar.

Tras revisar con detalle los resultados de las pruebas y los motivos por los que se había llevado a cabo la operación, advirtió que Peter miraba su Rolex de oro.

—Tengo que hacer mis rondas en el hospital —dijo—. Lo siento. Ha sido una entrevista muy interesante.

Salió de detrás del escritorio y se quedó contemplándola de pie mientras ella guardaba la grabadora en la cartera.

—Abogada, sé que aún hay muchas cosas que querrá revisar —dijo con cierta vacilación; ahora que le tenía casi al lado, ella notó el magnetismo de su atractivo—. Mañana es sábado —añadió—. ¿Qué le parece si viene con Anselm a navegar con Susan y conmigo? Puede ser una agradable jornada y de paso podemos despachar lo que quede. ¿Qué le parece?

A Valerie le pareció una idea estupenda; así Anselm y ella podrían pasar casi todo el día juntos, y, desde luego, le quedaban muchas cosas por repasar con Delafield antes de la comparecencia formal. Aunque no avanzaran mucho en el trabajo, a ella le encantaba navegar y esa oportunidad no se presentaba todos los días.

—Si el doctor Harris está de acuerdo, estupendo —dijo—. Y puedo asegurarle que soy una buena marinera.

—Magnífico. Llamaré a Anselm mientras vuelve usted a su consulta, y si él puede saldremos hacia las ocho, después de la ronda de la mañana. Seguro que aún tendremos este terral. —El entusiasmo de Peter era tan evidente que Valerie no pudo por menos que sonreír—. Iremos hasta la isla Block, almorzaremos allí, nos daremos un chapuzón y volveremos por la tarde a última hora. Llévese un jersey porque a veces hace frío a la vuelta y calzado de deporte, por supuesto; pero como es una veterana marinera, seguro que no necesito decírselo —añadió con una sonrisa de flirteo que a Valerie le hizo soltar una carcajada para darle a entender que no tenía nada que hacer.

Regresó a pie a la consulta de Anselm, dándole vueltas a la reciente entrevista. Peter Delafield no le había parecido arrogante, sino de un aplomo apabullante. Había dejado bien claro que la decisión de operar la había adoptado Anselm, y al parecer no le preocupaba ser él también demandado. Sonrió al recordar su modo de hablar: no parecía tener la menor duda respecto a su capacidad profesional, su tino decisorio y su atractivo físico. Peter Delafield era mucho más llamativo que Anselm, pero la esencia está siempre por encima del estilo, se dijo.

Al entrar en la clínica de Anselm, éste colgaba el teléfono.

—Le has impresionado —dijo sonriente y feliz por la invitación a navegar, que interpretaba como voluntad de hacer las paces por parte de su amigo.

—Anselm, mañana cuando regresemos del mar —dijo ella con cierta vacilación—, ¿te importaría venir conmigo a Milford? Me gustaría que conocieses a mi hermano Patrick.

—Naturalmente —respondió él—. Y podríamos ir a cenar, si te apetece.

Valerie le contó el accidente que había sufrido Patrick y su internamiento en la unidad de traumatología vertebral de New Coventry.

—Padece muchos espasmos musculares —añadió—, pero no quiere volver a ver al neurólogo.

—Yo no sé mucho de lesiones vertebrales —respondió Anselm—, pero conozco a un especialista. Bien, sí, iremos a verle después de navegar.

—Gracias. Ahora tengo que irme —añadió, consultando el reloj y cogiendo los papeles.

38

A la mañana siguiente, Valerie se levantó con un sobresalto y enseguida se dio cuenta de que estaba en el pequeño apartamento amueblado de Glenport. El despertador de viaje de la mesilla marcaba las siete y cuarto y Anselm había quedado en recogerla a las ocho menos cuarto.

Cuando sonó el timbre del portal ya estaba lista y vestida con una camisa marinera a rayas blancas y azules, pantalones cortos blancos y unas elegantes zapatillas de deporte Topsiders que había comprado la víspera en las rebajas del Warwick Mall. Se miró fugazmente en el espejo y vio que no estaba mal, y mientras iba a abrir se rió para sus adentros recordando cuando de jovencita se vestía para una fiesta y esperaba al chico que venía a recogerla y, al entrar éste y quedársela mirando embobado, su hermanito Patrick le susurraba al oído: «Eres como el sueño de un náufrago.»

Abrió la puerta y Anselm la contempló.

—¡Guau! —exclamó—, estás preciosa. Tendré que neutralizar a Peter con un dardo de narcóticos.

—No te quedes ahí —replicó ella, complacida—. Pasa y tomemos un café, que hay tiempo.

Anselm tenía muy buen aspecto dentro de su habitual modestia. Llevaba una camiseta de rugby a rayas blancas y marrones y pantalón corto caqui. Parecía distinto, más relajado, y Valerie pensó lo bien que sentaba la ropa en aquel cuerpo firme; por un instante se lo representó mentalmente desnudo en la bañera.

—¿Cómo es Susan Delafield? —inquirió. En el breve espacio de tiempo desde su excursión con Anselm había nacido en ella una extraña y nueva sensación, un leve recelo hacia las conocidas de Anselm.

—Simpática —respondió él—. Guapa. En realidad era preciosa. Llevan casados unos diez años.

Valerie sirvió el café, pensando en que no tardaría en averiguar por sí misma cómo era Susan Delafield. En su condición de abogada que la mayor parte del tiempo trabajaba con hombres, le interesaba el funcionamiento de la mente masculina, y la respuesta a esa clase de preguntas era clave. Una mujer habría explicado muchos más detalles sobre Susan, diciendo qué aspecto físico tenía, cómo vestía, si era amigable, si se llevaba bien con las esposas de otros médicos, le gustaba alguna bebida particular o había reorganizado el club de jardinería.

—¿Azúcar y leche?

—Azúcar no; gracias.

Charlaron un poco acerca del viaje a Milford al regreso de navegar, y Valerie comenzó a decirse que tal vez no fuese tan buena idea. Cuando la víspera se lo había anunciado a Patrick, no había visto a su hermano muy entusiasmado. A Anselm, por el contrario, sí parecía entusiasmarle la visita.

—Pero iremos en tu coche —dijo él—; de ese modo no tendrás que sujetar la capota todo el rato.

Se echaron a reír, pero algo invisible se había interpuesto entre ellos, una leve sensación de malestar que les impedía tocarse. Valerie se preguntó si estaría abusando al pedirle que fuese a Milford, y se dijo que habría sido mejor decírselo después de la excursión marítima, una vez ella hubiese tenido más clara la situación.

Fueron al muelle en el coche de Anselm, al que Valerie se estaba aficionando. Era ruidoso y los estrechos asientos les obligaban a ir casi pegados, mutuamente conscientes de sus cuerpos: su larga pierna suave y bronceada separada de la suya musculosa y vellosa por la corta palanca del cambio.

Valerie le puso suavemente la mano en el muslo.

—Cuéntame algo más de Susan —dijo.

Anselm estaba tomando una curva cerrada y no contestó de inmediato; una vez efectuado el giro con precisión, continuaron por la casi desierta Wharf Street camino del muelle.

—Susan era enfermera —dijo—, natural del Medio Oeste, y es una mujer lista, religiosa, aunque bastante depresiva y que se agobia fácilmente cuando las cosas no le salen bien. Aquí no ha hecho muchas amistades. Supongo que estar casada con un médico no la llena del todo, y desde luego Peter... —Dirigió una mirada a Valerie—. Bueno, creo que él se lo pone difícil.

Peter estaba de pie en el muelle, muy elegante con su jersey blanco grueso y pantalones de tela cruzada, el viento revolviéndole su pelo rubio oscuro y ondeado. Anselm y Valerie avanzaron por el pantalán flotante de madera que crujía y se balanceaba levemente bajo su peso.

—Menudo barco —dijo Valerie, contemplando el largo casco azul, las elegantes líneas del camarote y el mástil con antena de radar que dominaba la obencadura, a la par que miraba de reojo a Anselm—. Ya sé que los médicos están forrados de dinero, pero ese barco debe valer una fortuna.

—Es francés —respondió Anselm al tiempo que devolvía el saludo con la mano a Peter—. Creo que me dijo que era un Dufour.

—¡Bienvenidos a bordo! —dijo Peter, tendiendo una mano a Valerie para que subiese, seguida de Anselm.

—¿No hay que saludar al alcázar o algo así? —inquirió Valerie, sonriendo a Peter y mirándolo con admiración—. De verdad que es una preciosidad.

Peter sonrió, mostrando su perfecta dentadura.

—Estamos listos para zarpar. Hará un día magnífico.

En aquel momento apareció por la escotilla una cabeza de mujer de rizos pelirrojos, cuerpo alto, delgado, un poco anguloso y grácil en un estilo ágil y atlético.

—Y aquiiií llegaa... ¡Susan! —entonó Peter con voz de presentador televisivo.

Vestía una chaqueta de seda roja bordada en oro encima de un bañador gris de una sola pieza. Era bonita como había dicho Anselm, pero Valerie advirtió que estaba estropeándose. Animaban su rostro pecoso unos grandes ojos azul oscuro, agrandados aún más por el rímel. Cara y miembros eran aún los de una mujer joven, pero con esas leves arrugas blancas que aparecen en los cutis claros que no aguantan el sol.

—Hay café recién hecho, si alguien quiere —dijo tras hacer las presentaciones. Y era cierto que por la escotilla salía olor a café.

Anselm y Valerie bajaron tras ella a la camareta, muy espaciosa y lujosa para ser la de un velero. Susan les indicó dónde estaba el retrete y luego puso sus bolsas en el camarote de proa. La cafetera con dispositivo de balancín estaba en la escurridera del moderno fregadero.

Sobre sus cabezas se oían los pies de Peter en el puente.

—Lo comprueba todo antes de zarpar —dijo Susan—. Es un marinero muy precavido.

Algo en su tono hizo que Valerie la mirase inquisitiva, pero su actitud no había cambiado.

Llevaron a cubierta sus respectivas tazas de café, todas con el nombre del barco, *Docstar*, en grandes letras azules y con un dibujo estampado del propio barco navegando a toda vela.

—Anselm —dijo Peter, mirando a un lado y otro—, suelta las amarras de proa; Valerie y yo soltaremos las de popa.

Susan se situó al brillante timón metálico, y en cuanto el barco quedó suelto de amarras, justo antes de que Peter y Anselm volvieran a saltar a bordo, dijo sonriendo a Valerie:

—¡Me agradaría dejar a este par de pájaros en tierra!

Cuando cruzaban la bocana Anselm y Valerie sacaron de la funda el foque genovés y lo colocaron en el estay, mientras Peter, frunciendo los ojos frente al sol, ajustaba la vela al pie del mástil. El cielo estaba despejado y hacia el este se veían unas briznas de cirros altos; el viento soplaba bastante fuerte y cuando hinchaba el foque el barco daba bruscas cabezadas. Al poco rato habían desplegado la vela mayor que, tensa por el viento, hacía avanzar potentemente el barco contra la resistencia del agua. Peter se puso al timón y Susan bajó a encender el motor; ahora el único ruido era el leve siseo de la estela que iban dejando y el silbar del viento en el aparejo.

—¿Quiere coger un rato el timón? —preguntó Peter a Valerie.

—Claro que sí —contestó ella, situándose en posición y asiendo la rueda de acero inoxidable.

—Manténgalo en ese rumbo —dijo él, sentándose a su lado—. Cero-nueve-cero grados, rumbo este.

Valerie tardó unos minutos en dominar el manejo, pero no era muy difícil. Anselm había ido a proa a sentarse para disfrutar del sol y el aire, y Susan estaba en la cocina.

Valerie advirtió que Peter se sentaba muy pegado a ella y que apenas le dejaba espacio para moverse sin soltar el timón. Era un buen truco, pensó medio divertida medio enfadada, preguntándose si lo haría con frecuencia. Bien, ella sabía perfectamente cómo salir del paso.

—Hablemos de trabajo —dijo, sin dejar de mirar la brújula—. Ayer me dijo que hizo un buen seguimiento de la salud de Denton Bracknell con reconocimientos cada seis meses. Pero, según la autopsia, sufría arteriosclerosis avanzada. ¿Cómo no la detectó?

Con el rabillo del ojo, observó un destello de sorpresa e indignación en su rostro.

—La arteriosclerosis no es una enfermedad que se manifieste como el cáncer o la neumonía —respondió, apartándose ligeramente de ella de modo que sus piernas no se tocaran. Y Valerie comprobó que su método había funcionado una vez más—. Es de difícil diagnóstico si no se produce un trastorno arterial, como sucedió con Denton Bracknell. En cualquier caso —prosiguió Peter—, sabíamos que era arteriosclerótico por los vasos sanguíneos de la retina y un par de indicios más; eso lo sabíamos.

Se hizo un profundo silencio que rompió Anselm al regresar de proa y sentarse en el travesaño junto a Peter, para ponerse a contemplar la estela blanca a popa, contento por haber hecho las paces con su amigo.

—Más de seis nudos —dijo señalando el indicador del mamparo. Una gaviota se situó a la zaga del barco, a pocos metros del agua, manteniendo una distancia exacta sin esfuerzo alguno.

—Voy a ayudar a Susan en la cocina —dijo Valerie, levantándose y sonriendo a Peter—. Gracias, Peter, lo he pasado muy bien. Tal vez después podamos seguir hablando del señor Bracknell.

—A propósito de Bracknell —dijo Anselm una vez ella se hubo alejado—. Peter, ¿recuerdas que al ingresar, cuando recobraba el conocimiento aunque aún seguía confuso, tenía fríos los pies y las manos?

Por babor venía hacia ellos a toda máquina una motora; Anselm oyó los golpes sordos del choque contra las olas.

—No te desvíes —dijo Peter, dispuesto a intervenir en caso nececesario. La motora pasó a pocos metros de ellos, con dos chicas ligeras de ropa, sentadas peligrosamente en la proa y sin chaleco salvavidas, que gritaban alegremente.

—¡Domingueros de mierda! —les gritó Peter, y se volvió hacia Anselm—. Habría que exterminar a esos imbéciles, te lo digo en serio. Un día de éstos me compro una Uzi y me los cargo a todos —suspiró hondo—. ¿Qué estabas diciendo?

—Bracknell... Lo frías que tenía las manos y los pies.

—Tú y Valerie —dijo Peter, meneando la cabeza—, buen tema os traéis entre los dos. —Se echó a reír—. Sí, claro que me acuerdo de Bracknell. ¿Y qué?

—Tengo otra comparecencia con el abogado de Sandy Bracknell la semana que viene, y, repasando las evidencias clínicas, pensé que eludí interpretar ese indicio. El de que tuviera las extremidades tan frías. Y había sudoración profusa.

Peter se volvió para levantar la tapa del congelador, sin apartar la otra mano del timón.

—¿Cerveza o Coca? —inquirió—. Coge lo que quieras.

Era obvio que Peter no tenía muchas ganas de hablar de Bracknell, pero después de abrir una lata de Heineken, fue Peter precisamente quien decidió dar respuesta a la pregunta.

—Eso acostumbra a suceder en esa clase de pacientes —dijo—. Sería por algún espasmo vascular, o quizá una reacción endocrina al estrés. ¿Quién te toma declaración? ¿Norm Hartman?

—Sí. ¿Le conoces?

—Tengo que declarar con él el martes —contestó Peter—. Vaya manera de perder el tiempo.

Tardaron tres estimulantes horas en llegar a la isla Block. El viento norte era recio y navegaron bien por el estrecho canal hasta Great Salt Pond, donde echaron el ancla entre Champlin's y New Harbor para almorzar en cubierta.

—¿No es una maravilla? —exclamó Peter, abriendo los brazos y abarcando la playa, las casitas de la orilla y el faro de la punta—. Deberíamos venir más a menudo —añadió, mirando a Valerie—. ¿Le apetecerá volver cuando haya acabado con el caso?

—Claro que sí —contestó ella—. Estoy segura de que algún fin de semana podremos venir los tres. Será estupendo.

Peter se quedó mirándola un instante.

—¿Los... tres?

—Claro. Anselm, por supuesto, y yo con Patrick.

—¿Quién es Patrick? —preguntó Susan—. ¿Su novio?

—Mi hermano. Se quedó paralítico en un accidente de coche, pero podemos subir a bordo la silla de ruedas con un cabrestante, ¿verdad, Peter?

Peter dio un buen bocado a su emparedado de huevo y salami.

—Supongo —respondió, sin afrontar la mirada irónica de Valerie.

Ya oscurecía cuando llegaron a Glenport. Peter sugirió ir a un restaurante a cenar, pero Anselm y Valerie pusieron inconvenientes sin mencionar que pensaban ir a Milford. Peter no tenía por qué saberlo. Mientras se despedían, Susan cogió la mano de Valerie.

—Podríamos almorzar las dos solas —propuso.

—Claro —se apresuró a contestar Valerie—. ¿Qué le parece el lunes? Ese día estoy en Glenport todo el día.

—Estupendo —comentó Susan—. ¿En el Pirate's Lounge a las doce?

—De acuerdo —dijo Valerie.

39

El aire de la tarde era frío, pero Anselm no bajó la capota de su TR6 y cruzaron las puertas del club Náutico levantando una nube de polvo al tomar una curva cerrada. Frente al apartamento de ella cambiaron de coche y cuando alcanzaban la interestatal 95 ya había caído la noche. Anselm iba muy callado y, aunque Valerie sentía su cercana presencia física, también era consciente de que, a pesar de haber pasado el día juntos, no habían tenido un solo momento de intimidad.

Y ahora había surgido un distanciamiento entre ellos, como una ráfaga de aire frío un día de verano, que les causaba inhibición y recelo. El primer síntoma había sido el momento en que él había aparecido ante su puerta por la mañana. Aunque él había bajado del coche deseando verla, aquel retraimiento emocional había sido simultáneo en ambos. En el barco, en compañía de otras personas y con otras conversaciones de por medio, lo habían pasado bien juntos, pero ahora que volvían a estar físicamente uno al lado del otro, retornaba aquella sensación de separación anímica de un modo más marcado. Los sentimientos de unos días atrás, aquella sensación romántica, emocionante y maravillosa que les impulsaba a desear que el día no acabase, se había transformado en una especie de lejano sueño.

Anselm miraba al frente mientras Valerie conducía rápido, observándole con el rabillo del ojo. Los reflejos cambiaban en su rostro a medida que discurrían fugaces las luces del alumbrado, transformando curiosamente su expresión: en ciertos momentos, con la mandíbula y la barbilla bien delineadas, parecía agresivo y decidido, y acto seguido, cuando la luz le daba más suavemente en la cara, parecía vulnerable y preocupado.

Tardaron poco en llegar a Milford. Patrick tenía las

luces encendidas, y, por un instante, Valerie se preguntó si estaría celebrando una de sus fiestas; pero no se oía ruido en el apartamento. Cruzaron el jardincillo sin tocarse ni pronunciar palabra.

Patrick estaba en su silla de ruedas junto a la ventana y no pareció acogerles con demasiada alegría.

—Llevo toda la semana sin poder encontrar un abogado que se querelle contra esos malditos médicos —le dijo a su hermana—. A lo mejor me interesaría hablar con el que le demanda a usted —añadió, volviéndose airado hacia Anselm.

Sorprendida por la grosería de su hermano, Valerie se dispuso a replicar, pero Anselm, sin inmutarse, se limitó a sacar una de sus tarjetas de visita, en la que escribió algo por detrás para entregársela a Patrick.

—Ten —dijo—. Se llama Norman Hartman; no sé la dirección, pero vendrá en el listín de teléfonos de Hartford. Dicen que es muy bueno. No me importaría recomendarte —añadió con una sonrisa.

Patrick se quedó mirándolo y Valerie contuvo la risa. Al cabo de un momento, el joven sonreía abiertamente.

—Bueno, ¿qué queréis beber? —dijo.

Valerie preparó tres gin-tónics.

—Me han dicho que sufres espasmos musculares —dijo Anselm después de un rato de charla.

—Ahora mismo los noto en la pierna —dijo Patrick—. Mierda, y bien que me duele —añadió con una mueca, llevándose la mano a la pantorrilla derecha.

Anselm le apartó la manta de las rodillas, palpó los músculos y le dio un masaje en la pantorrilla.

—Que tengas calambres en esa zona puede ser buena señal —dijo después de masajearle un par de minutos—, porque demuestra que hay conexiones nerviosas que funcionan.

—Estupendo —dijo Patrick—. ¿Y cómo se me quitan?

—Ayer por la tarde llamé a mi amigo Paul Bruckner, que es neurólogo de un hospital de Nueva York y me aconsejó este medicamento —dijo Anselm, metiendo la mano en el bolsillo—. Afortunadamente un amable farmacéutico de Glenport acababa de recibirlo, y aquí lo tienes. —Le entregó un paquetito—. Toma una píldora diaria por la mañana en ayunas y ya verás como los calambres desaparecerán al cabo de unos días.

Estuvieron hablando una hora más y luego se levantaron para marcharse.

Patrick les acompañó con la silla de ruedas hasta la puerta.

—Gracias por las pastillas —dijo—. La próxima vez que venga no hace falta que ella le acompañe.

—Suerte con Norm Hartman —replicó Anselm sonriente.

Valerie le cogió del brazo de vuelta al coche y al abrir él la portezuela para ella le dio un beso.

—Gracias, Anselm, has sido muy amable en...

—No tiene importancia —replicó él, sonriendo pero distante.

Anselm fue la primera parte del camino hasta Glenport con los ojos cerrados. Valerie no sabía si es que estaba cansado o no quería hablar. Pero su silencio le permitió ir pensando; comenzaba a percatarse de lo profundamente atraída que se sentía por Anselm, pero dudaba acerca de los sentimientos de él hacia ella. ¿Era sólo otra conquista más? Recordaba haber oído comentar su fama de donjuán y era evidente que ella no había sido inmune. Mirándole, allí tan próximo a ella, pensó: «Qué diablos, él ni siquiera es consciente del impacto que causa.» Estaba segura de que no lo hacía premeditadamente; quizá fuese cuestión de endorfinas, esas sustancias de atracción que algunas personas exudan sin que se note... ¿O eran las feromonas? Fuese lo que fuese, Anselm Harris lo tenía.

Se preguntaba qué efecto causaría realmente la demanda en su amor propio. Quizá fuese una persona totalmente distinta hallándose bajo aquella clase de presión. Tal vez...

Anselm abrió los ojos y ella comprobó que estaba perfectamente despierto y despabilado; se preguntó si habría estado así todo el rato.

La miró un instante, y viéndola así de perfil sintió una congoja inesperada.

—Valerie —dijo—, creo que hemos cometido un error con nuestra relación.

Ella apretó con fuerza el volante pero no dijo nada.

—Eres mi defensora en una querella que probablemente pondrá fin a mi carrera de cirujano. Eres una mujer inteligente y competente —prosiguió—, y tienes un buen futuro por delante. Valerie, comprometerte seriamente conmigo sería un lastre que podría perjudicarte, y no quiero que eso suceda.

Valerie notó las lágrimas a punto de brotar de sus ojos y quiso decir, gritar, que no importaba, que ella le amaba; que ya saldrían adelante, que encontrarían trabajo en otra parte, que con aquel lamentable asunto no se acababa el mundo, y que, de todos modos, iba a ganar el caso. Pero no lo dijo, porque sabía que Anselm tenía razón.

—Espero que sigas siendo mi abogada. Tengo infinita confianza en ti. Si alguien puede hacer algo, ése eres tú, Valerie.

Valerie asintió con la cabeza, abatida, enfiló su calle y enseguida se detuvieron ante la casa.

—¿Quieres subir a tomar una copa? —preguntó él.

—Creo que no, Anselm —contestó ella, sintiéndose más triste que nunca en su vida—. Gracias de todos modos, y gracias por lo de Patrick, y gracias por la excursión... gracias...

No le salían las palabras y volvió la cabeza para no

ver a Anselm bajarse del coche. Una vez cerrada la portezuela, arrancó con un chirriar de neumáticos y nublada la visión por las lágrimas que se le escapaban.

Anselm llevaba en casa apenas un rato cuando sonó el teléfono. Era Mariana, que no estaba muy alegre y parecía haber estado bebiendo más de lo normal.

—Me he enterado de que has vuelto a meterte en otro lío, Anselm —dijo—. ¡En ese pueblucho en que vives! Se ve que es un don innato en ti.

—¿Qué quieres, Mariana?

—Pues, mi queridísimo Anselm, pensé que me necesitarías desesperadamente, tan solo como te sentirás ahí, tan apartado de todo y sin una cara amistosa en cien kilómetros a la redonda... Mira, cariño, aparte de lo que siento por ti, que es para siempre e inmune al tiempo o la distancia, ha habido una conjura en la agencia y los muy cabrones me despidieron la semana pasada. Así, por las buenas, sin previo aviso. Y todo porque... bueno, no te voy a contar toda la historia. Y no tengo dinero. Estoy sin blanca. Sin blan-ca —repitió, alzando la voz—. De todos modos, el dinero nunca me importó... Mamá y papá están en Australia para seis meses y, en fin, detesto Manhattan. Así que voy a ir al bonito Glenport y te haré la comida y te cuidaré, y envenenaré o mataré a tiros a todos esos capullos que tan mal te lo hacen pasar.

—Muchas gracias, Mariana, pero no hace falta —replicó Anselm con paciencia, pensando cómo quitársela de encima—. En realidad, ya tengo una persona que me hace todo eso... y más.

—¡Maldita sea! —exclamó ella sin arredrarse—, otra más que tendré que cargarme. No puedo asegurarte que me quede muchos días, pero ya nos veremos cuando... —Y colgó sin dejar de parlotear.

Angustiado por la sensación de tristeza y responsabilidad y la convicción de que la mujer que había amado se venía abajo, también él colgó unos segundos después. Sabía que una de las cosas que la habían impedido derrumbarse del todo era el trabajo, la ocupación que le procuraba gran placer y que realizaba con orgullo. Y ahora ni siquiera tenía eso. Anselm miró el teléfono, pensando a quién llamar que pudiese echarle una mano a Mariana. Pero no había nadie. Mariana no tenía amigos.

El lunes por la mañana, Valerie fue directamente a la consulta de Anselm; cruzó unas palabras con Paula, la secretaria enviada por la agencia de empleo, sacó sus papeles y entró a dejarlos en el escritorio de Anselm. Viéndola impecablemente arreglada y con su actitud decidida, nadie habría podido imaginar la zozobra de su corazón. Al verle, tuvo que sacar fuerzas de flaqueza para no darse la vuelta y marcharse.

—¿Tienes nueva secretaria? —dijo.

—Me la ha enviado la agencia —respondió él—. ¿Te acuerdas de Erica? —No le había contado a Valerie lo del espionaje de Erica y ahora se le antojaba gracioso—. Viste su coche, ¿verdad? —Ella asintió con la cabeza—. Pues hay que admitir que eligió el color que le cuadraba —añadió, mirándola con gesto irónico.

Valerie no tenía idea de a qué se refería.

—Un coche amarillo. ¿recuerdas? Pues amarillo es el color de la traición y el engaño —prosiguió Anselm con sarcasmo—. Pensé que, siendo abogada, lo sabrías —añadió, mirando el bloc que ella usaba—. ¿No habías pensado que por eso son amarillos los blocs?

Le sonreía con simpatía, como si nada se hubiera roto en su intimidad, y Valerie sintió ganas de arrojarle algo a la cabeza.

—Eso es lo que sucede por dejar entrar en tu vida a

mujeres que no conoces —replicó—. Amarillo es también el color heráldico de la arrogancia. —La miró—. Bueno, vamos a trabajar. Necesito que me ayudes en un párrafo del informe de la autopsia que no entiendo —dijo, sacándolo de la cartera—. Y una noticia que te va a alegrar: conseguí fecha para la declaración de los médicos de la marina.

Anselm no dio muestras de particular contento.

—Estupendo —dijo—. ¿Qué es lo que no entiendes del informe de la autopsia?

—Un párrafo del final en que dicen algo sobre la arteria carótida al constreñirse sobre la obstrucción. —Valerie había señalado las palabras con rotulador amarillo—. Afirman que tú podrías haber desencadenado toda la secuencia.

—Exacto. Imagino que concuerda con lo que dijo Peter... —Hizo una breve pausa, pensativo—. Bracknell sufría constricción en todos los vasos sanguíneos, lo que explica que tuviera las manos y los pies tan fríos cuando le examiné por primera vez.

—Gracias —dijo ella, tomando notas en su bloc—. Si a ti te satisface la explicación, a mí también.

Se reclinó en la silla y le miró.

—Mira, Anselm, en casi todas las demandas hay un momento en que se llega a conciliación. Es como una pausa en un punto determinado del proceso. De pronto hay avenencia entre los abogados, los abogados y los demandados, los testigos, todos. El pleito se reconsidera totalmente, las cosas se arreglan y todo el mundo vuelve a su trabajo.

—¿Y?

—Creo que ese momento está cerca. Lo noto en los huesos.

—Lo que notas en los huesos será artritis precoz —replicó él, y la miró de una manera que daba a entender que él tampoco lo estaba pasando muy bien.

A última hora de la mañana, Valerie intentó hablar con Peter, pero su secretaria Denise Beckwith le dijo que estaba muy ocupado en el hospital y en entrevistas con su abogado, y no supo decirle cuándo podrían verse.

Valerie consultó el reloj y recogió los documentos.

—Me voy a almorzar —dijo—. Tengo una cita.

Él alzó la vista un instante del libro que consultaba.

—Ya lo sé; estaba presente cuando la concertaste —dijo.

Valerie tuvo la sensación de que la reacción de Anselm habría sido distinta si su cita hubiera sido con Peter Delafield, por ejemplo, en vez de con Susan, su mujer.

Anselm tenía mucho trabajo con la consulta de varios libros de texto que tenía amontonados en el escritorio y que hojeaba absorto. Valerie sonrió.

—¿Qué haces? —preguntó.

Anselm levantó la cabeza y había en su expresión una mezcla de entusiasmo y perplejidad que la intrigó.

—Estoy verificando algo —contestó—. Pero de momento no saco nada en claro.

Susan la esperaba ya en el Pirate's Lounge, sentada en una de las mesas de la terraza con vista al mar. Hacía temperatura agradable para estar fuera y pidieron una buena sopa de almejas.

Valerie notaba que a Susan la preocupaba algo y no acababa de saber por dónde empezar. Optó por darle conversación, la hizo reír un par de veces con anécdotas de la abogacía, hasta que Susan lanzó un profundo suspiro y dijo:

—Valerie, quería hablarte porque creo que puedo confiar en ti, y en Glenport no tengo nadie con quien hablar.

Vestía un polo amarillo con un vistoso pañuelo de seda. Tenía las muñecas delgadas, casi huesudas, y gesticulaba con la mano constantemente. Las sortijas que llevaba parecían grandes para sus dedos, como si fuesen de otra persona.

Valerie asintió para animarla a seguir, pero sin decir nada, y tomó una cucharada de la espesa y sabrosa sopa mientras Susan la miraba con expresión nerviosa e indecisa.

—Se trata de Peter —dijo—. No sé qué hacer con él. —Volvió a vacilar, como preguntándose cómo iba a reaccionar Valerie a lo que iba decirle.

»Fíjate en el barco —empezó, ya decidida—, tú que estuviste en él. Vale una fortuna y cuesta una fortuna mantenerlo. Viste su coche, y eso que no lo compró nuevo, pero costó más de cien mil dólares. Valerie...

Valerie vio que tenía los ojos llenos de lágrimas y apartó la mirada; puso la mano en el brazo de Susan.

—Prueba la sopa —dijo para tranquilizarla.

Pero Susan apartó el plato.

—Creo que está al borde de la ruina —dijo—. Debe dinero por todas partes, y con su trabajo no gana para pagar las deudas. Pero él sigue comprando cosas y endeudándose hasta el cuello.

Valerie no salía de su asombro. Habitualmente resultaba fácil darse cuenta cuando alguien tenía problemas económicos, pero Peter le había parecido tan sereno y seguro de sí mismo, y tenía tantos pacientes en la clínica, que jamás habría imaginado que su situación fuera tan desastrosa.

—¿Y por qué no vende el coche? O el barco —dijo.

—Supongo que lo que obtuviese se lo quedarían los bancos —contestó Susan—. Casi todo lo que tenemos está hipotecado.

—¿No habéis pensado en recurrir a un asesor financiero? Suelen resolver bien estas situaciones.

—Peter es incapaz de hacerlo. Él es muy orgulloso. Lo primero que hacen en estos casos es retirarte las tarjetas de crédito, ¿no? —añadió, tratando de sonreír—. ¿Te imaginas a Peter viendo a un oficinista cortando su tarjeta platino de American Express?

A Valerie se le ocurrieron unas cuantas sugerencias, pero ninguna servía de mucho. Oyendo a Susan daba la sensación de que el fin estaba próximo.

Tomaron varios cafés y charlaron de otras cosas, y Valerie, que al principio, sólo había sentido compasión por ella, comenzó a tomarle aprecio. Susan era modesta pero tenía una actitud ante la vida aguda, despierta y nada convencional, con la que Valerie coincidía sin reservas.

Comenzaba a refrescar y Susan tiritó.

—Vámonos —dijo Valerie, echándose la chaqueta por los hombros—. ¿Quieres que volvamos a vernos dentro de poco? No creo que vaya a estar mucho aquí, pero podemos encontrarnos a medio camino entre Glenport y New Coventry, si te parece.

Pero algo en el rostro de Susan la hizo callar.

—Hay algo más que te preocupa, ¿verdad, Susan?

—Sí —respondió ella, mirándola con aire desafiante—. Estoy segura de que te habrás dado cuenta de que Peter es un mujeriego. Y seguramente tú le gustas. —Hizo una pausa—. Eres justamente su tipo de mujer. Pero, aparte de sus infidelidades, creo que ahora está enamorado. No sé de quién, pero es que estoy convencida de que va a dejarme por otra.

Valerie intentó consolarla, pero lo cierto es que poca cosa podía decirle. Mientras volvía en coche a la clínica de Anselm, sin saber por qué, la imagen de la hermosa, ambiciosa y poco ética Erica Barnes surgió en su cabeza.

40

De nuevo en el despacho de Anselm, éste seguía trabajando y poco predispuesto a hablar. A ella le habría gustado contarle el almuerzo con Susan, pero optó por verificar la lista de personas con las que tenía que entrevistarse; una de ellas era la encargada de quirófanos, Lucille Heinz, y a juzgar por su informe, un testigo de cargo en el juicio.

Concertó por teléfono una cita con ella a las dos, y se dirigió a pie al hospital, llegando unos minutos antes de la hora. Al entrar vio a Peter Delafield en compañía de Stefan Olson y dos hombres que ella no conocía. Y con ellos iba un hombre alto, delgado, de aspecto triste, pelo negro y ojos vivos, con un maletín de abogado. De inmediato supo que se trataba de Norm Hartman, por la descripción que de él había hecho Dexter Milne. Reían unos con otros pero a Peter, al verla, se le congeló la sonrisa, y a continuación la saludó con la mano antes de dirigirse al aparcamiento. Por simple intuición, Valerie tuvo el presentimiento de que aquellas risas no auguraban nada bueno para su defendido.

Era tiempo de componendas. Es lo que ella le había dicho a Anselm, y ahora tenía la impresión que los demás implicados se dedicaban a buscarlas. Cruzó varios pasillos camino del quirófano. Lucille estaba en su despacho y al entrar Valerie advirtió su actitud poco amistosa. Los ojos gris claro de aquella mujer, su nariz larga y su rostro blanco y sin maquillaje, junto con el gorro blanco de enfermera, le daban un extraño aspecto de monja. A Valerie se le antojó más muerta que un pescado en una losa de mármol, al sonreír a guisa de saludo a aquella cara imperturbable.

—No quiero molestarla con preguntas en este momento —dijo después de presentarse y estrechar aquella mano remisa, sin renunciar a ganársela para la causa—. Únicamente querría comprobar sus interpretaciones de ciertos aspectos de la operación que practicó el doctor Harris a Denton Bracknell.

Fueron repasando el informe de Lucille, que Valerie había tenido la precaución de revisar la víspera frase por frase con Dexter Milne.

—Dice usted que el doctor Harris hizo caso omiso de las advertencias del anestesista, doctor Burton, para que detuviera la operación.

—Eso es —contestó Lucille—. La presión sanguínea del paciente había descendido peligrosamente. Cualquier cirujano responsable habría dejado de operar y cerrado inmediatamente.

Miró sus labios tensos, intolerantes, y se compadeció de aquella mujer. No debía de tener muchas alegrías en su vida.

—¿Y no cree, señorita Heinz, que era una cuestión de criterio? —inquirió con tono amable—. El doctor Harris era quien hacía la operación, no el doctor Burton; y decidió, basándose en su experiencia, que era mejor continuarla y terminarla.

—Exacto —dijo Lucille con un destello insolente en la mirada—. Estoy convencida de que fue exactamente así. Y conoce el resultado.

Valerie revisó unos datos más, pero no estuvo mucho rato con Lucille. Si el caso llegaba a juicio, y ella comenzaba a desear que no fuera así, Lucille podría hacer bastante daño a su defendido. Pero también tenía la impresión de que aquella manifiesta hostilidad hacia Anselm, con un hábil interrogatorio podía fácilmente volverse en contra de la demandante. No sería un argumento de mucho peso, pero tal como iban las cosas no parecía haber mucho más a que agarrarse.

Nada más marcharse Valerie, Lucille volvió a enfrascarse en la confección de los turnos del mes siguiente, pero apenas llevaba en ellos unos minutos cuando llegó una secretaria del departamento de personal, llamó a la puerta y le tendió un sobre con su nombre. La muchacha esbozaba una gran sonrisa que a Lucille le pareció pura insolencia. Le arrebató el sobre y la miró furibunda. Y encima la joven salió del despacho conteniendo una risita. Lucille pensó en llamar a su jefe y quejarse de la impertinencia.

Rasgó el sobre y sacó una hoja que parecía del fax del hospital. Era de Michael y, nada más comenzar a leerla la acometieron temblores. Decía que le agradecía la ayuda y que la información que le había dado sobre el doctor Harris había sido muy valiosa, no sólo para él sino para los lectores, que tenían derecho a saber sobre los médicos en cuyas manos ponían sus vidas. Pero las repetidas llamadas telefónicas que había estado haciendo eran intolerables y esperaba que aquella carta sirviera para que no volvieran a repetirse.

Lucille se quedó sin respiración. Estrujó la hoja y se dio cabezazos contra la mesa en un arrebato de desesperación. Pero luego pensó que Michael no podía ser el autor de aquella misiva. Era apócrifa, claro; seguramente obra de la que contestaba al teléfono, aquella celosa que tan desagradable se había mostrado con ella. Se irguió en el asiento. Aquello debía saberlo Michael inmediatamente, y se disponía a coger el teléfono cuando éste sonó. Era Donna Forrest, la secretaria de Stefan Olson. El señor Olson quería verla de inmediato.

Lucille echó a correr escalera abajo, alejándose de la carta pero cada vez más cerca del despacho de Olson.

Donna alzó la vista de la máquina de escribir y la miró de arriba abajo, diciéndole que pasase.

Olson levantó la cabeza y le dirigió una mirada fulminante.

—Siéntese —dijo, cogiendo una copia del fax que acababan de entregarle—. Tengo entendido que usted ha recibido esto.

—Sí, así es —respondió ella atropelladamente—. Pero es falso. Estaba a punto de llamar a Michael para decirle...

—De falso nada —replicó Olson—. Acabo de hablar con el señor Parrett.

Lucille abrió la boca para lanzar un grito agónico, pero no pudo emitir sonido alguno.

—Aceptaré su dimisión ahora mismo, señorita Heinz —dijo él, después de recordarle que estaba prohibido hablar del caso Bracknell con nadie—. Donna —añadió, pulsando el botón del intercomunicador—, ¿tiene preparada la carta? Haga el favor de traerla.

Lucille firmó.

De todos modos, se habría despedido, pues de sólo pensar que iba a ser el hazmerreír del hospital estuvo a punto de vomitar en el escritorio de Olson.

Cuando Valerie regresó a la clínica de Anselm había varios mensajes para ella con la caligrafía redonda de Paula.

Anselm seguía tan sumido en aquel trabajo que ni siquiera lo había interrumpido para almorzar. Ya había reunido numerosas notas acerca del informe de la marina; conforme avanzaba en la lectura del documento se había encendido una lucecita en su mente. Era una sensación inexplicable y, desde luego, no la motivaba el informe en sí, tan irrecusable como todos los elementos del caso reunidos hasta el momento.

Valerie lo contempló unos instantes y luego se acercó a él y le puso suavemente una mano en el hombro. Al fin y al cabo, que trabajasen los dos en el mismo caso no significaba que tuvieran que comportarse como desconocidos.

—¿Tienes un minuto para hablar de Lucille y su informe?

Anselm se puso en pie y se volvió hacia ella.

—Claro —contestó; estaba muy cerca y la tensión era insostenible—. Cuánto deseo que acabe todo —añadió en voz baja.

—Yo también —dijo ella, aunque tenía la sensación de que cuando el caso concluyese también su relación iba a terminar. Anselm parecía muy confiado en ganar la demanda, pero ella, que valoraba el peso de las pruebas en su contra, no se hacía ilusiones. En aquel momento pensaba que lo mejor que podía hacer era reducir lo más posible el daño para la empresa de seguros y para su defendido.

Él le cogió la barbilla con una mano y le dio un breve beso en los labios, pero tan tierno que a ella casi se le saltaron las lágrimas.

—Ahora podemos hablar de Lucille Heinz y de su informe —dijo Anselm.

Un miércoles al mes, como parte de su cometido de relaciones públicas, Erica Barnes se reunía con las tres mujeres que dirigían el sindicato de enfermeras del hospital, Marylou Larsen, la presidenta, Gloria Kantrowitz, la secretaria, y Pat Mooney de urgencias, que era la tesorera. Era sabido que formaban un trío de cuidado, y se las denominaba «los tres mosqueteros», «la triple amenaza» y «las tres malas putas». Pat Mooney era muy guapa, y las otras dos no le iban en zaga, pero a nadie se le había ocurrido llamarlas «las tres gracias». Ninguna de las tres tenía mucha simpatía por Erica, pues pensaban que era una egoísta, demasiado agresiva y ambiciosa y, por supuesto, abiertamente obsesiva e insaciable en cuanto a hombres se refería, aunque no dejaban de reconocer que era competente y muy lista, y como Erica se había portado bien con ellas muchas veces, se guardaban sus opiniones.

Marylou Larsen llegó unos minutos tarde, como de costumbre. Era bajita y siempre vestía impecablemente, algo poco corriente para una enfermera de pediatría que continuamente corre el riesgo de que un crío le eche encima la papilla. Gloria la miró con ceño.

—Por Dios, Larsen, ¿es que nunca puedes llegar en hora? —dijo—. Aunque sólo sea por variar. ¿Te crees que los peones no tenemos otra cosa que hacer?

—Si quieres saberlo, Kantrowitz —replicó Marylou con dulzura—, me he pasado toda la tarde con diarrea y no necesito que me eches más mierda.

—Eso es —apostilló Erica—. Bien, si hemos terminado con los cumplidos, Pat, ¿cómo va ese proyecto de reforma de urgencias?

—Pues aunque no lo creas va tomando cuerpo —respondió Pat—. Los arquitectos han venido (uno que se llama Siggie es guapísimo), bueno, van a rehacer la rampa de acceso y luego comenzarán con el interior. El jueves presentan los planos a la dirección.

Erica reflexionó y en su cabeza se encendió una bombilla. El jueves sería un día perfecto.

Marylou estaba manipulando la tapa de su vaso de café y un chorrito de líquido fue a parar al uniforme de Gloria.

—Lo siento, Gloria. No sé por qué hacen estos cierres tan puñeteros —dijo cogiendo una servilleta, dispuesta a limpiarle la mancha de café del pecho.

—Déjame —repuso Gloria, apartándole la mano—. Siempre te las arreglas para salpicar a los demás.

—Bueno, chicas, vamos a lo nuestro —dijo Erica—. Este mes hay negociación de convenio. ¿Puedo ayudaros en algo?

—Hacen falta más enfermeras —dijo Gloria.

—Y más secretarias de clínica —añadió Pat—. Me paso la mitad de la jornada contestando al teléfono y yendo a la farmacia. Y yo soy muy cara.

—Igual que tú, Erica —dijo Marylou con su recato habitual, y todas sonrieron, incluida Erica.

—Has hecho un buen trabajo con los de Farman en eso de la nueva clínica, Erica —comentó Marylou para quitar hierro a su último comentario—. Me han dicho que conseguiste que desistieran. ¿Así por las buenas?

—Es que no lo tenían realmente decidido —respondió Erica.

—Me alegro de que le hayan devuelto las prerrogativas a Harris —dijo Pat, mirando a Erica—. En la última asamblea hemos decidido apoyarle al máximo. ¿Lo sabías?

—Algo he oído.

Marylou, siempre dispuesta a hacer preguntas personales, inquirió con aire inocente:

—Erica, has tenido algo con él? Quiero decir íntimo...

—No exactamente —respondió Erica.

—Bien —añadió Marylou con intención—. A Peter no le habría gustado, ¿no es cierto?

—Se ha comentado que pasabas mucho tiempo en compañía de Bob North —terció Pat—. Y nosotras que pensábamos que no podías verle...

—Chicas, ¿queréis dejarlo? —dijo Erica sonriente—. No hemos venido a hablar de mi vida privada.

—Ahí viene el doctor Maravilla —dijo Gloria, mirando por encima del hombro de Erica.

Bob North las vio y se acercó todo sonrisas.

—Hola, chicas, ¿cómo estáis? —inquirió, apoyando las manos en el respaldo de la silla de Erica—. ¿Arreglando los problemas del hospital? —No apartaba la mirada de Erica, y él sí pensaba en los problemas del hospital.

Gloria y Marylou miraron sorprendidas cómo Erica se daba la vuelta y le sonreía. Sabían que no le caía bien y que, normalmente, no le habría hecho caso.

Erica removió levemente las caderas en la silla.

—Nosotras solas no podemos hacer gran cosa, usted lo sabe, doctor North —contestó, parpadeando descaradamente.

Bob se mostró sorprendido un instante, pero luego se le iluminó la mirada.

—Cierto —respondió, devolviéndole una gran sonrisa—. Bueno, estoy seguro de que podremos hablar de ello en otro momento. Bien —añadió, y vaciló, como si esperase que le invitaran a sentarse—, ahora tengo que irme. ¡Sed buenas, chicas, y si no podéis, al menos id con cuidado!

Las cuatro, impasibles, le vieron alejarse.

—Gilipollas —musitó Gloria.

—Bien dicho. Creo... —añadió Marylou, mirando a Erica—. ¿Qué te pasa Barnes? Creí que le detestabas más que ninguna de nosotras.

—Eso pensaba yo —añadió Gloria, que también se había vuelto hacia Erica—. Cuando te he visto sonreírle de esa manera casi me entran ganas de vomitar.

—Tranquilas —replicó Erica, con cara de gato que se relame—. Hay circunstancias —enarcó las cejas e hizo un puchero, cariacontecida— que a una le hacen cambiar de idea respecto a un hombre, ¿entendéis?

41

Valerie no pudo conseguir una entrevista con Peter Delafield hasta dos días más tarde. Denise Beckwith le pidió excusas y, por su tono, Valerie tuvo la impresión de que le habían ordenado retrasar lo más posible la entrevista.

Cuando finalmente entró a hablar con él, se encontró con un Peter menos dinámico y decidido de lo habitual, que esquivó su mirada mientras se daban la mano. Cuando ella empezó a plantearle las preguntas que habían quedado pendientes la última vez, para su sorpresa, las contestó de un modo evasivo, y cuando sacó a colación el tema de las explicaciones de Anselm a Sandy a propósito de la operación que iba a realizar, meneó la cabeza y le dijo que no recordaba que Anselm se lo hubiese comentado.

Valerie le miró sorprendida.

—Por cierto —dijo como quien no quiere la cosa—, ¿cómo se llama su abogado defensor? Me gustaría discutir un par de cosas con él, o ella, porque hay que coordinar el caso entre todos los demandados.

Peter se movió incómodo en su asiento.

—En realidad, Valerie, no tengo abogado... ya no, porque no soy demandado —dijo—. El abogado de mi compañía de seguros decidió llegar a un acuerdo con la querellante. Yo no he tenido nada que ver con ello. Espero que lo entienda. Es así como funcionan las cosas —añadió sonriendo—. Los pobres médicos somos los últimos en enterarnos de todo. Bueno, en realidad usted lo sabe mejor que yo.

Valerie lo miró.

—¿Que usted y su abogado han llegado a un acuerdo? ¿Ha llegado a un acuerdo con Norm Hartman sin avisarme a mí ni al doctor Harris? —replicó, conteniendo la indignación.

—Yo no he tenido nada que ver. Fue una decisión de los abogados, no mía —dijo no muy seguro de sí mismo y persistiendo en no mirarla de frente—. Supongo que sabe que el hospital llegó también a un acuerdo con Hartman.

—Acuerdos en masa, ¿no? —comentó Valerie—. Así fue, ¿sólo queda el doctor Harris como demandado?

—No lo sé. No se habló de eso; y, en cualquier caso, no es asunto mío.

Pero Valerie notaba que sí lo sabía y que se había hablado de ello, y sin duda con todo detalle.

Se puso en pie.

—Gracias por todo. El doctor Harris es muy afortunado teniendo un amigo como usted —dijo con tono sarcástico. Estaba furiosa, no sólo por lo que había hecho Delafield sino porque Norm Hartman la había burlado.

Volvió a la consulta de Anselm con la sensación de que la situación se le escapaba de las manos, y llamó a Barry Buonacotti, vicepresidente de Professional Insurance Company. Cuando le habían confiado el caso en la firma ella había ido a hablar con él en la lujosa sede de la compañía de seguros en Hartford; una entrevista en la que Barry había quedado prendado de ella, y desde entonces no había dejado de pedirle que saliese con él.

Le explicó lo que había sucedido y que, por lo que ella sabía, ahora Anselm era el único demandado de la querella.

—He estado pensándolo —dijo Barry—. De hecho, hablamos del asunto ayer en una reunión regional y hay consenso en que negociemos un acuerdo.

—Pero piden veintidós millones —dijo Valerie—, y en las actuales circunstancias no creo que se avengan a cobrar menos.

—Ofrézcale cinco, Valerie —dijo él—. Ésa será una indemnización considerable, la mayor que ha hecho esta compañía. Y para él cinco millones en mano serán mucho mejor que veintidós volando.

—Hablaré con Hartman —replicó ella, tras morderse el labio inferior—. ¿Es la cifra máxima?

—No pase de ocho —contestó Barry—. Pero tiene que conseguirlo con cinco. Y aun esa cantidad afectará gravemente nuestra cifra regional de beneficios de este año.

Valerie dudaba que Norman Hartman fuese a aceptar cinco millones de dólares o incluso ocho, pero, por otra parte, llevar el caso ante los tribunales le iba a costar mucho tiempo y dinero y sin garantía de ganarlo.

—Haré todo lo que pueda —dijo.

—Estupendo —comentó Barry—. ¿Cuándo va a hablar con él?

—Hoy mismo —contestó ella, sintiendo que no podía perder un minuto. Ahora ya se veía claramente el juego de Hartman. Había llegado a una avenencia con Peter Delafield y el hospital, seguramente por una buena cantidad, y así reducía el caso a un solo demandado para centrar toda su energía y recursos en el implicado más vulnerable, es decir Anselm Harris.

—¿Por qué no pasa por aquí cuando haya hablado con él? —añadió Barry—. Podría explicarme cómo le fue la entrevista, y no lejos de aquí han abierto un restaurante francés al que me encantaría invitarla. Está al lado del centro cívico.

Valerie vaciló una fracción de segundo. De todos modos, iba a estar en Hartford para verse con Hartman, y las alternativas a la cena con Barry eran volver a casa a New Coventry o tomar un bocado en cualquier restaurante de Glenport. Pero aun así decidió rehusar.

—Gracias, Barry. En otra ocasión. Tal vez la semana que viene.

«O tal vez no», se dijo para sus adentros. Barry era una buena persona y no había por qué enemistarse con él, pero no se veía con ánimo de aguantar una velada en su compañía.

Por el tono de voz, Norm Hartman parecía haber estado esperando la llamada.

—Claro, pásese cuando quiera, abogada —dijo—. Estuve en Glenport hace un par de días. Si me hubiese llamado antes habríamos podido almorzar juntos.

«Sí, claro —pensó Valerie—. Ya sé que estuviste en Glenport, hijo de perra. Y también sé para qué.»

—Llegaré aproximadamente dentro de una hora —le dijo.

Tardó más en llegar a Hartford de lo que había tardado Norman, no tenía un coche tan potente; por encima de noventa por hora el motor hacía un ruido desagradable y todo el vehículo vibraba.

El despacho de Hartman no era tan lujoso como el de Andrew Collier en New Coventry, pero no desmerecía mucho.

La recibió de pie.

—Encantado de conocerla, abogada —dijo—. Me han hablado muy bien de usted.

Norm, a juzgar por su aspecto, era cincuentón; vestía un traje oscuro, costoso y elegante, probablemente comprado en Barney's de Nueva York, y lucía una corbata de seda a rayas blancas y negras. Era un traje caro pero lujoso al estilo Armani y le confería un aire desgarbado. Sus ojos, a veces tan amables y compasivos, ahora mostraban su expresión natural: duros, observadores e implacables.

—Bien, ¿en qué puedo ayudarla? —inquirió una vez se hubieron sentado.

Detrás del escritorio la pared estaba llena de diplomas enmarcados y había un certificado de ayudante de un fiscal del Bronx, una foto de juventud en compañía de Bob Kennedy y fotos amarillentas del equipo de la universidad. Y por encima de todo, un largo remo también enmarcado.

—Tengo instrucciones de la compañía de seguros para llegar a un acuerdo con usted en el caso Bracknell —dijo Valerie sin andarse por las ramas—. Yo no estoy de acuerdo, porque creo que ganaríamos el caso, pero no tengo más remedio que hacer lo que me dicen.

—Magnífico —dijo Norm, sonriendo entristecido—. Estoy seguro de que sabrá que el hospital y los otros demandados han tenido la prudencia de seguir esa vía.

—¿Por cuánto? —inquirió ella con toda naturalidad, pero él se limitó a sonreír y a hacer un gesto con la mano. Estaba claro que él personalmente no había perdido dinero en la transacción—. Se me ha autorizado a ofrecer a su clienta hasta cinco millones de dólares. Es la mayor suma que la compañía ha desembolsado como indemnización fuera de los tribunales, y personalmente la considero excesiva, pero eso es lo que hay. Yo cumplo órdenes. Ofrecemos cinco millones de dólares.

La expresión contenida de Hartman se transformó en gesto helado, como esperaba Valerie.

—Abogada —replicó con tono de sentirse ofendido en su amor propio—, lamento que haya hecho este viaje hasta Hartford, para perder el tiempo y hacérmelo perder a mí. No se trata —suspiró— de un simple caso de negligencia profesional, y estoy seguro que le consta. Se trata de una muerte —la miró como si le reprochase no saber con quién trataba—, la innecesaria muerte de uno de los ciudadanos más importantes de Estados Unidos. El demandado —alzó la voz—, un hombre con antecedentes de negligencia médica, ha incurrido de nuevo en ella en un grado con el que nunca me he tropezado en mi carrera...

—Por favor —le interrumpió, impaciente—. Vayamos al grano. Estoy segura de que la compañía subiría un poco la oferta.

—Conozco a casi todos los de esa compañía de seguros —dijo él—, y he jugado al golf con Barry Buonacotti —añadió—. Imagino que Barry le diría que ofreciese cinco y llegase a un máximo de ocho, ¿verdad?

Valerie no contestó.

Hartman se levantó.

—Basándome en una experiencia de veinticinco años en la especialidad —añadió con una sonrisa arrogante—, espero conseguir bastante más de veinte millones cuando el caso se lleve ante un tribunal con jurado. La perspectiva es tan clara y la culpabilidad de su defendido tan evidente y palmaria, será un caso que haga hito y siente jurisprudencia en todo el país. —Juntó las manos como si estuviese haciendo la requisitoria final ante un jurado invisible—. Por lo tanto, sería faltar al deber hacia mi cliente si aceptase menos de dieciséis millones y medio de dólares. Una cifra baja, por supuesto, de la que se han deducido las costas, los gastos de testigos periciales y otros cargos en que incurriríamos en caso de ir a juicio.

—Es una cifra inaceptable —dijo Valerie, tajante—. Y no crea que es usted el único que presenta testimonios periciales. De todos modos, ningún jurado de Connecticut ha concedido nunca esa cantidad por un caso de negligencia médica...

—Lo sé muy bien, abogada —replicó él pausadamente—. La mayor indemnización ha sido exactamente de cuatro millones ochocientos mil dólares, según veredicto en New Coventry, por un caso de lesión cerebral a un recién nacido, hijo único de una honrada pareja de puertorriqueños. Y lo sé porque yo fui su abogado.

—Bueno, si quiere dirimirlo ante un tribunal —replicó ella, esforzándose por no mostrar su desesperación—, allí nos veremos. Le prometo que jugaremos fuerte.

Hartman se irguió tras el escritorio.

—No trate de intimidarme, abogada, por favor —dijo con una sonrisa displicente—. Gracias por venir. Y dígale a Barry Buonacotti que, como de costumbre, seguimos dispuestos a aceptar una oferta razonable.

Valerie se contuvo y trató de no sentirse humillada

por aquel arrogante y ególatra hijo de perra. Pero regresó al coche sintiéndose apabullada. Tenía razón Dexter Milne en su primer análisis del caso. Era una causa perdida, y una de las consecuencias era que de nuevo se vería en la situación de buscar otro empleo, y probablemente a no mucho tardar.

42

Mientras Valerie regresaba de Hartford y cuando Paula, la sustituta enviada por la agencia, ya había acabado su jornada, sonó el teléfono. Era Denise Beckwith.

—¿Podría verle, doctor Harris? Es sólo un minuto.

A Anselm le pareció que hablaba con tono angustiado y como disculpándose.

—Por supuesto. Pásese ahora mismo. ¿Se encuentra mal?

—No, no es eso... Se lo diré cuando... Estaré ahí en un par de minutos. Gracias, doctor Harris.

Al poco llegaba Denise, pálida y nerviosa. Anselm la hizo pasar al despacho, la invitó a sentarse y le ofreció café.

—Oh, no, gracias, doctor. Ya tengo los nervios demasiado de punta.

Anselm se sentó al escritorio y aguardó.

—Quería hablar con usted la última vez que estuvo en la consulta del doctor Delafield —dijo ella—, pero había mucha gente y, de todos modos... —Hizo una pausa—. Hasta esta mañana no tenía más que una cosa que decirle, pero ahora son dos.

Anselm procuraba infundirle ánimos con la mirada.

—Se lo cuento a usted porque se portó muy bien conmigo cuando estuve enferma. Mi hermana Rose dice que si no hubiera sido por usted no habría salido de aquello.

Anselm intuyó que era mejor no interrumpirla.

—Bien, ayer, después de almorzar, el doctor Delafield convocó al personal y nos dijo que no hablásemos con usted, con la señorita Morse ni con nadie, del señor Bracknell ni de usted, y al decir esto último me miró a mí porque sabe cuánto le aprecio. —Denise asintió repetidamente con la cabeza, ruborizada—. Es una vergüenza; yo siempre creí que el doctor Delafield era su mejor amigo. Pero no era esto lo que quería decirle. —Cogió el bolso del suelo, sacó un pañuelo de papel y se sonó; un gesto para darse fuerzas para lo que iba a revelarle—. Días después de la muerte del señor Bracknell, Sandy Bracknell vino a la clínica a ver al doctor Delafield. —Por el tono con que pronunció el nombre de Sandy era evidente que no le tenía aprecio—. Y yo... pues tuve que entrar en el despacho para que me firmara un papel. Siempre lo hago; ya sabe usted la cantidad de papeleo que dan las recetas y los formularios del seguro.

Anselm estaba deseando reanudar su trabajo de verificación y comenzaba a sentir cierta impaciencia, pero asintió con la cabeza animándola a seguir y procuró prestar la máxima atención.

—Bueno, como decía, entré en su despacho con el formulario y supongo que no llamaría a la puerta; ya comprenderá usted que a veces no llamo porque estoy todo el día entrando y saliendo —añadió, mirándole como si esperara que él diera su aprobación y le dijera: «Claro, Denise, naturalmente.»

Pero Anselm no hizo ningún comentario. Denise prosiguió con nerviosismo.

—Y cuando entré, sin pensar en nada más que en el papel que tenía que firmarme, pues allí estaban.

—¿El doctor Delafield y la señora Bracknell?

—Sí. Los dos de pie ¡y él la rodeaba con los brazos!

Su tono era de tanta sorpresa e indignación, que Anselm contuvo a duras penas la risa.

—¿Es que el doctor Delafield no estrecha a veces a sus pacientes? —preguntó Anselm con tono ligero—. Yo lo hago. Lo hacía cuando usted era paciente mía. ¿No lo recuerda?

—Sí, no digo que no. Pero era distinto.

—¿Y no sería que estaba estrechando a la señora Bracknell para consolarla porque acababa de perder trágicamente a su marido?

—Pues, sí, pero en aquel momento yo pensé que era otra cosa. Sí, supongo... —Para sorpresa de Anselm, a la mujer se le llenaron los ojos de lágrimas—. Estaba tan preocupada que no sabía qué pensar.

—No es eso lo que realmente la preocupa, ¿verdad, Denise? —inquirió él, amable, y, levantándose del escritorio, se acercó para estrecharla y demostrarle que era perfectamente ético que un médico lo hiciera con sus pacientes.

El gesto desató un torrente de lágrimas en Denise, que pasó diez minutos hablándole de los problemas de su hermana Rose, que había sido ama de llaves de los Bracknell desde que hicieron la casa y que iba a quedarse sin trabajo cuando la viuda la vendiese, y Rose era una mujer ya demasiado mayor para encontrar otro empleo. Su hermana se pasaba el día llorando en casa y ella no sabía qué hacer.

Finalmente, se enjugó las lágrimas y se marchó. Lo único que la pobre mujer necesitaba era contárselo a alguien, pensó Anselm, pero se había arriesgado a perder su empleo en la consulta de Peter por revelarle cosas internas del trabajo. Se encogió de hombros, suspiró y volvió a enfrascarse en su trabajo; pero mientras consultaba aquel montón de libros de medicina, revistas y artículos especializados y tomaba notas sobre la patología y los signos clínicos de la enfermedad vascular de la carótida, no dejaba de ver la imagen de Peter diciendo a sus empleados que no hablasen con él ni con Valerie.

Eso era impropio de un amigo, aunque sin duda se lo habría recomendado su abogado; pero el hecho en sí comenzaba a irritarle y al final acabó realmente enfadado.

Durante su exhaustiva consulta de textos otra serie de imágenes bailaba en su mente; unas imágenes que él trataba de disipar, visiones del cielo sereno de Nueva Inglaterra con una garza real azul volando bajo, e imágenes fugaces de una blusa blanca bordada cayendo entre las hierbas, un cuerpo esbelto y suave que desaparecía en la cintura de los vaqueros, tan incongruente como una estatua de Afrodita con pantalones: la primera visión, casi con la respiración suspendida, de aquellos senos espléndidos que Valerie le había desvelado. Y más imágenes de aquel cuerpo esbelto, rendido y entregado al suyo, ferviente y gozoso contra el suyo...

Sudoroso, Anselm se repantigó en la silla y miró el teléfono, añorando a Valerie de un modo que jamás habría imaginado.

En ese momento el aparato sonó y él descolgó ansioso el auricular. Pero era Mariana, con la voz suave y coqueta de sus períodos de mayor chifladura.

—Anselm, me has herido tanto que ya no siento ninguna clase de compulsión hacia ti.

—Querrás decir compasión —replicó él—. ¿Qué quieres?

—He conocido a un joven muy interesante —dijo ella—. En realidad es tan interesante como una vez yo confiaba en que tú lo fueses... sí, más interesante que cualquier cosa que tú pudieras inspirar con tus más alocadas extravagancias, gilipollas de mi corazón.

—Estupendo —dijo Anselm— . Os deseo que seáis muy felices.

—Lo seremos. Y voy a ser escritora. Él me ayuda. Escribimos cosas a medias.

—¿Sí? ¿Sobre qué? —dijo Anselm mirando el reloj.

—Sobre ti —respondió ella con tono triunfal—.

Va a ser una historia realista sobre mi vida con Anselm Harris, el Doctor Muerte. Una historia sensacional que publicarán los periódicos dominicales —añadió—. Haz el favor de leerla. Todas las brutalidades, decepciones y sufrimientos que he padecido contigo...

—¿Brutalidades?

—Incluso el día en que se confirmó nuestro divorcio —dijo Mariana, con voz cada vez más estropajosa—. ¿No te acuerdas que me arrojaste por la escalinata del tribunal? Nunca te lo perdonaré; y el modo como me enseñaste los dientes con tanta saña... Afortunadamente Michael me ha ayudado a conseguir una copia de la ficha de urgencias del hospital.

—¿Michael? ¿Se llama así tu nuevo novio?

—Michael Parrett. Uno de los mejores periodistas de investigación de nuestro tiempo —respondió Mariana, alzando la voz como solía hacer cuando estaba animada—. Comparado contigo, fracasado, cerdo machista, es un ángel...

Anselm colgó lentamente.

Valerie estaba sentada mirando el teléfono y pensando en llamar cuando éste sonó. Era Anselm, que le preguntó si le apetecía salir a tomar una copa. Le notó un poco decaído, pero ella no tenía ganas de volver a salir.

—¿Por qué no vienes tú aquí? —respondió—. Escucha, yo me siento igual que tú —añadió; y lo cierto es que estaba a punto de abrir otra botella de vino y emborracharse sola.

Minutos después oía el inconfundible sonido del TR6 de Anselm. El motor enmudeció bajo su ventana. Valerie se sintió increíblemente excitada y echó una rápida ojeada al pequeño apartamento para asegurarse de que no había dejado tirado ningún zapato o alguna prenda interior.

Anselm entró con una botella bajo el brazo y la puso en el aparador.

—Me alegro de que esta noche no hayas ido a New Coventry —dijo sin énfasis—. Y quiero añadir que me alegra mucho verte.

—Tienes aspecto fatigado —dijo ella, cogiendo la botella y mirando la etiqueta—. ¿Es whisky? No conocía esta marca.

—El Macallan es un whisky de una sola malta; el mejor que conozco. Es regalo de un paciente que tiene una tienda de licores en Mystic.

Hablaba con voz tenue, casi temblorosa.

—¿Te encuentras bien? —preguntó Valerie.

Anselm lanzó un profundo suspiro.

—Sinceramente, no me encuentro bien. He estado pensando en ti, en nosotros y en lo que va a sucedernos por... Sé que si perdemos el juicio lo nuestro se irá al garete. —Tragó saliva—. Y además tengo miedo de que me prohíban ejercer como médico, y yo no sé hacer otra cosa. No sé hacer nada. Desde los veinte años he estado en la facultad, como médico residente o ejerciendo en diversos sitios; ser médico ha sido mi única vocación. —Se sentó pesadamente en el sofá.

Valerie abrió la puerta del aparador y cogió dos vasos.

—Ten, doctor —dijo—. ¿Sirves tú el Mac como-se-llame, o lo hago yo?

Su tono desenfadado hizo que Anselm alzara la vista y le sonriera.

—Mejor lo hago yo —respondió levantándose—. Sería temerario dejar a una simple mujer escanciar un licor tan fino.

—¿Pongo música? —inquirió ella, manteniéndose prudentemente apartada de él, consciente de lo que pasaría en caso contrario.

—Por mí no —contestó Anselm—. Quiero hablarte y soy incapaz de escuchar música y concentrarme a la vez.

—Parece la descripción que hacía Lyndon B. Johnson de Jerry Ford —comentó ella—. Sólo que él decía mascar chicle y caminar al mismo tiempo, si no recuerdo mal.

No intercambiaron más palabras hasta que tuvieron los vasos medio vacíos. Anselm rehusó la sugerencia de Valerie de añadir agua o hielo alegando que destrozaría el sutil sabor.

Se sentaron en el sofá y brindaron. A él le habría gustado decir «Por nosotros», pero optó por preguntar por Patrick.

—Ah, no sabes lo bien que le has caído —contestó Valerie—. Y las pastillas que le diste han sido cosa mágica. Hasta me ha perdonado que sea tu abogada.

—¿Qué sucedió con los médicos de la unidad de traumatología vertebral? —preguntó él—. ¿Por qué les tiene tanta manía?

—Estuvo hospitalizado casi tres meses. Primero en cuidados intensivos de la unidad de neurología y luego en la de traumatología vertebral. Venían siempre a verle media docena de médicos en grupo y nunca tenían tiempo para hablar con él ni conmigo. Y cuando finalmente él exigió que le explicaran lo que tenía, le contestaron de modo condescendiente en esa jerga ininteligible y sin siquiera mirarme a mí. Después debieron de enterarse que yo era abogada, y ya no me dirigieron la palabra. A Patrick eso le sentó fatal y lo peor fue que no consiguieron que mejorara lo más mínimo, y la factura fue astronómica. Aún no he terminado de pagarla. En realidad, Anselm Harris, si no fuera por eso no gozarías del privilegio de tenerme como abogada defensora. A lo mejor ni nos habríamos conocido. —Hizo una pausa para ver qué cara ponía—. Y aunque nos hubiéramos conocido, no habría querido saber nada de ti porque los médicos no me gustan.

Se hizo una pausa mientras cavilaban.

—No se puede reprochar nada a los de neurología —dijo Anselm—. Con esa clase de lesión poco puede hacerse.

—Precisamente por eso —añadió Valerie, dando un trago al Macallan. Era suave y turboso e infundía un calor de brasa por el esófago—. Si no podían tener nada, ¿a cuento de qué esa pérdida de tiempo y energía? ¿Y de dinero?

Se sentía engañada de nuevo y le miró desafiante.

—Estoy seguro de que hicieron cuanto podían —dijo él, comenzando a sentirse reconfortado y conciliador—. Se tarda tiempo en saber si el daño es irreversible. —Su mirada estaba más interesada en Valerie que en lo que estaba diciendo. Ella llevaba un sencillo vestido negro con escote en V que no dejaba ver mucho, pero no obstante rezumaba sensualidad—. De todos modos —prosiguió, desviando la mirada—, me gustaría que lo viera Paul Bruckner en el hospital de Nueva York. Paul ha conseguido éxitos inauditos en pacientes con lesiones de columna vertebral. No se lo dije a Patrick para que no alimentase falsas esperanzas, pero he vuelto a hablar con Paul esta tarde y me ha dicho que lo examinará con mucho gusto.

A Valerie le conmovió aquel interés, y el Macallan comenzaba a hacerla sentirse estupendamente. Por un instante pensó cuán fácil sería acercarse y sentarse en el regazo de Anselm y...

—Anselm, ¿cómo te pusieron ese nombre? Cada vez que lo pronuncio me parece referirme a un versículo de la Biblia.

Él bebió un largo sorbo de whisky y no contestó hasta que le llegó ardiente al estómago.

—El único Anselm que conozco es el arzobispo de Canterbury del siglo once —dijo—, que era muy obstinado y entablaba continuos debates con un tal William Rufus, rey de Inglaterra. Por lo cual, aunque todos consideraban que el arzobispo tenía razón y era un buen hombre, el pobre cayó en desgracia y acabó en el exilio. —Sonrió—. En realidad, mi madre, cuando estaba embarazada, leyó el nombre en cierto diario. Por mi parte, de haber podido elegir, me habría gustado llamarme Bill, Joe o algo así de fácil. Mi padre se llamaba Frederick. No me habría importado llamarme Fred.

Se hizo un breve silencio y él recordó a su padre, mientras Valerie pensaba en la similitud entre la carrera de Anselm el arzobispo y Anselm el cirujano.

—Has dicho que no te gustan los médicos —dijo él, sorprendido de sí mismo por volver al tema; pero con Valerie se sentía tan cómodo hablando que casi le apetecía discutir de temas espinosos.

Ella, que ahora se sentía animada, encontró las palabras para expresar una animadversión profundamente enraizada que nunca había dejado traslucir, y menos con Anselm. Lanzó un profundo suspiro.

—Bueno, te diré en qué consiste mi aversión básica, un sentimiento que comparte mucha gente. No se trata de ningún médico en concreto sino de la clase médica en general. Nos han educado para que consideremos a los médicos como gente distinta, personas tal vez en cierto modo sobrehumanas que tienen en sus manos los secretos de la vida y la muerte y que anteponen la curación de los enfermos a todo: al dinero, a la familia, a todo. —Hizo una pausa, para observar su reacción—. Esa manera de considerarlos —prosiguió— confería a los médicos una responsabilidad especial. —Ahora elegía con cuidado las palabras, consciente de que pisaba terreno resbaladizo—. Pero hoy día ves por doquier médicos que sólo piensan en hacerse ricos, que son simples comerciantes que incumplen la ley, prescriben medicamentos innecesarios, que operan aunque no hay necesidad...

Valerie alzó la mano al ver que Anselm pretendía interrumpirla.

—Deja que acabe. La gente, cuando ve eso, siente una profunda decepción. Si fuesen vendedores de coches de segunda mano o políticos, la gente se encogería de hombros porque no cabría esperar otra cosa; pero tratándose de médicos, se siente traicionada y quiere vengarse.

Anselm dejó el vaso en la mesa. Si ella quería discutir, adelante.

—Vamos, Valerie —dijo—, estás declamando la requisitoria de los abogados de la acusación por negligencia profesional; no lo niegues. Casi todos los médicos son personas decentes, honradas y trabajadoras, y son los abogados quienes están arruinando la medicina y ganando millones con sus pleitos. En Estados Unidos teníamos el mejor sistema sanitario del mundo y mira en lo que lo han convertido los abogados.

Se levantó para servirse más whisky.

—¿Quieres más? Queda media botella.

Valerie estaba tan ensimismada con su razonamiento que ni le oyó.

—Anselm, si quieres entender lo que pasa, si quieres entender por qué te encuentras con una demanda y por qué hace veinte años no te habría sucedido, tienes que entender cómo piensa la gente hoy en día. En este caso, el único quc sale perdiendo eres tú, y no porque Sandy Bracknell quiera hundirte. Actualmente el juego es otro; muy distinto. Se sigue jugando, pero el terreno y las reglas cambian constantemente.

Anselm derramó unas gotas del preciado Macallan e intentó recogerlas con el dedo.

—¿Cómo que las reglas cambian? La gente no cambia y sus enfermedades son las mismas.

—Anselm, me parece que no me escuchas. Lo que digo es que si no sigues las nuevas reglas, te machacan; y eso es precisamente lo que te ha pasado.

Anselm volvió al sofá y se sentó más cerca de ella, pensando: «Cállate, Valerie, deja de hablar y abrázame...»

Pero ella seguía porque sabía que era la única manera de reprimir la atracción que sentía hacia él.

—Pero aparte de todo eso, Anselm, cuando asististe a Denton Bracknell olvidaste algo que como médico no puedes ignorar, y más cuando se trata de atender a gente importante.

—¿El qué? —replicó él, tratando de concentrarse en lo que ella decía—. ¿Qué se me olvidó?

—Olvidaste que, por encima de todo, tienes que pensar en ti mismo. Y es precisamente lo que no hiciste, y por eso ahora estamos aquí.

—Supongo que tienes razón —dijo él—. Sí, supongo que en todo momento pensaba más en la vida de Denton Bracknell que en mí mismo.

—Exactamente. Hiciste lo debido como médico, pero no lo debido como posible inculpado.

Muy despacio, para darle tiempo a que se apartase si quería, Anselm alargó la mano y le rozó la cara con la punta de los dedos. Ella cerró los ojos.

—He estado deseando toda la tarde hacer esto —dijo él.

Valerie, como si todo su cuerpo fuera sacudido por un temblor, no atinó más que a decir:

—Qué bien. Yo también. Y si quieres quedarte, tengo un cepillo de dientes nuevo para ti en el cuarto de baño. —Intentó decirlo con desparpajo, pero había un temblor en su voz y, cuando él la rodeó con los brazos, no se resistió.

43

Sandy Bracknell había puesto a la venta la casa de la isla Carver, pero, como le había dicho el agente, el mercado inmobiliario sufría una grave recesión y no podía aspirar a obtener más que parte de lo que había costado. Pero ella quería romper con todo y le ordenó seguir adelante.

Aquel día iba a la isla a recoger cosas; Max, el viejo jardinero, tenía que ir a cortar el césped, limpiar y podar los setos, y esperaba a Rose para que la ayudese a limpiar la casa y dejarla en condiciones para los posibles compradores.

Sandy había vendido ya, con gran pena, los dos estupendos caballos a una escudería de Long Island; no había podido contener las lágrimas cuando el camión especial había girado despacio por el camino, enfilando en dirección al transbordador. Y el barco también lo había puesto en manos de un intermediario de Stamford.

Pensando en si sería la última vez que iba a la isla, Sandy desembarcó detrás de un Mercedes nuevo, saludó con la mano a Alec Ponting, que esperaba a alguien en su Range Rover azul, y tomó por la polvorienta carretera bordeada de primorosos jardines y de malvalocas rojas y rosa inclinadas sobre los altos setos. Parecía verano y bajó el cristal de las ventanillas para sentir aquel aroma de la isla, una mezcla de olor a hierba, a flores y al salitre marino.

Cinco minutos después entraba en el camino de la casa acompañada por el polvo levantado en la carretera que, pausadamente, se asentó en la grava.

Rose estaba en la cocina poniendo papel nuevo en las baldas de los armaritos.

—Hola, señora Bracknell —dijo, dándose la vuelta. Era una mujer con el aire de familia de los Beckwith, de cara redonda y rosada y los mismos brazos gruesos y cortos de su hermana Denise.

»Max está en el invernadero cambiando unos vidrios que se rompieron durante la última tormenta —añadió.

—Bien. Voy arriba a recoger las cosas que quiero llevarme. Llámame si me necesitas para algo.

El dormitorio olía a moho, por lo que abrió los

ventanales. El aire del mar hizo ondear los visillos de gasa y ella permaneció de pie, contemplando el océano. La atmósfera era diáfana y se veía una corbeta en la lejanía con el foque genovés hinchado por el viento. Más allá, el horizonte era ya neblinoso y difuso, signo de que el tiempo iba a cambiar.

Entró en su estudio anexo al dormitorio. Las telas blancas seguían allí, cubriendo el suelo, y la sirena continuaba en el caballete, inacabada y con su aire triste.

Obedeciendo a un impulso, cogió una espátula de la paleta y rasgó el lienzo de arriba abajo y de derecha a izquierda; luego lo arrancó del bastidor y lo tiró al cubo de la basura.

Jadeante, regresó al dormitorio, abrió el armario de su ropa, sacó una caja taraceada de la balda superior y la puso en la coqueta. Sólo las miraría un momento, se dijo, y luego se pondría a ordenar las cosas. Había mucho que hacer.

Sacó la llave del bolso, abrió la caja y estaba mirando las fotos cuando oyó un golpe fuera, voces de hombre y, un segundo después, un estrépito de vidrios rotos.

Dejó las fotos en la coqueta y echó a correr hacia la puerta trasera. El estruendo procedía del invernadero, a unos veinte metros de la casa. Rose se le había adelantado y agitaba los brazos por el esfuerzo de la carrera.

Al doblar la esquina de atrás vieron a Max, de cabeza en el invernadero con las piernas trabadas en la escalera de madera. Había vidrios por todas partes.

Rose lo ayudó a sacarlo con cuidado para que no se hiciera más cortes con los cristales rotos.

—Cuánto lo siento... —musitó Max, que tenía en la mejilla izquierda un corte que sangraba profusamente, así como varios en el antebrazo izquierdo, además de estar todo cubierto de fragmentos de vidrio en camisa y pantalones.

Le sentaron en el césped y mientras Sandy intentaba cortar la hemorragia apretándole la herida, Rose salió corriendo y volvió con un trapo de cocina limpio que Sandy le aplicó en la cara.

Sandy pensó a toda prisa.

—Voy a llevarle a casa de la enfermera Nelligan —dijo—. Max, ella te dará unos puntos —añadió, sonriente para tranquilizar al viejo, que estaba aturdido y no contestó—. ¿Crees que podremos meterle en mi coche? Toma, sujétale el trapo en la cara.

Situándose una a cada lado, lo levantaron y le llevaron al coche de Sandy.

—Llama a Davina Nelligan y dile que vamos para allá —dijo Sandy mientras le acomodaban en el asiento trasero. El trapo estaba ya empapado en sangre que comenzaba a escurrirle por la mejilla, manchándole la camisa.

—Bien —dijo Rose—. Espero que no esté bebida —añadió.

Sandy corrió en busca de las llaves e inmediatamente se sentó al volante y arrancó. La casa de la enfermera estaba a más de un cuarto de hora al otro lado del terminal del transbordador, y Rose se preguntó si Max perdería el conocimiento a causa de la hemorragia. Pero era un viejo fuerte que se había salvado de accidentes peores.

Aguardó a ver desaparecer el coche, cruzó ante el teléfono del vestíbulo y subió para llamar desde el del dormitorio. Davina estaba en casa y hablaba con su habitual lengua estropajosa, pero le dijo que atendería a Max en cuanto llegasen.

Aún temblorosa por efecto de lo ocurrido, Rose cerró las ventanas y estaba a punto de volver a bajar cuando vio la caja abierta y las fotos.

Se acercó a la coqueta a mirar la primera del montón y se quedó estupefacta; la cogió, se sentó en la colcha bordada y miró las otras.

Poco después se levantaba y bajaba despacio la escalera, asiéndose al pasamanos, temblorosa y sintiéndose asqueada. Para llamar a su hermana Denise usó el teléfono del vestíbulo.

Valerie pasó buena parte de la mañana con Dexter Milne repasando la estrategia.

—Yo creo que Norm Hartman piensa enfocar el caso de la siguiente manera —dijo Dexter con su acostumbrada prudencia. Primero alzó el índice como un maestro que explica algo—: Va a decir que se habría debido trasladar a Bracknell a un hospital con mejores servicios. Hará que presten declaración peritos en transporte que expliquen al jurado que se habría podido hacer sin problema. Y consta que el administrador del Centro Médico de New Coventry se ofreció a enviar una ambulancia totalmente equipada a Glenport para recogerle. De todos modos, eso aún lo puedes rebatir, pues era un día de mucha niebla y habría tardado más de la hora habitual de camino.

Valerie asintió con la cabeza.

—Segundo —continuó Dexter—: va a decir que el hospital de Glenport no está debidamente equipado ni tiene el personal adecuado para esta clase de urgencias. Y eso puede ser un problema. Porque, desde luego, no dispone del instrumental más avanzado que digamos. Seguro que Norm hace hincapié en ello.

—En realidad, Dexter, he comprobado que el instrumental que se empleó en este caso es similar al que se utiliza en diversos hospitales del estado. Aunque no pueda decirse lo mismo de la mayoría del instrumental de diagnóstico. Pero ahora no se trata de eso.

A Valerie le había costado mucho tiempo corroborar aquel dato, a base de repetidas llamadas telefónicas al Comité Conjunto de Acreditación de Hospitales, conversaciones con administradores de hospitales y agentes de venta de instrumental médico del estado.

—Muy bien argumentado —dijo Dexter, asintiendo con la cabeza—. Además, has documentado que una operación similar de carótida se ha practicado anteriormente con éxito en el hospital de Glenport, y que no es ni infrecuente ni algo que exceda las habilidades normales de un cirujano con la experiencia del doctor Harris.

Valerie escuchaba atentamente los comentarios de Dexter, que tenía gran experiencia, pero sobre todo porque conocía al adversario. Le estaba mostrando que la clave de una buena defensa es conocer el método de trabajo del abogado de la acusación y tratar de imaginar de qué argumentos se valdrá para ganarse al jurado.

—Yo veo una buena oportunidad para refutar gran parte de las alegaciones de los médicos de la marina —dijo Dexter, juntando las manos y mirándola con gesto preocupado y paternal—. El incidente que se produjo en el pasillo cuando llevaban a Bracknell al helicóptero, que hizo que se le interrumpiera la respiración cuando no tenían a mano un laringoscopio o un tubo endotraqueal. En ese momento los de la marina ya habían asumido la responsabilidad del enfermo. Puedes afirmar sin ninguna reserva que fueron ellos los negligentes y poco preparados.

Valerie lanzó un suspiro.

—Sí, pero para eso necesito el testimonio del doctor Delafield y se niega a verme. Si le hago comparecer se convertirá en testigo adverso y Hartman puede capitalizarlo cuando le interrogue en la vista.

Ambos permanecieron callados durante un rato. Luego, Dexter se colocó las gafas de leer en la frente, se reclinó en el sillón y se balanceó en él un par de veces. Valerie, en lo que Hartman va a centrarse es en el propio doctor Harris —dijo—. Va a tratar de hacerle quedar como un imbécil, un tonto incompetente que se hizo cargo de un caso para el que no estaba facultado. Planteará ante el jurado que Harris ni siquiera pensó en que Bracknell debía ser trasladado a un centro de mayor nivel. Dirá que, en esencia, fue él quien mató al paciente con una operación quirúrgica innecesaria, por egolatría o por dinero, y que no merece que se le confíe la vida de los enfermos.

Dexter lanzó un profundo suspiro. No le gustaba exponer todo aquello, pero cuanto antes se diera cuenta Valerie de en lo que estaba metida, mejor.

—El propósito de Hartman será machacarle la personalidad y su competencia profesional —continuó—, y tratará de presentarle como un médico que no se lleva bien con sus colegas, un elemento perturbador e incompetente.

Valerie hizo una mueca de desagrado y Dexter se quedó mirándola.

—No estarás encariñándote con este tío, ¿verdad? —inquirió.

—Me fío de él —replicó ella para ocultar su turbación momentánea—. Creo que es un buen médico que está en un grave aprieto. Además, no es la primera vez —añadió, pensando en la otra querella—. Se ve agobiado por el sistema; y es una buena persona que no se da cuenta de la basura que reina en el mundo real. Es como Cándido y, aunque trata de no serlo, actúa convencido de que la gente es básicamente buena y digna de confianza.

—Bueno, Voltaire al menos dio un buen final a Cándido —dijo Dexter con una extraña sonrisa—. Una idea interesante: si no ves los horrores es que no existen.

—Sí. Estoy segura de que es la filosofía en que basas tu carrera —replicó Valerie riendo, para, a continuación, ponerse seria—. Quizá sea una lástima, Dexter, pero hoy en día las personas como Anselm Harris necesitan a otras como yo para que les saquen de apuros.

—Ah, todos tenemos que ganarnos la vida —espetó él—. Bueno, volvamos al caso. ¿Sabes ya quién va a ser el juez?

—Mort Gold —respondió ella—. Tengo entendido que no me ha tocado precisamente el premio gordo.

—Es un fracasado —dijo Dexter, meneando la cabeza—. Le conozco. Viene de una familia rica de Glenport que le obligó a estudiar leyes; no logró salir adelante con un bufete privado pero consiguió que le nombraran juez. En cualquier caso depende de la suerte. Gold es uno de esos judíos liberales... —Dexter arrugó el entrecejo, tratando de recordar—. Ah, sí. Salió en los periódicos hace unos años porque concedió la libertad condicional en vez de meter en la cárcel a un profesor por abuso sexual de alumnos alegando que no creía que las víctimas hubiesen padecido graves secuelas.

Las gafas volvieron a caerle en la nariz y Valerie se preguntó si lo habría hecho expresamente.

—Pero en este caso concreto —añadió él— debes saber que a Gold no le gustan los médicos. Afortunadamente no es muy listo; así que si lo planificas bien puedes inducirle a que cometa alguna torpeza y obtener la anulación del juicio por vicios de forma.

—No me gusta recurrir a eso para la defensa —dijo ella; sentía un nudo en el estómago. Dexter estaba dejando suficiente claro que seguía opinando lo que el primer día: aquél era un caso perdido.

—Mira, Valerie —añadió—, no sé si tienes algún triunfo en la manga que no me hayas dicho... —Hizo una pausa mirándola, pero ella negó con la cabeza—. Entonces, no veo qué esperanza puedes tener de ganar el caso. Lo único que puedes hacer es intentar limitar el daño y minimizar los juicios de valor sobre tu defendido.

Valerie se sentía triste y derrotada; se levantó y guardó los papeles en la cartera.

—Por cierto —dijo Dexter—, tengo entendido que

Ralph Stern sigue empeñado en aplastarte. No sé si la situación habrá cambiado algo... —Hizo una pausa, pero ella continuó guardando los papeles—. Bueno, por su actitud y teniendo en cuenta las circunstancias en que te encomendaron el caso, yo de ti empezaría a enviar el currículum a otras firmas. Te echaremos de menos.

Dexter cogió la chaqueta de la percha de la puerta y se la puso; con una mano en el pestillo, se volvió hacia Valerie.

—Valerie, quiero que sepas que estoy convencido de que eres una buena abogada y que aquí te habría podido ir muy bien. Puedes estar segura de que seguirías con nosotros si de mí dependiera.

Valerie tuvo que hacer un gran esfuerzo para subir al coche y dirigirse a Glenport. Y con una punzada de dolor, se dio cuenta de que no había dicho a Anselm que el hospital había llegado a un acuerdo con la demandante, y que también Peter, su mejor amigo, había aceptado la conciliación. Y ahora tenían que hacer frente al hecho de que Norm Hartman, una vez desembarazado de los otros, iría con todas sus fuerzas por el único demandado que quedaba.

44

Los arquitectos Galbraith y Wilson habían realizado a toda prisa, por orden de Tony Marino, un proyecto para homologar urgencias con las directrices del Comité Conjunto. Para no entorpecer la marcha del hospital, Tony les había pedido que lo presentasen al consejo a las ocho del jueves por la mañana, una hora en que no solía haber mucha actividad en urgencias.

La presentación iba a hacerse en la pequeña sala anexa a urgencias, de modo que los miembros del consejo pudieran examinar el solar acompañados de los arquitectos.

Erica, que siempre se vestía con todo detalle, aquella mañana se había preparado mejor que nunca y había dedicado máxima atención a ojos, pelo, cara y uñas; especialmente a éstas, que se había pintado con un llamativo carmín. Lucía una elegante blusa de seda con filas de botoncitos en la delantera y, visible bajo ella, un sostén de puntilla negra.

Los miembros del consejo comenzaron a llegar unos minutos antes de las ocho. Los arquitectos llevaban ya media hora comprobando el sistema de sonido y el proyector, y también estaba Frank Abruzzo, con traje y camisa blanca y cuello de puntas largas. Stefan Olson hizo su entrada, grandullón y resuelto, muy en su papel de encargado animoso, como si algún acontecimiento le hubiera rejuvenecido. Poco después llegó Tony Marino con traje gris holgado y una corbata de seda malva y azul, seguido, como de costumbre, por un Bob North bajito, rosado y reluciente en su traje gris. Bob la vio ayudando a los arquitectos, y enseguida se acercó a echarle una mano.

—Siéntate atrás —le susurró Erica con tono íntimo, sin mirarle.

A North casi se le salen los ojos de las órbitas.

—Sí, claro, Erica. Por supuesto —musitó.

E inmediatamente fue a sentarse en la última fila para que no le quitasen el sitio, y pasó los minutos siguientes regodeándose con su buena suerte. ¡Erica Barnes! ¡Por fin!

Los arquitectos dieron comienzo a una presentación prevista de veinte minutos, tras la cual el grupo saldría a examinar el estado de las rampas antiguas.

Cuando apagaron las luces y en la pantalla comenzó a aparecer una simulación por ordenador de las nuevas rampas desde diversos ángulos, Erica fue a situarse sin llamar la atención al lado de North, le puso una mano en el muslo y Bob se estremeció.

—Sígueme —le susurró al oído—. ¡Y calla!

Se escabulleron del salón como dos sombras y Erica le condujo al cuarto que habitualmente utilizaban los médicos de servicio en urgencias, amueblado con una cama, un escritorio con lámpara y un teléfono, y que a aquella hora se hallaba vacío. Ella misma echó el cerrojo.

—Anda, ven aquí a mi lado, Bobby —dijo, sentándose en la cama.

Atónito y excitado como nunca, él lo hizo. Sentía calor y se aflojó el cuello de la camisa.

El salón de actos estaba pared de por medio y se oía con bastante claridad la voz monótona de uno de los arquitectos.

—Parece que tienes calor, Bobby, encanto —musitó Erica, acariciándole el cuello—. ¿Por qué no te quitas la chaqueta?

Bob se puso en pie, temblándole las rodillas de incontrolable excitación.

—Y los pantalones, ya que estás, cariño —añadió Erica—. Pero en silencio, Bobby, y deprisa que no tenemos mucho tiempo.

Las manos le temblaban tanto que no atinaba a desabrocharse el cinturón y tuvo que ayudarle Erica.

—Siéntate, Bobbolino —dijo ella con voz insinuante, y, cuando se hubo sentado con los faldones de la camisa tapándole los blancos muslos, añadió—: Bobbinski, ¿te gustaría verme las tetas?

Bob tragó saliva y asintió con la cabeza. Con rápido ademán, Erica desgarró su blusa de arriba abajo, salpicándolo todo de botoncitos y rompiendo al mismo tiempo el cierre del sostén. Ahí las tenía, aquellas tetas espléndidas, níveas y turgentes al alcance de su mano. Bob casi eyaculó en los calzoncillos.

—Anda, míralas bien —dijo Erica sonriente—. Míralas bien. Porque quiero que te enteres de que no hago esto sólo por mí, sino también por mi amiga Hermita. ¿Te acuerdas de Hermita, tesoro?

Bob palideció, parpadeó y se quedó mirándola desconcertado, tratando de entender qué quería decir.

A continuación, Erica levantó la mano a cámara lenta para arañarle con saña el carrillo con sus afiladas uñas, dejándole cuatro rayas sangrientas, a la par que profería un grito espeluznante. Bob North se puso en pie de un salto, petrificado, y se llevó la mano a la cara cubierta de sangre.

—Erica, ¡por Dios!, te lo ruego —exclamó, pero ella no dejaba de gritar y al poco llamaban a la puerta y se oían voces.

—¿Qué pasa ahí? ¡Abran la puerta!

Se oían otras muchas voces y Bob, sollozando aterrado, reconoció entre ellas la de su suegro. Se oyó un ruido sordo de hombros cargando contra la puerta, pero era resistente y no cedía. Bob, presa del pánico, se escondió debajo de la cama, tapándose los oídos con las manos, mientras Erica no paraba de gritar, conminándole por señas a abrirla. Él aterrado, se levantó obediente y así lo hizo.

Unas diez personas irrumpieron en el cuarto encabezadas por Tony Marino, quien miró a aquel Bob sin pantalones y a la turbada Erica; cogió a su yerno por la nuca y lo arrojó al pasillo. Erica, casi desmayada, se dejó caer en los brazos compasivos de Stefan Olson.

Alguien trajo una manta y se la echaron por encima de los hombros. Luego, sin que cesaran sus sollozos, Olson la condujo a su despacho a que se repusiera.

Pálido y temblando como una hoja, North se levantó del suelo se puso en pie y entró en el cuarto a recoger sus pantalones, pero Tony le aguardaban muy serio. Cerró la puerta y dentro estuvieron a solas más de diez minutos. Cuando volvió a abrirse y Bob salió para enfrentarse al grupo nada amistoso que se había congregado, sabía que en su ciudad natal de Glenport se había acabado para él la vida personal y profesional.

Anselm había pasado muchas horas dándole vueltas al problema y no había llegado a ninguna conclusión convincente. Tenía delante el *Tratado de medicina* de Harrison y libros de farmacología y neurología amontonados en el escritorio; había llenado varias páginas de anotaciones con su meticulosa escritura, pero no acababa de encontrar la clave. Nada tenía sentido.

¿Bracknell tenía fiebre cuando ingresó en el hospital? Volvió a hojear las manoseadas primeras páginas del expediente hospitalario del difunto. No mucha; medio grado quizá; pero dado su estado en aquel momento, medio grado era poco relevante. Anselm había consultado todos los textos que tenía a mano y había cotejado los datos con los que acumulaba en su excelente memoria, pero el cuadro clínico que presentaba Denton Bracknell no parecía corresponder con lo que decían los libros de texto. Había leído y releído todo lo relativo a infarto, a oclusión de la arteria carótida y a embolismo, y, desde luego, casi todos los síntomas se ajustaban al diagnóstico que habían hecho él y Peter, y la autopsia lo había confirmado, pero la vasoconstricción o espasmo arterial, que les había parecido subsidiaria a la afección, no figuraba en ningún texto y no acababa de imaginarse ninguna otra causa.

Otro síntoma que no cuadraba era el acelerado pulso de Bracknell, que, como él había comentado a Valerie, significaba que existía una banda anormalmente alta entre la presión máxima y mínima.

Anselm cerró de golpe el tratado y se reclinó en el sillón comenzando a notar dolor de cabeza. Había pensado en el envenenamiento como posibilidad, pero los médicos de la marina habían efectuado un examen toxicológico negativo. Claro que en los libros de texto de neurología los síndromes extraños eran legión, y en ellos figuraban pormenorizadas descripciones de los mismos cuando la lesión de las diversas partes del cerebro la causaban trombos, tumores o heridas, y él los había repasado todos. Pero no encontraba nada que le sirviera.

Desesperado, volvió a releer las notas tomadas por Peter al ingresar al enfermo, pensando en que hubiera podido pasarse algo por alto, algo en la secuencia de episodios que le diera la clave de aquellos signos poco frecuentes.

Bracknell no había sufrido síntomas hasta llegar a casa, momento en que se había quejado de un leve vértigo y luego de cefalea. Sí, pero acababa de bajar de un helicóptero en el que habría experimentado los habituales cambios de presión de un vuelo; se sabía que padecía arteriosclerosis, o endurecimiento de las arterias, lo que, añadido a lo anterior, bastaba para explicarlos. Después había tomado unas pastillas para el dolor de cabeza y se había acostado. Tal vez, pensó Anselm, estaba tomando otra medicación que había ejercido efectos secundarios adversos en combinación con las pastillas para el dolor de cabeza. Ese extremo lo había comprobado, pero volvió a hacerlo. Allí se decía bien claro, de puño y letra de Peter al final de la hoja de ingreso: «No toma otros medicamentos.» Peter era el médico de cabecera de Bracknell y tenía que saberlo mejor que nadie. También Sandy había dicho que Bracknell no tomaba otras medicinas, y si hubiese estado medicado con otro fármaco para el corazón, tal como digoxina, lo habrían detectado en los análisis de sangre.

Miró las páginas como si esperara que fuesen a decirle lo que se había olvidado. Lo único que no sabía con certeza era la clase de pastillas para la cefalea que había tomado Bracknell; pero de ahí no pasaba. Ni la aspirina, ni el Tilenol ni ninguna de las pastillas habituales producían esa clase de efecto secundario.

Miró el reloj y sintió ganas de dejarlo, marcharse y pasar la tarde en un bar para olvidar la frustración de no poder averiguarlo.

«Bien, probemos por última vez», se dijo. Cogió el teléfono y marcó el número del despacho de Peter. Pensaría que estaba loco, pero al menos así llenaría la única laguna posible en el caso. Comunicaba. Volvió a probar un minuto más tarde pero seguía comunicando.

—¡Al infierno! —exclamó, poniéndose en pie.

Tenía las piernas entumecidas y las estiró; parecía como si hubiera estado sentado una semana seguida. En ese momento llegó Valerie con un aspecto taciturno muy poco habitual en ella.

—¿Has tenido mal día en la oficina, cariño? —inquirió él sonriente.

—Sí —contestó ella, dejándose caer en una silla—. No sé qué día habrás tenido tú, pero yo me siento como el mensajero condenado a muerte porque trae malas noticias.

—¿Más malas noticias? ¿Cuáles?

—¿Recuerdas que fui a Hartford a ver Hartman, aquel día en que nos bebimos la botella de Macallan?

—Lo tengo grabado en mi cerebro —contestó él, mirándola con picardía.

—Fui a verle cumpliendo instrucciones de la compañía de seguros —añadió ella—. No porque yo quisiera, sino porque me lo dijeron. —Hizo una pausa; su tirantez interior aumentaba—. Ellos consideraban que les iba a costar mucho más ir a juicio y querían llegar a un acuerdo.

Anselm abrió los ojos como platos.

—¿Y me lo dices ahora? ¿Y cómo no me lo han propuesto a mí? ¿Es que yo no pinto nada en este asunto?

—Anselm, es una decisión financiera —replicó ella—. Si lees tu póliza de seguro verás que dice que la aseguradora se reserva el derecho de acudir a los tribunales o llegar a un acuerdo, y es ella la que hace valer en exclusiva ese derecho. A la compañía de seguros le interesa quitarse de encima el caso con el menor gasto posible y les trae sin cuidado quién tiene razón. Si creen que hay muchas probabilidades de perder ante los tribunales, hacen lo posible por llegar a un acuerdo aunque con ello salga perdiendo tu reputación. —Miró su rostro dolido y suavizó el tono de voz—. Lo siento, Anselm, pero sabes que no puedo evitar decirte las cosas tal como son.

—¿Y cuánto le ha costado el acuerdo a la compañía?

Ella le apoyó suavemente la mano en el brazo.

—No pude conseguir un acuerdo —dijo—. Pedían mucho más de lo que la compañía está dispuesta a soltar. Tendremos que ir a juicio.

—No me sorprende —dijo él tras un momento de reflexión—. ¿Cuando vas a entrevistarte con los abogados del hospital y de Peter? —inquirió—. ¿No habrá que establecer una estrategia de defensa común? Le hablé de ello hace un par de días —añadió—, pero no pareció darle mucha importancia. Espero que su abogado sí se la dé.

Valerie juntó las manos en el regazo; le sudaban las palmas.

—Anselm... El hospital ha llegado a un acuerdo con Hartman. Y también he sabido que tu buen amigo Peter ha hecho lo propio.

Se hizo un largo silencio.

—¿Peter ha llegado a conciliación sin decírmelo? —replicó, enrojeciendo—. ¿Cuándo?

—A principios de semana. No sé exactamente cuándo, pero vi a Peter con Stefan Olson y Norm Hartman y unos abogados delante del hospital hace un par de días, y parecían haber cerrado un trato.

—¿Por cuánto se han avenido?

—No lo sé. Hartman no quiso decírmelo, pero supongo que sería una buena suma de millones, por supuesto.

—Entonces, ¿en qué situación estamos? Estoy, quiero decir.

—Nos hemos quedado solos —contestó Valerie, y su tono le hizo levantar la vista.

—Eso no cambia nada, ¿verdad? Sigo como demandado, al margen de Peter y el hospital, ¿no es cierto?

—Sí que cambia. Ahora pueden centrar todos sus esfuerzos en ti, y, por otra parte, a partir de ahora no contarás con la ayuda que habrías tenido de Peter o del hospital, ni de los otros demandados que hayan llegado a un acuerdo.

—¿Por qué no? —inquirió él, frunciendo los ojos.

Valerie lanzó un suspiro. Le sorprendía que un hombre listo con la carrera de medicina y la especialidad de cirujano fuese tan ingenuo respecto de sus colegas y lo que sucedía en su profesión.

—Nunca lo admitirán, Anselm —replicó ella con paciencia—, pero puedes estar seguro de que Norm Hartman ha llegado a un acuerdo con ellos. Les habrá dicho: «Acepto el acuerdo con la condición de que queden al margen del caso y no hablen ni ayuden en modo alguno al resto de los demandados.» El resto de los demandados, evidentemente, eres tú.

—No puedo creerlo —dijo él alzando la voz y cogiendo con gesto adusto la taza de café—. Peter no es capaz de eso. Por Dios, Valerie, hemos sido compañeros de facultad, y ya desde entonces éramos muy buenos amigos. Él me consiguió el empleo y las prerrogativas en el hospital de Glenport cuando yo no tenía adonde ir. Creo que eso queda claro, ¿no? —añadió mirándola—. Tal vez el hospital haya cerrado un acuerdo así, no me sorprendería; pero Peter no. Es imposible.

Lo decía con tal convicción que Valerie dudó en continuar argumentando, pero no tenía más remedio.

—Anselm, si Peter no hubiera llegado a un acuerdo con Hartman seguiría estando imputado —dijo—. Entiéndelo. Claro que es muy posible que el abogado le obligase —añadió, dándose cuenta de lo poco verosímil de tal posibilidad.

Anselm notaba como si su cuerpo se fuera helando a medida que Valerie desgranaba las palabras.

—Bueno —dijo finalmente con un tono que hizo estremecer a Valerie—, antes de que se haga tarde voy a mantener una charla con Peter Delafield.

45

Peter no estaba en la consulta, lo que no era de extrañar dada la hora; así que Anselm le llamó a su casa. Contestó Susan

—No está —dijo—. ¿Has probado en el hospital?

—No, no —respondió Anselm con sequedad—. Es que quiero hablar con él personalmente, no por teléfono.

—Pues es posible que esté en el hospital —insistió Susan con voz exangüe. Anselm sabía que pasaba muchas noches sola.

—Si te llama, ¿quieres decirle que tengo que verle? Sí, esta misma noche. Es importante. Gracias, Susan.

A Valerie, que escuchaba, la alarmó el tono de voz de él, y cuando cogió la chaqueta y se dirigió a la puerta, ella se puso en pie y dijo:

—Voy contigo.

Anselm vaciló un instante.

—Bien —dijo—. Pero lo que tenemos que hablar lo hablaremos a solas.

En el TR6 hacía frío, y Anselm pisó el acelerador hasta que llegaron al semáforo cerca del hospital; estaba en rojo, pero no había tráfico y lo cruzó disparado y entró en el aparcamiento con un chirriar de neumáticos, deteniéndose de golpe ante urgencias. Se apeó de un salto y entró a zancadas en el edificio.

—No —dijo Pat Mooney—, no lo he visto. De todos modos, a esta hora ya hace rato que suele haberse marchado.

Anselm llamó a la centralita. El doctor Delafield había fichado su salida a las siete, hacía más de una hora.

Volvió al coche y estuvo callado un minuto, pensando.

Valerie no decía nada. Comenzaba a sentir frío.

—En el barco —dijo Anselm de pronto—. Tiene que estar allí.

Arrancó como un poseso y cinco minutos después entraba en el aparcamiento del club Náutico; estaba muy oscuro y sólo cuando alumbró con los faros vio el Lamborghini, situado discretamente al fondo. Al girar, Valerie advirtió fugazmente otro coche aparcado a cierta distancia; lo único que habría podido asegurar es que era amarillo, y ese simple detalle la sobresaltó. Miró a Anselm, pero él no parecía haber reparado en ello. Tardaron un par de minutos en cubrir a pie la distancia que les separaba de los yates; cruzaron por delante de dos edificios y de una enorme grúa móvil negra e imponente contra el cielo nocturno, con las bandas de lona colgando vacías. No vieron ninguna luz hasta llegar al muelle de amarre, cerrado por una cancela metálica. Los pantalanes estaban llenos de barcos, la mayoría de vela, y el viento movía los aparejos en monótona cantinela. No había nadie. Las bombillas de posición cada ocho metros difundían una tenue luz. Un gato maulló en la oscuridad.

Anselm estaba a punto de abrir la cancela y pasar al muelle, cuando Valerie le retuvo con la mano.

—Peter debe de estar acompañado —dijo.

Anselm se detuvo, pero no más de un instante. Entraron en el muelle con barcos amarrados a ambos lados; barcos grandes con radar y chalupas neumáticas hinchables en la popa, barcos pequeños de camareta abierta, que el mar mecía más fuerte que a los otros. Aparte del ruido de los aparejos sobre sus cabezas, reinaba un silencio caro y exclusivo, misterioso y peculiar. Sin saber por qué, Anselm y Valerie comenzaron instintivamente a andar de puntillas, casi por temor a romper aquella quietud.

El barco de Peter estaba en su amarre habitual al final del muelle, y también oscuro y silencioso. Si Anselm no hubiese visto el Lamborghini, en aquel momento habría dado media vuelta para ir a buscarle a otra parte.

—¡Mira! —susurró Valerie. En una de las escotillas de la borda que tocaba el muelle se veía una raya de luz de una cortina abierta.

Anselm se acercó cautelosamente y arrimó la cara a aquella abertura. Se veía el camarote principal, la radio y los instrumentos de radar encima del pupitre de navegación y la gran cama de matrimonio abatible del centro. Y en ella, trabados en una complicada postura y haciendo cosas que a Anselm le hicieron quedarse boquiabierto, vio los cuerpos desnudos de Peter Delafield y Sandy Bracknell.

Anselm y Valerie regresaron en silencio a la consulta. Un gesto extraño crispaba el rostro de él durante el camino, y ella sintió miedo por lo que pudiera hacer.

Anselm iba pensando a toda velocidad y planteándose una serie de preguntas que se entrelazaban, mezclaban y anulaban mutuamente; pero de aquella maraña comenzaba a surgir un leve rayo de luz.

Pasó de largo ante la consulta y continuó hasta la farmacia de Manitauk Avenue. Faltaban diez minutos para cerrar y en aquel momento Neil Gowan no atendía a ningún cliente.

La campanilla de la puerta tintineó al entrar ellos y Neil se apresuró a salir del mostrador al verle.

—¿Qué tal, doctor Harris? —le saludó solícito antes de que Anselm dijese nada—. Mi madre se recupera estupendamente, y todo gracias a usted.

Era un hombre muy emotivo y no pudo reprimir una lágrima que se enjugó con la mano.

Anselm mostraba ahora una actitud glacial.

—Neil, los Bracknell siempre compraban en tu farmacia, ¿verdad?

—Claro —respondió el hombre—. Lo hacen todos los que viven en la isla porque allí no tienen. Los padres de Sandy son clientes y cuando ella se casó y fue a vivir a la isla siguió comprando aquí.

—Neil, ¿recuerda qué clase de pastillas contra la cefalea tomaba Denton Bracknell?

—¿Para la cefalea? —repitió el farmacéutico meneando la cabeza, pero con un extraño brillo en los ojos—. No, doctor Harris; pero ahora que lo dice... —añadió, haciéndoles seña de que le siguiesen a la trastienda.

Salvaron el escalón y pasaron a una zona bien iluminada. Neil abrió una puerta que daba paso al cuarto donde llevaba la contabilidad y atendía las otras facetas del negocio. Había una mesa para escribir y un par de sillas.

El farmacéutico sacó un grueso libro mayor de un archivador y lo abrió en la mesa. En él estaban registradas en hojas de ordenador todas las recetas que despachaba, con la fecha, nombre del enfermo, tipo de medicamento y modo de administración, más el nombre del médico que las había prescrito.

Pasó varias hojas e hizo seña a Anselm de que mirase.

—Aquí está —dijo—. Marzo, hacia el quince... —Pasó otra página y señaló con dedo tembloroso una entrada en la mitad de la página—. Ésta.

Anselm leyó en voz alta.

—«Quince de marzo, señora Sandy Bracknell, apartado de correros 125, isla Carver. Pastillas de tartrato de ergotamina de dos miligramos, veinte veces. Tomar una por cefalea según prescripción del doctor Peter Delafield, Glenport.»

Anselm comenzó a sentir una profunda indignación no exenta de horror. Miró a Neil. La ergotamina era un potente fármaco de exclusiva prescripción en casos de migrañas muy severas.

—Neil, ¿Sandy padecía migrañas?

—Pues, doctor Harris... —Sudaba profusamente y estaba amarillento—. La verdad es que puedo decir que conozco a Sandy Bracknell desde que era pequeña y estoy seguro de que no ha padecido una migraña en su vida.

—Vamos a comprobar lo de la ergotamina —dijo Anselm—. ¿Tienes a mano el *Vademecum*?

Valerie miraba sucesivamente a Anselm y a Neil, preguntándose qué demonios sucedía, pero percatándose de que algo terrible estaba dilucidándose. Neil cogió de encima del archivador el conocido libro azul, lo puso encima del libro de registro y pasó hojas.

—Mira en «contraindicaciones» —dijo Anselm con voz tenue.

—Léalo usted, por favor, doctor Harris, que no tengo las gafas.

—«...usar sólo en la dosis prescrita —balbució Anselm—. Puede provocar gangrena... Medicamento específicamente contraindicado en casos de arteriosclerosis, en los que puede provocar contracción arterial que desencadena infarto u otras complicaciones vasculares.»

Neil se sentó en la silla y ocultó la cara entre las manos.

—Sé que no debería habérsela despachado —dijo.

—Neil, ¿puedes hacerme una copia de este apunte, ahora mismo? —inquirió Anselm.

—Claro —respondió Neil alzando la vista—. Lo tengo todo en el ordenador. Le haré una copia de la página —añadió, dejando el *Vademecum* encima del archivador y dirigiéndose al ordenador. Pulsó unas teclas y a los pocos segundos un largo papel perforado salía de la impresora láser—. Imprime en catorce tipos de letra distinta —señaló en voz baja.

—Quiero que me lo firmes —dijo Anselm, sacando un bolígrafo del bolsillo y tendiéndoselo—. Escribe: «Es copia del libro diario», pon el sello de la farmacia y fírmalo con fecha de hoy. Gracias, Neil.

Una furia fría dominaba a Anselm y en su cabeza comenzaban a organizarse todas las implicaciones de aquel trozo de papel. Desde luego, el hecho de que Sandy Bracknell tuviese las pastillas de ergotamina no demostraba que fuesen las que había dado a su marido para el dolor de cabeza, pero él sabía perfectamente que, aunque hubiesen pasado tantos días, existían pruebas para detectar cantidades minúsculas de droga en los tejidos de la autopsia. La ergotamina no era una droga que se detectase en los análisis rutinarios de toxicología que habrían aplicado al cadáver de Denton Bracknell. Muy listo, Peter.

—Doctor Harris, tengo la impresión de que esto me va a costar la licencia de farmacéutico.

Anselm volvió a la realidad y miró sorprendido a Neil.

—¿Por qué? Tú has cumplido con tu deber que era despachar la prescripción; has seguido las instrucciones del médico y no tenías por qué saber si Sandy padecía o no migrañas.

—Pero lo sabía. Cuando se es farmacéutico se conoce la salud de los clientes —replicó el hombre, tragando saliva—. Como le he dicho, conozco a Sandy desde que era una niña. Créame, lo he verificado y la única receta que tengo de ella es de cuando tuvo una infección de oídos a los siete años. Aparte de las píldoras anticonceptivas que toma desde hace tres años, que también se las recetó el doctor Delafield.

Anselm contuvo la respiración y Valerie se quedó mirándolo.

—Recuerdas el historial de Bracknell... —dijo despacio, sin mirarla—. En el apartado «familia» figura que en dos análisis sucesivos se había comprobado que su semen era estéril. —Se volvió hacia el farmacéutico, que, sudoroso aún, mostraba una expresión penosa—. Neil, guarda el libro de registro en la caja fuerte y júrame que no hablarás con nadie de esto, ¿de acuerdo?

Gowan tragó saliva, prometió guardar silencio y Anselm y Valerie abandonaron la farmacia.

—Vamos a tu apartamento —dijo Anselm—. Tenemos mucho que hacer y no quiero que nos interrumpan.

46

Valerie abrió la puerta del apartamento, encendió la luz y se quitaron los abrigos. A ella le castañeaban los dientes y entraron en la cocina para preparar café. Anselm abrió su chaqueta y la arropó con ella. A pesar del frío, el cuerpo de Anselm estaba caliente y ella se apretujó contra él cuanto pudo, pero pasado un minuto se apartó.

—Gracias —dijo—. Bien, ¿quieres explicarme qué era todo ese asunto de la farmacia? ¿Qué es la ergotamina?

Anselm seguía dándole vueltas al asunto y no contestó enseguida. ¿Y no podía ser que Sandy Bracknell hubiese padecido repentinamente de migrañas? Poco verosímil pero posible; pero, aunque las hubiese padecido, era increíble que Peter u otro médico hubiese prescrito un fármaco tan potente antes de probar con otro menos tóxico.

—Si tienes que elegir un fármaco mortal para una persona con arteriosclerosis —dijo—, la ergotamina es perfecta. La ergotamina hace que se contraiga el músculo que rodea las arterias y si las arterias ya sufren constricción el efecto puede provocar una oclusión completa, que es exactamente lo que sucedió con Denton Bracknell—. ¿Cómo no se me ocurrió? —exclamó, dándose un puñetazo en la palma de la mano.

—Ahora ya no tiene remedio —dijo ella—. Continúa.

—Hay dos cosas —respondió Anselm—. Una: Peter en la cama con Sandy. Dos: el asunto de la ergotamina... Por separado —añadió, golpeando con los dedos la copia del libro de registro— probablemente no significan mucho, pero juntas y relacionadas... Valerie, ¿te das cuenta de lo que puede plantearse?

—Sí —contestó ella—. Podemos estar ante un caso de homicidio.

—Creo que vamos a necesitar algo de ayuda —dijo él—. Vamos a repasar todo lo que sabemos hasta ahora para asegurarnos de que no se nos escapa nada.

Media hora más tarde, Anselm estaba a punto de llamar a la policía de Glenport cuando recordó a Marlin Foster, el agente del FBI que había llegado de New Coventry el mismo día del ingreso de Denton Bracknell.

—Es competencia del FBI, ¿no? —preguntó a Valerie.

—Bracknell era funcionario del gobierno federal

cuando murió. Creo que ellos deben decidir; o se hacen cargo del caso o se lo pasan a la policía del estado.

Anselm tardó unos minutos en conseguir el número de la delegación del FBI en New Coventry; habló con el oficial de servicio, que se negó a darle el número de Foster, pero le prometió que haría que él le llamase.

Cinco minutos después sonaba el teléfono y Anselm contestó. Era Marlin Foster y, efectivamente, se acordaba bien del doctor Harris.

—Se ha producido un importante giro en el caso Bracknell —dijo Anselm—. Y creo que es asunto de ustedes. No, no puede esperar a mañana. ¿No puede venir a Glenport? Tengo mis razones para pedírselo.

Escuchó lo que le decía el agente del FBI y luego colgó.

—Estará aquí dentro de una hora —dijo a Valerie.

Cincuenta y cinco minutos más tarde, Marlin Foster llamaba a la puerta.

La pusieron al corriente de los hechos, le enseñaron la copia del libro de registro de la farmacia y le contaron la escena de la que habían sido testigos. Foster no se dejó impresionar en principio.

—Para estar seguros de que se ha cometido un crimen —midió sus palabras—, tenemos que situar estos hechos en su justa dimensión. ¿Pueden ayudarme a recomponer la historia?

—Probemos —dijo Anselm.

—Bien. Empecemos por las motivaciones —dijo Marlin. ¿Qué ganan con ello la señora Bracknell y el doctor Delafield?

—Por lo que sé —respondió Anselm—, mantenían una relación más o menos pública un par de años antes de que ella conociera a Denton Bracknell. Delafield estaba ya casado, claro.

—¿Y cree que ella se casó con Bracknell pensando ya en esto? —inquirió Marlin.

—No lo sé, pero a juzgar por lo que hemos visto, y el hecho de que ha estado tomando la píldora todos estos años, es evidente que el casamiento de Sandy no les inhibió para continuar la relación.

Marlin reflexionó.

—Espero que no basen su argumentación en esa premisa —dijo—. Ahora es viuda y puede haber reanudado la relación con el doctor Delafield.

—No tratamos de argumentar nada —terció Valerie—. Nos limitamos a contarle lo que hemos averiguado. Si hay base para un caso criminal son ustedes los que tendrán que demostrarlo.

—¿Hay gaseosa? —preguntó Marlin.

—En la nevera; en la misma puerta —contestó Valerie—. Sírvase a su gusto.

Marlin se levantó de la silla con un suspiro.

—Bien. Hemos repasado el aspecto amoroso —dijo por encima del hombro—. ¿Y el económico? «Busca la pasta» era el eslogan de Garganta Profunda, y a nosotros tiene que servirnos.

—Según su esposa Susan, Delafield está prácticamente en la ruina —dijo Valerie—. Está hasta el cuello de deudas; del barco, de la casa, del coche. Si fuese algo urdido por los dos, él podría pagar todas sus deudas y ambos podrían vivir cómodamente el resto de sus días con el dinero que sacasen de la indemnización al ganar la demanda.

—Exacto: «cómodamente» —repuso Anselm—. No me extraña que Peter esté tan tranquilo. Si todo les sale bien, Sandy puede llevarse tal vez doce millones de dólares de indemnización, más las sumas a las que haya llegado por acuerdo con el hospital y la compañía de seguros de Peter, descontando lo que cobre Norm Hartman. Si lo ponen todo en bonos del Tesoro al ocho por ciento, sólo de intereses sacarán al año casi un millón de dólares.

—Anselm, eres más listo que *Clever Hans* —dijo Valerie sonriendo.

—¿Quién?

—*Clever Hans* era un caballo que sabía contar —respondió ella.

—Póngame al corriente de la parte médica, doctor Harris —dijo Marlin, abriendo la lata de gaseosa.

Así lo hizo Anselm y el agente realizó anotaciones en una libreta.

Cuando Anselm hubo concluido, Marlin parecía más convencido.

—¿Cómo se explica usted todo esto, abogada?

—A mi entender —respondió ella— la historia se inicia hace un par de años cuando Sandy y Peter vivían las mieles de su historia. Ella se casa con Denton Bracknell con la esperanza de que Peter saque algún provecho de ello. Quién sabe, dinero, negocios... Denton era ya todo un personaje. Imagino que fue Peter quien vio la posibilidad de una querella por negligencia profesional y a Anselm Harris como chivo expiatorio. Tenía en su haber una demanda reciente que había levantado revuelo, y eso era ya una carta. Peter se las arregló para hacerle ingresar en la plantilla del hospital y Sandy ya lo tenía todo previsto; un día de niebla fue la oportunidad ideal y la aprovecharon.

—¿Un día de niebla? ¿Por qué? —quiso saber Marlin.

—Porque en un día así a Denton Bracknell no podían llevarlo a ningún otro hospital, sólo a Glenport —respondió Valerie—. Una vez ingresado en él, Peter se encargaría de que no le trasladasen, y lo hizo muy bien, oponiéndose a todos los intentos de traslado. —Se volvió hacia Anselm—. Y Peter consiguió también que le operasen —añadió—. Y él sabía que los síntomas eran a causa de la ergotamina, no de un trombo, y sabía igualmente que la operación quirúrgica resultaría fatal con toda probabilidad, ¿correcto?

Anselm asintió con la cabeza.

—Doctor Harris —dijo Marlin—, ¿afirmaría usted

que Denton Bracknell presentaba síntomas de envenenamiento por ergotamina cuando le examinó?

Anselm cerró los ojos.

—Sí. Bracknell mostraba el cuadro clásico, pero en aquel momento habría sido en lo último que yo hubiera pensado —dijo—. Tenía manos y pies helados y pulso filiforme. La exploración ultrasónica mostraba más constricción arterial que las anteriores radiografías; incluso en el informe de la autopsia se menciona la constricción arterial, pero no se me ocurrió que la causa pudiera ser la ergotamina. No acabo de entender —añadió, meneando la cabeza— cómo es que observé todos los signos y se me escapó el diagnóstico.

—¿Y un infarto no podría haber causado esos signos? —inquirió Valerie.

—Tal vez algunos, pero de todos modos... —respondió Anselm, meneando la cabeza—. La cuestión está en que se sabe que, en la arteriosclerosis, la ergotamina es un fármaco letal. Mire, si realmente lo planeó de ese modo, Peter es realmente un genio.

Apretó los labios. «El perfecto chivo expiatorio», le había llamado Valerie.

—¿Se puede examinar el cadáver de Bracknell en busca de restos de ergotamina? —preguntó Marlin.

—No soy toxicólogo, pero creo que sí. Creo que se detectan cantidades minúsculas; así que si las hay, seguramente podrán hallarlas en las vísceras que conserven en Bethesda.

—Entonces no hará falta exhumar el cadáver.

—Eso es.

Marlin se puso en pie, sacó del bolsillo una agenda, fue al teléfono y marcó un número con el prefijo 202.

—Hay que buscar ergotamina —dijo tras una larga pausa—. Claro; tiene que haber suficiente cantidad en los tejidos que se conservaron para la autopsia. No hay que exhumarlo si no es estrictamente necesario.

—Entonces ¿qué? —inquirió Valerie cuando él volvió a la mesa.

—Dicen que la ergotamina se puede detectar aunque sea en una muestra muy pequeña de tejido, y que van a hacer la prueba lo antes posible —dijo—. Hasta ahora me han convencido bastante, pero vamos a necesitar más pruebas. Y hay un par de cosas por hacer antes de irnos a la cama.

—Si podemos conseguir los historiales de los Bracknell en poder de Peter —dijo Anselm—, podremos saber si Sandy padeció migraña en alguna ocasión. En cuyo caso, tiene que haber una ficha de otros fármacos más sencillos que haya probado antes. Y, además, tiene que estar el informe sobre el semen del marido.

—Eso para empezar —dijo Marlin—. Pero primero tenemos que hablar con mi jefe. Valerie, ¿le importa que vuelva a usar el teléfono?

47

—Creo que deberíamos quemarlas —dijo Rose Beckwith—. No tiene sentido conservar esa... porquería.

Estaba con su hermana, sentada en su casa de Glenport, después de regresar de la isla en el último transbordador. Las dos miraban con gesto de disgusto aquellas tres fotos que había en la mesa del comedor, fotos de Sandy Bracknell y Peter Delafield en variadas posturas eróticas.

—Sí, creo que debemos deshacernos de ellas —dijo Denise—. No pueden traernos más que complicaciones. ¿No podrías dejarlas donde estaban?

—La casa está cerrada —contestó Rose—. De todos modos, ella se habrá llevado la caja.

—¿Y no las echará en falta? —dijo Denise, agachándose a acariciar al gato atigrado que se restregaba contra sus piernas.

—No lo creo —contestó Rose—. Había muchas y yo sólo cogí las tres de encima.

—¿Y por qué? —inquirió Denise—. Podrías habérmelo contado sin necesidad de cogerlas.

—No lo sé —dijo Rose, pensativa—. Me impresionó mucho. Hacer esas cosas estando casada con el pobre señor Bracknell... Bueno, suerte que está muerto.

Denise permaneció callada un instante, pensativa.

—Eso quiere decir que no me equivocaba cuando les sorprendí en la oficina del doctor Delafield. —Se levantó con gesto decidido—. Voy a llamar al doctor Harris para decírselo. Él sabrá qué hacer.

Dos días después, a las once de la mañana, un Norm Hartman enfadado y sorprendido se personaba ante el despacho del juez Mort Gold, donde ya le aguardaba Valerie.

—¿Pero qué pasa? —farfulló Hartman lanzando gotitas de saliva de lo enfurecido que estaba.

—Lo único que puedo decirle, Norm, es que ahora se trata de un caso criminal —respondió ella sin perder la calma y negándose a dar más explicaciones hasta pasar al despacho del juez Gold, un hombre alto y enjuto de cara que saludó al entrar.

—En primer lugar, señoría, quiero protestar por esta convocatoria —dijo Hartman—. Se me convoca sin previo aviso y he venido sólo por conminación personal de usted...

—Tal vez la abogada Morse pueda explicarse porqué era necesaria la entrevista —replicó el juez Gold mirando a Valerie.

—Solicito el sobreseimiento del caso Bracknell contra Harris —dijo Valerie—. Tengo pruebas de que puede haberse cometido un grave crimen en relación directa con el caso.

—¡Esto es descabellado, señoría! —espetó Hartman—. No existen precedentes...

—Déjela que acabe de explicarse —zanjó Gold, volviéndose hacia Valerie—. Y le advierto, abogada, que más vale que sus explicaciones sean convincentes.

—Más que convincentes, señoría —replicó Valerie sin amilanarse, sacando la copia del libro de registro de la farmacia y tendiéndosela a Hartman, quien tragó saliva indignado.

—¿Y qué intenta demostrar con esto? —dijo tras echarle un vistazo—. ¡Esto no significa nada! ¿Qué puede importar que mi clienta padezca migrañas?

—Es que no padece migrañas —respondió Valerie imperturbable—, ni las ha padecido jamás. Y tampoco el señor Bracknell.

Norm Hartman no aguantaba más.

—¿Acaso es usted médico? ¿Cómo puede tener el... el descaro de afirmar semejante cosa sin prueba alguna?

—El FBI comprobó ayer por la mañana las fichas de pacientes del doctor Delafield —replicó Valerie—, que es el médico de cabecera de Sandy Bracknell desde hace cinco años, y en su historial no hay la menor mención de enfermedades y menos de migrañas. Además, el laboratorio central del FBI confirmó ayer la presencia de restos tóxicos de ergotamina en las muestras tisulares del señor Bracknell.

La estupefacción de Hartman era absoluta, pero él seguía pensando a toda prisa y replicó que Bracknell podía haber padecido cefaleas en Washington y algún médico amigo le habría prescrito el fármaco.

Pero cuando Valerie mostró las fotos, no pudo contenerse.

—¡Esto es increíble! —exclamó fuera de sí—. ¿Presenta usted fotos robadas como prueba contra mi clienta? Señoría, esto no sólo es ilegal sino un atentado a la ética. En cuanto salgamos de aquí voy a ponerme en contacto con el Colegio de Abogados de Connecticut para cursar una protesta...

El juez Gold lo dejó desahogarse unos minutos y a continuación dijo a Valerie:

—Tenga en cuenta que esas fotos pueden haberse hecho hace años. ¿Cómo puede afirmar que son recientes?

—Esta mañana me planteé esa misma duda —contestó ella—. Y fui a informarme en el principal laboratorio de revelado de New Coventry. Me han dicho que hay un nuevo proceso de codificación llamado DX que se emplea en las cámaras automáticas para saber la sensibilidad de la película, y que es un sistema que sólo se comercializa desde hace un año. La película con que se hicieron estas fotos lleva ese código.

Aquello fue el golpe mortal para Hartman, y su cara, ya pálida, se le puso color ceniza.

—Se ha encargado el FBI del caso en lugar de la policía estatal porque Bracknell era empleado del gobierno federal —continuó Valerie, sin perder la calma a pesar de que su corazón latía con fuerza—. La investigación está en manos de la delegación de New Coventry y la dirige el agente Marlin Foster, quien ha manifestado que le confirmará todos estos extremos, juez Gold.

—Bien, creo que está claro —dijo el juez, un tanto perplejo, poniéndose en pie—. Como ahora el caso se halla en fase de investigación criminal, señor Hartman, estoy seguro de que se dará cuenta de que no puede iniciar ni proseguir la vía civil hasta que la faceta penal se haya juzgado o resuelto. El caso de Bracknell contra Harris queda aplazado *sine die*. Les doy las gracias por su presencia.

Valerie y Norm Hartman salieron juntos del despacho. Él iba enfurecido pero callado; acababa de perder el mejor caso de su carrera, cuando un par de días atrás habría podido conseguir una fantástica compensación por acuerdo entre las partes.

Se detuvo y se volvió hacia ella.

—Abogada —dijo con tono impasible, como si acabase de perder un dólar al backgammon—, tengo en mi poder información que debo pasarle ahora que se trata de un caso criminal. —Hizo una pausa y la miró con ojos crueles—. Cuando me encargué del caso, verifiqué datos sobre los principales implicados, que por aquel entonces eran el doctor Harris y el doctor Delafield, y me serví, como de costumbre, de la agencia de detectives Malone. Cobran mucho pero trabajan muy bien —añadió con un suspiro—. El doctor Delafield era entonces el principal demandado, y Terry Malone averiguó que él y la señora Bracknell pasaron juntos algunas noches en diversos hoteles y moteles de la región de Glenport durante este último año. Cuando Malone me entregó el informe ya habíamos llegado a un acuerdo con el doctor Delafield y su conducta me tenía sin cuidado.

Hartman metió la mano en el bolsillo y le sonrió con aire pensativo.

—Ya ve, abogada, ni siquiera necesita las fotos. Si quiere le remitiré el informe.

—Gracias, Norm, es muy amable de su parte —dijo Valerie, y le sonrió porque acababa de ocurrírsele una idea—. ¿Averiguó algo parecido en el caso del doctor Harris? —preguntó como quien no quiere la cosa.

—Nada —respondió él, sonriendo otra vez, esta vez con más espontaneidad. Recobraba su entereza y pensó que ya habría más casos para ganar—. Únicamente lo de ese juicio por negligencia profesional en Nueva York. Leí la transcripción y, entre nosotros, pienso que fue el chivo expiatorio.

En ese momento se acercó el juez Gold.

—¿Tomamos un café? —propuso.

—Si usted invita... —respondió Valerie, y los tres cruzaron la calle hasta la cafetería de enfrente del juzgado.

48

Más tarde, aquel mismo día, Stefan Olson y Tony Marino se reunían en el despacho del primero. La noticia de la investigación sobre el asesinato se había difundido en Glenport como un reguero de pólvora, y todos tenían su particular teoría y versión que contar. Pero todas las historias coincidían en que el doctor Anselm Harris había sido el chivo expiatorio de un crimen inicuo, y aquello soliviantaba a la gente.

Tony Marino estaba apesadumbrado, y los dos hablaron del caso un buen rato. A continuación, Olson orientó la conversación hacia donde él quería.

—Ayer me entrevisté con la dirección de Farman —dijo—. Han renunciado por fin a su proyecto de clínica porque los sindicalistas cambiaron de idea y les retiraron su apoyo. Fue nuestra Erica quien les convenció al demostrarles lo que había sucedido en otras clínicas de empresa de la región.

—¿Nuestra Erica? —dijo Marino, mirándole—. Oiga, esa chica se está volviendo un buen partido, con su empleo fijo, un coche nuevo y ahora la historia con el idiota de mi yerno.

—Desde luego, por lo que al hospital se refiere, se gana el sueldo —añadió Olson, tratando de ocultar el nuevo entusiasmo que sentía por ella—. En fin, creo que es el momento justo para lograr que Farman se interese seriamente por el hospital y cerrar un trato con ellos.

Tony Marino sacó un puro y miró el extremo, pero no lo encendió.

—He hablado esta mañana con Bruce Lord de Farman —prosiguió Olson— y me ha dicho que está dispuesto a incorporarse al consejo de administración del hospital.

—¿Bruce en persona? —inquirió Tony incrédulo—. ¿O por medio de un delegado?

—En persona. Y no sólo eso, sino que está dispuesto a aportar una buena suma para reequipar el laboratorio y el departamento de rayos X, y urgencias o lo que haga falta para cumplir los requisitos del JCAH.

—¿Y cuál es el precio? —inquirió Tony—. Vamos, ¿qué tenemos que darle a cambio?

Stefan Olson lanzó un hondo suspiro y dijo:

—Rehacer todo el organigrama del hospital. Tenemos que construir clínicas satélites y diseñar una actitud más responsable ante las necesidades de la comunidad. Erica...

—Entonces necesitamos un nuevo jefe de cirugía —le interrumpió Tony Marino.

—Bruce Lord hace presión para que el cargo se lo demos a Anselm Harris —dijo Olson, que habría preferido tratar el tema algo más adelante—. Está al corriente de la clínica gratuita que tiene en Bank Street y le parece admirable. Ha comentado que «es buena para la imagen del hospital como institución asistencial».

Tony se encogió de hombros. Ya le daba igual quién fuese jefe de cirugía.

—Además, necesitamos un nuevo abogado con mayor dedicación que John Kestler —continuó Olson—. Pero en lo que más insiste Farman es en que se renueve totalmente el consejo de administración.

—¿Totalmente?

—Sí, señor. Bruce Lord tiene ya una lista hecha.

Tony prestó máxima atención.

—Eso es absurdo —replicó—. ¿Quién demonios se cree que es?

—Mucho me temo que nos tienen bien cogidos —añadió Stefan, que había dedicado dos semanas a propiciar aquel cambio—. Farman es quien más pacientes nos procura, el asunto Bracknell ha demostrado públicamente lo deficiente que es nuestro servicio, y hay muchos que opinan que el actual consejo no ha cumplido con su cometido.

—Eso puede arreglarse —replicó Tony Marino—. Tengo proyectos para reorganizarlo. —Lo miró desafiante, encendiendo el puro y lanzando una nube de humo en dirección a él.

Stefan empujó sobre el escritorio un ejemplar del periódico local, doblado por la segunda página.

—No sé si ha tenido oportunidad de leer eso —dijo.

Tony lo cogió y lo leyó con el brazo estirado: «Peligra el hospital de Glenport...»

—¿Qué demonios es esto? —gruñó.

Stefan Olson no dijo palabra, y él siguió leyendo. El artículo exponía detalladamente los problemas que tenía el hospital con el JCAH y las diversas deficiencias que ponían en peligro su acreditación ante el organismo.

Tony leyó en voz alta:

—«... la única esperanza está en una reestructuración completa, según dijo Bruce Lord, directivo de Farman, en la reunión celebrada ayer por el Rotary Club local en el hotel Sherada. Lord puso de relieve su disposición a colaborar con Stefan Olson, director del hospital, quien también tomó la palabra en la reunión...» —Marino hizo una pausa y le miró encendido.

—Están presionando —dijo Olson—. Y las cosas pueden ponerse peor. De momento hemos podido echar tierra al incidente entre Erica y el doctor North, pero si trascendiese a la prensa sacarían punta al hecho de que el doctor North es yerno del presidente del consejo del hospital —añadió con cara jovial—, lo que explicaría por qué no se le ha abierto expediente.

Stefan asintió con la cabeza como lamentando la maldad de los medios de información y lanzó un profundo suspiro.

—Mire, señor Marino, tal como están las cosas, lo mejor sería que el consejo de administración dimitiese en bloque, usted incluido, para evitar una protesta pública que les obligue a hacerlo.

Tony cerró los puños y miró a Olson, quien le sostuvo impasible la mirada. Así estuvieron unos segundos, como dos perros de porcelana en una repisa de chimenea, mientras Marino buscaba mentalmente una escapatoria. Luego se levantó y se dirigió a la puerta, para detenerse a medio camino, tirar deliberadamente el puro y pisotearlo sobre la alfombra.

—¡Sabía que no debimos contratarle, maldita bola de carne sueca! —espetó.

Erica estaba en el antedespacho, sentada en el borde del escritorio de Donna Forrest, charlando, balanceando sus esbeltas piernas y limándose las uñas, cuando Tony Marino salió como una tromba, pero se detuvo en seco al verla. Ella se levantó parsimoniosa, se dirigió a la puerta del despacho de Olson, la abrió sin llamar y se volvió para dirigirle un guiño tan impúdico e incitante que él dio un paso atrás estupefacto. Hasta que no se hubo cerrado la puerta tras ella, Tony Marino no se percató lo diabólicamente que se la habían jugado.

Casi a la misma hora, Anselm y Valerie estaban sentados en una mesa al aire libre en Whaler Inn. El día era cálido y llegaba una brisa del mar que levantaba los picos de sus servilletas de papel. A lo lejos se veía, surgiendo nítidamente de la superficie, la masa irregular azul-gris de la isla Carver.

Estaban muy juntos sentados en el banco, tomando cerveza. Anselm estaba callado y pensativo, y Valerie, que ya se notaba muy eufórica, le preguntó en qué pensaba.

—En Peter —contestó él—. Hacía tanto tiempo que era mi mejor amigo... Es como si se me hubiera muerto alguien de la familia.

Valerie le apretó la mano sin hacer comentarios.

—Ojalá pudiera hacer algo por él —añadió Anselm mirando al mar.

Valerie, no tan dispuesta como él a perdonar, sintió cierta irritación por su benigna actitud.

—A mí me interesa más hacer algo por ti —dijo—. Y para ello vamos a recurrir el caso de negligencia médica de Nueva York. Creo que sé cómo ganarlo.

—No, no vas a hacerlo —replicó Anselm, desechando la tristeza que sentía por Peter—. Que lo haga otra persona, pero tú no. Hay una regla ética... —añadió, pasándole el brazo por los hombros y apretándola—. Y desde esta mañana, Valerie Morse, ya no eres mi abogada, y pienso aprovecharlo al máximo dentro de un momento.

A unos veinte kilómetros al nordeste, una enorme garza real azul permanecía inmóvil en la orilla de una charca junto a una arboleda de alisos. Un rayo de sol hirió las ondas del agua tiñendo de rojo y blanco al ave, que sacudió un instante su plumaje para desperezarse y alzó el vuelo despacio por encima de un matorral de laurel, ganando cada vez más altura.